HET TETRAVILLE BEDROG

54

Benny Baudewyns

HET TETRAVILLE BEDROG

Thriller

the house of books

Voor Robin, de echte.

Omslag	*Aksent/Johan Buijs*
Foto auteur	*Benny De Grove*
Binnenwerk	*Phaedra creative communications*

© 2005 The House of Books
Niets uit deze uitgave mag door middel van elektronische of andere middelen,
met inbegrip van automatische informatiesystemen, worden gereproduceerd
en/of openbaar gemaakt zonder voorafgaande schriftelijke toestemming
van de uitgever.

ISBN 90 443 1238 3
NUR 332
D/2005/8899/11

2052:
Europa is er erg aan toe.
Achter de grauwe werkelijkheid
schuilt een immens bedrog...

PROLOOG

Het regende over Zone A.

Zone A stond vroeger bekend als de stad Amsterdam. Best een gezellige stad toen, maar de grote besmetting had haar herschapen in een trieste steenwoestijn. Vele inwoners waren als gevolg van de besmetting overleden. De overlevenden hokten bij elkaar in kleine, afgebakende wijken. Zo kon de ziekte makkelijker tegengehouden worden.

De grachten waren leeggepompt als voorzorgsmaatregel. De eens zo romantische grachten, handelsmerk van het oude Amsterdam, waren nu drooggelegde riolen: doods, verlaten. Alsof de ziel, het hart en het bloed tegelijk uit de stad waren gerukt.

De grachten lagen er verlaten bij. De weinige inwoners in deze wijk bleven thuis. Geen mens waagde zich door dit weer. Nummer veertien aan de Herengracht stond er even mistroostig bij als alle andere huizen, maar op de hoogste verdieping brandden vele lichten en liepen er nogal wat zenuwachtige mensen rond. Niemand van de omwonenden kon vermoeden dat er zich hoog bezoek in hun buurt ophield.

'Mijne heren, zo dadelijk zal de president jullie ontvangen. Mag ik jullie wijzen op de afspraken: niemand spreekt de president rechtstreeks aan. Men antwoordt alleen op vragen die hij zelf stelt. Kort en bondig, zonder uitweidingen. De officiële aanspreektitel voor onze grote leider is *'Monsieur le Président'*. Wie het waagt iets anders te zeggen, kan elke onderscheiding wel vergeten.'

De ceremoniemeester draaide zich om en liep met stijve passen het vertrek uit. Drie heren in het gala-uniform van de Politieraad bleven verbouwereerd achter. Ze keken voor de zoveelste keer de knopen van hun jassen na en probeerden de belachelijke sabel aan hun zij mooi evenwijdig met hun been te houden. Zoals de etiquette het voorschreef.

'Zo'n minkukel wordt dan ceremoniemeester. Onbegrijpelijk.' De kleinste man tikte nijdig tegen de sabel zodat de punt in het dikke tapijt vast raakte. Dat scheen te werken, want de sabel bleef mooi rechtop staan. Hij knorde tevreden. 'Dit voorhistorisch attribuut zal ik straks met plezier in z'n reet stoppen.'

Hij was de enige die met z'n gore opmerking lachte.

Zijn buur was een oudere man met een uitgezakt figuur. Hij haalde onverschillig de schouders op.

'Als onze grote leider mij iets vraagt, dan antwoord ik in het Nederlands. En naar zijn *'Monsieur'* kan hij tot sint-juttemis wachten. 'Mijnheer' zal ruim volstaan.'

Hij zuchtte gelaten. 'Onze grote leider. Waar halen ze het? Het lijkt wel of Stalin en zijn jaknikkers terug zijn.'

De derde man veegde het zweet van zijn voorhoofd. Hij was de jongste van het groepje, groot en stevig gebouwd. 'Deze onderscheiding hoefde niet echt voor me. Ik vraag me trouwens af waaraan ik dit verdiend heb.'

'Heb je je aanbevelingsbrief dan niet goed gelezen?'

'Voor diensten bewezen aan de stad. Daar kun je alle kanten mee uit. Ik deed gewoon mijn werk.'

Hij concentreerde zich opnieuw op de weerbarstige sabel.

'Ach, *'Monsieur le Président'* zal wellicht zijn redenen hebben. Dan komt hij nog eens op televisie met positief nieuws. Is goed voor het moreel van de bevolking.'

'Bevolking, mijn reet.' Daar had je de vuilbek opnieuw. 'Heb jij hier al een televisiecamera gezien? Het lijkt wel of ze de ceremonie in het grootste geheim laten verlopen. Ik bedoel, we komen allemaal uit Zone B. Toch moeten we helemaal naar dit pokkeneind van Zone A om onze onderscheiding te krijgen. En dacht je dan dat we in de presidentiële vertrekken werden ontvangen? Mooi niet. Een rijtjeshuis aan de Herengracht. Kloteboel is het.'

De sabel van de jongste man kwam los en kletterde tegen zijn knie aan. 'Heren, heren. Kalmpjes aan. Stel dat hier microfoons hangen. We vliegen gelijk achter de tralies.'

'Jij leest te veel thrillers. Dit is de echte wereld.'

De grote dubbele deur vloog abrupt open en de ceremoniemeester verscheen in de opening. *'Monsieur le Président.'*

De president van Tetraville was een magere, rijzige man met een hoog voorhoofd. Zijn weinige haren plakten vakkundig tegen zijn blinkende schedel. Hij had grote, donkere ogen die hem zijn kenmerkende, hautaine blik gaven.

Er was geen muziek, er waren geen genodigden en geen toespraken. De president schreed de kamer binnen, mompelde wat hoogdravende woorden en ging prompt over tot de overhandiging van de medailles voor moed en zelfopoffering die de ceremoniemeester hem aanreikte. Hij speldde ze op de revers van de gala-uniformen, schudde afwezig de handen van de politiemannen en haastte zich daarna het vertrek weer uit.

Vuilbek was de eerste die zijn adem terugvond. 'Wel heb ik ooit. Moeten we hiervoor helemaal naar Zone A komen?'

De oudere man zei niks, maar staarde fier naar de medaille. 'Dit doet me toch wel iets. Uit de handen van de president.'

De jongste van het groepje stond er wat afwezig bij. Hij had zich de president helemaal anders voorgesteld. Forser, en vooral voornamer. Het leek wel of de president nerveuzer was geweest dan zijzelf. En wat te denken van zijn gezicht: de president had vreemde littekens.

In het belendende vertrek nam de president een drankje aan van de ceremoniemeester en wandelde naar het venster in de scheidingswand. Daar stonden nog twee mannen die nauwkeurig de gangen van de drie gelauwerde politiemannen in het andere vertrek nagingen.

'*Toutes les mesures de sécurité ont été prises?* Jullie zijn toch zeker dat ze ons niet kunnen zien?' De president nipte van zijn drankje. 'Of horen?'

'Zeer zeker niet, *Monsieur le Président.* Wat vond u ervan?'

De president antwoordde niet, maar bestudeerde de drie mannen. 'Wie van hen wordt de hoofdrolspeler?'

'Waagt u zich aan een gokje?'

'Als ik op mijn gevoel afga, kies ik de jongste. Hij lijkt mij een doortastende man. En hij heeft een fotogeniek gezicht. Dierlijke uitstraling met een aardige scheut misdadigheid in de ogen. Dat is mooi meegenomen.'

'U hebt een feilloos gevoel, *Monsieur le Président.* Hij wordt het inderdaad. De eigenschappen die u aanhaalt, gaven ook voor ons de doorslag.'

De president ledigde zijn glas en ging bij het raam vandaan. 'Pak het voorzichtig aan. Hij ziet er mij ook nog eens verdomd slim uit. Hij stelt zich al een heleboel vragen bij deze ontmoeting. Wat als hij zijn eigenlijke opdracht krijgt? Een achterdochtig type kan aardig wat roet in het eten gooien.'

Een van de mannen bij het raam kwam naar de president toe. Hij streek zijn politie-uniform glad. 'Maakt u zich geen zorgen. Hij werd zorgvuldig geselecteerd. Er zitten verschillende bezwarende elementen in zijn dossier zodat hij niets anders kan dan meewerken.'

De president knikte. 'Goed. Ik ben blij dat ik deze mensen ook ontmoet heb. We kunnen nu eindelijk met de finale beginnen, ik ben gerustgesteld. Hebben jullie voldoende opnames van deze mensen?'

'Van de twee oudere wel. Voor onze hoofdrolspeler hebben we iets meer nodig. Maar alles is al uitgekiend. Binnenkort vertrekt hij voor een korte opdracht die ons al het nodige materiaal zal opleveren. Hij zal niets vermoeden.'

'Mijne heren, ik vertrouw volledig op jullie. Laten we met de grote schoonmaak beginnen.' Hij beende het vertrek door, maar hield halt bij de deur. 'Nu wil ik naar het station. Daarvoor ben ik tenslotte naar Zone A gekomen.'

De man in politie-uniform knikte en wenkte twee potige kerels die in de gang hadden gewacht.

De inderhaast gegraven geheime gang liep vanuit de kelder van het gebouw dwars onder de lege Herengracht naar een huis aan de Keizersgracht. Het gezelschap met de president liep met geforceerde pas en beklom de trap aan het uiteinde van de gang. Twee lijfwachten openden de deur en begeleidden de president naar de binnenplaats van het pand, waar een limousine klaarstond. Op een minuscuul vlaggetje op de flank stond de cirkel met de sterretjes, een overblijfsel van het oude Europese logo.

De president en de man in politie-uniform gingen achterin zitten. De limousine gleed weg.

De wagen reed het verlaten centrum van Zone A door. Het was opgehouden met regenen. Op het Rokin en de Damrak slenterden mensen doelloos rond. Ze sloegen geen acht op de auto met de ondoorzichtige ramen. Slechts één man bleef de auto verbaasd nastaren. Hij had een overjas over zijn uniform aangetrokken en de belachelijke sabel bij zijn bagage gestopt. Zijn twee metgezellen zaten in de bar van het hotel en dronken verlept bier, of wat daarvoor moest doorgaan. Maar hij wilde een wandelingetje maken en die belachelijke ceremonie uit zijn hoofd zetten.

En nu zag hij de auto van de president voor zijn neus wegrijden. Hij herkende het vlaggetje op de flank. Niet dat hem dat verbaasde: de president was wellicht ook met de trein gekomen. Iedereen reisde met de trein, de wegeninfrastructuur verkeerde immers in een belabberde toestand. Het viel hem op dat de auto niet de kortste weg naar de hoofdingang van het station nam. Zijn politie-instinct flakkerde op. Hij greep een fiets – die werden bij de ingang van het hotel gratis ter beschikking gesteld – en zette er flink de vaart in.

Na tien minuten bereikte de presidentiële wagen de oostelijke rand van het Stationsplein. Achter de enorme betonnen constructie – een primitieve waterwering – rees het Centraal Station op. De wagen nam de afslag naar de parkeergarage en bleef staan bij een oude bestelwagen, het enige voertuig dat hier geparkeerd stond. De zijdeur gleed open en een van de lijfwachten opende het portier van de limousine. De president dook meteen de bestelwagen in.

De politieman volgde hem. 'Deze route is veilig. We houden deze verdieping scherp in de gaten. Niemand vermoedt iets.'

De man op de fiets hield halt bij de rand van het plein. Hij zag nog net de limousine de parkeergarage induiken. Vreemd vond hij dat, maar hij maakte geen aanstalten om nog verder door te rijden. Zijn geoefend oog had twee mannen opgemerkt op het dak van de parkeergarage. Ze droegen koptelefoons en in een fractie van een seconde had hij een geweerloop opgemerkt. Er zouden er waarschijnlijk nog meer zitten op de gebouwen rond het plein.

Hij maakte rechtsomkeer en peddelde rustig van het station weg. Ach wat, waar maakte hij zich druk om? De president werd waarschijnlijk via een geheime toegang naar het station geloodst. Veiligheid, weet je wel.

In de vloer van de bestelwagen zat een rond gat. Daaronder was een opengeschoven riooldeksel zichtbaar in de vloer van de garage. De politieman klauterde voor de president het smalle laddertje af. Tien meter lager kwamen ze in een helverlichte tunnel uit.

De president klopte wat stof van zijn pak. 'Is dit de voetgangerstunnel waar jullie het over hadden?'

'Precies. Hij werd in de gouden tijd gelijktijdig met de nieuwe metrolijn aangelegd, maar na de grote besmetting werden ze beide nutteloos. Alle toegangen werden afgesloten als hygiënische voorzorgsmaatregel. Niemand kan ons hier dus vinden.' De president knikte. Samen met de politieman liep hij door de tunnel tot ze bij een volgend trapje kwamen. Ze daalden opnieuw ettelijke meters. Een stalen deur stond wagenwijd open. Ze liepen verder en kwamen bij een metalen platform. De politieman knipte een paar lichten aan. De president was zichtbaar onder de indruk van wat hij zag. Het platform, zo'n vijf meter boven de vloer, gaf uitzicht op een immense ruimte zonder ramen. Er liep wat water langs de wanden dat zich op de vloer had verzameld. Een meetstok in de hoek gaf iets meer dan een meter aan.

De politieman glimlachte. 'Dit is eigenlijk een groot reservoir, aangelegd om het binnensijpelende water van de voetgangerstunnel en de metropijp op te vangen. Die liggen immers allebei onder het zeeniveau. Als dit reservoir vol is, kan het worden leeggepompt via die schachten ginder.'

De president liet zijn blik rusten op de vele kratten en kisten die opgestapeld lagen op het platform boven het water. Alle kisten waren netjes gemerkt en gelabeld. Hij wandelde door de gangen. De man die de inventaris had opgesteld, had zijn werk keurig gedaan. De etiketten vermeldden niet alleen dat er schilderijen in de kratten zaten, maar ook uit welk museum ze gestolen waren, wie ze had geschilderd en in welke periode.

De president knikte goedkeurend. 'Prachtig. Als ik ooit mijn stulpje inricht, dan heb ik maar te kiezen.'

'De mooiste doeken uit heel Europa. Op elk krat zit een vochtigheidsmeter. In de kisten zit een vochtopslorpend poeder. De schilderijen worden op de best mogelijke manier bewaard.'

'Ik kan al niet wachten om ze te bewonderen.'

'Wilt u de beeldhouwwerken ook zien?'

De president legde een hand op de arm van de politieofficier. 'Helaas, mijn tijd is beperkt. Ik wil nog even naar de cel en dan moet ik er jammer genoeg vandoor.'

De politieman knikte en ging de president voor. Ze liepen naar de tunnel terug. Helemaal op het einde, waar een forse muur elke doorgang blokkeerde, zat een stevige deur in de zijwand. Er stonden twee mannen op wacht. Ze sprongen in de houding en hielden hun wapen strak voor zich uit toen ze de president herkenden.

De politieman tikte zijn naam en een code op een klavier in. De deur gleed zoemend open. De president stapte naar binnen. De politieman bleef discreet in de gang staan.

De cel was niet groot. Zo'n vier meter bij zes. Er zaten geen ramen in. Tegen een van de wanden hing een groot scherm waarop een landschap te zien was. Er vlogen wat vogels over de boomtoppen en hun gekir drong via een luidsprekertje de cel binnen. Verder stonden er wat antieke meubels en een groot bed. In de hoek was een deurtje dat naar een badkamer leidde.

De oude man die in de sofa zat, keek nauwelijks op toen de president de cel binnenkwam. Hij klapte het boek waarin hij had zitten lezen dicht en wachtte op wat komen zou.

Maar er kwam niks. De president sprak geen woord. Zijn gezwollen gezicht was een ijzig masker geworden. Haat gloeide in zijn ogen op.

Uiteindelijk was het de oude man zelf die de stilte verbrak. *'Comme tu le peut constater: je ne suis pas encore mort.'*

De president verroerde geen vin. De stilte leek uren te duren. Plotseling draaide hij zich om en verliet de cel.

'Schweinehund!'

De oude man klapte het boek weer open.

Toen de president de tunnel had bereikt, gleed de deur van de cel opnieuw dicht. Hij zette er stevig de pas in. 'Breng me zo snel mogelijk naar mijn trein. Ik wil naar Zone P terug. Ik moet mijn dokter zien. Mijn gezicht doet weer enorm pijn. Die kalmerende middeltjes helpen niet.'

1

Dinsdag 27 augustus 2052
18.37 uur

Met verbijstering bleef ik naar het lege kantoor kijken. Het bureau stond er natuurlijk nog, en ook de stoel, maar de opgepakte schooier die ik met een handboei aan de radiatorleiding had geklonken, was verdwenen.

Ik wenkte de dienstdoende agent. 'Waar is die man die ik vanmiddag binnenbracht?'

De jongeman keek me even aan alsof ik hem een oneerbaar voorstel had gedaan. 'Die is weg.'

'Natuurlijk, dat zie ik ook wel. Is hij naar de gevangenis gebracht?'

'Eh... nee, hij is vrijgelaten.'

Ik had al zo'n voorgevoel. 'Door wie?'

'De dienstdoende inspecteur heeft hem ontslagen. Op rechtstreeks bevel van de Manty. Meer weet ik er ook niet over.'

De agent draaide zich abrupt om en nam zijn plaatsje bij de inkomhal van het politiebureau weer in.

Het had geen zin hier dieper op in te gaan. Ik verliet spoorslags het gebouw.

Nog geen halfuur later zat ik samen met Denis in zijn kelder. We ordenden wat kratten en vulden lijsten aan. Denis overhandigde me een enveloppe. Ik voelde de bankbiljetten die erin zaten. Ons zwarte handeltje draaide lekker.

Toch bleef ik maar dubben over wat er vanmiddag was gebeurd. 'Ik weet het niet, Denis. Maar het zaakje stinkt.'

'Ons zaakje?' Denis keek me verschrikt aan.

Eigenlijk heette hij John, Denis was zijn familienaam. Hij zat bij me in de ploeg en samen dreven we na onze uren een klein handeltje op de zwarte markt. Wat aangeslagen spulletjes die we achteroverdrukten bij de sectie Opslag en waarvan de opbrengst de moeilijke maandjes hielp overbruggen.

'Nee, natuurlijk niet ons zaakje. Daar kijk ik wel voor uit. Ik heb het over mijn arrestatie van vanmiddag. Ik klis een kerel die geen geldige papieren op zak heeft. Hij beweert dat ze thuis liggen, maar hij wil me zijn adres niet geven. Ik neem hem mee naar het bureau. Later hoor ik dat de Manty persoonlijk heeft ingegrepen om de man vrij te laten.'

'Waarschijnlijk klopte zijn verhaal en lagen zijn papieren thuis.'

'Moet een hoofdcommissaris daarom persoonlijk tussenbeide komen? Heeft die echt niks anders te doen?'

'Paul, maak je daar toch niet druk om. Zulke zaken gebeuren geregeld. Vriendjespolitiek tiert welig, dat zou jij toch moeten weten?'

Ik knikte, zij het niet van harte. Er was iets gaande bij de Politieraad. Ik voelde het gewoon.

2

Zone B had sinds de besmetting de uitstraling van een verlaten termie-tenheuvel. De vele blokken met overheidsgebouwen – en het oude Brussel had er veel gehad – waren kleine spookstadjes geworden. De weinige overlevenden clusterden bij elkaar in de verouderde woonwijken van de randgemeenten. Het leeggelopen centrum schrikte iedereen af en wie er niet echt zijn moest, ontweek het met een grote boog. Dat had ik ook het liefst van al gedaan, maar ik was nu eenmaal ontboden. En dat terwijl er net gisteravond een bomaanslag was gepleegd in het oude centrum.

Ik keek op mijn horloge. Het was nog bijna een uur voor mijn afspraak, dus had ik meer dan tijd genoeg om intussen een kijkje te nemen op de plaats van het onheil. Strikt genomen had ik er niks te zoeken. Als hoofdinspecteur van de Gerechtelijke Politie bij de cel Mensenhandel en -smokkel hoefde ik me niet te bemoeien met een eenvoudig dossier als een bomaanslag binnen de muren van de stad. Alles wat de rust en orde verstoorde binnen Tetraville was werk voor de cel terrorisme en sektes, een andere afdeling van de Gerechtelijke. Maar ik had zo mijn redenen om er eens rond te neuzen.

Ik liep door de verlaten Regentschapsstraat, in het juridische hart van het oude Brussel. Verroeste tramsporen sneden als kille linten door het wegdek. Er reden al jaren geen trams meer, maar niemand had de moeite genomen om de sporen te verwijderen. In de verte stak de plompe koepel van het oude Justitiepaleis door de grijze wolken. Enkele vleugels van het gebouw waren ingestort door gebrek aan onderhoud, maar de immense koepelconstructie had het niet begeven.

Ik stak het plein voor het Justitiepaleis over. In de bijgebouwen, waar vele kantoren van de Politieraad gevestigd waren, brandden nagenoeg alle lichten, alsof er een groots feest aan de gang was. Het begon te miezeren, ik trok de kraag van mijn jak omhoog.

De brede avenue voor de gebouwen van de Politieraad leidde naar het oude metrostation op de Louisalaan. Ik schrok toen ik de ravage zag. Het moest een behoorlijk krachtige bom geweest zijn. De koepel van het metrostation was helemaal weggeblazen en ook de trapkokers waren totaal vernield. Ik leunde over de verwrongen borstwering en zag twintig meter lager de blinkende sporen liggen. De metro was nog het enige werkende overblijfsel van het vroegere openbaar vervoer. De sporen waren bezaaid met puin en overblijfselen van het stationsmeubilair.

De brandweer had een noodtrap aangelegd en ik toonde de agent die erbij op wacht stond mijn insigne. Omdat ik burgerkleren droeg – wij van Handel en Smokkel (de afkorting die iedereen gebruikt) dragen ons uniform uitsluitend bij officiële gelegenheden – duurde het een hele tijd vooraleer hij in houding sprong en mij doorgang verleende.

Ik daalde de wiebelende trap af. Bluswater sijpelde door kieren in de wanden, het rook er muf. Op het perron, weg van de trapkoker, was de ravage heel wat kleiner. Een groepje onderzoekers stond bij een smeulende hoop zwartgeblakerd ijzer. Iemand nam notities, een jonge vrouw sprak in een dictafoon.

Een inspecteur in uniform, met het kenteken van de cel Terrorisme op de revers gespeld, liep nors op me toe. Toen hij me herkende, viel zijn gezicht in een plooi. 'Paul, wat kom jij hier doen?'

Karl Segers was bij terrorisme terechtgekomen toen ik er net vertrok, nu zo'n zes jaar geleden. Niettemin hadden we nog een paar keer samengewerkt. Karl was een geschikte kerel, joviaal en eerlijk.

'Hallo Karl. Maak je niet ongerust. Ik kwam alleen langs uit nieuwsgierigheid. Ik was toch in de buurt. Ik heb een afspraak met de grote baas.'

Karl nam me bij de arm en dreef me zachtjes naar het vernielde trapportaal terug. Hij wilde niet dat zijn collega's ons zagen praten. De eeuwenoude concurrentie tussen de verschillende politiediensten tierde welig. Karl sprak met ingehouden woede. 'Sakkerse oproerkraaiers. Een bomaanslag hier in het centrum, onder onze neus. Er zullen opnieuw koppen rollen.'

'Ben je al iets wijzer geworden?'

'Niemand snapt er een bal van. De bom is ontploft midden in de nacht, wanneer het station gesloten is. Ik bedoel: als ik zo'n schooier was, zou ik het overdag doen. Maakt toch veel meer indruk?'

Ik haalde de schouders op. Het was vreemd, maar niet echt mijn probleem.

'Zat de bom in die schroothoop?' Ik wees naar de ploeg die nauwgezet het verwrongen staal onderzocht.

Karl knikte. 'Het krantenstalletje. De eigenaar wordt opgespoord.'

'Enige aanwijzingen dat de bom te vroeg is afgegaan?'

'Dat is nog in onderzoek. We hebben het tijdsmechanisme nog niet teruggevonden.'

Hij maakte aanstalten om naar zijn ploeg terug te keren.

Meestal liet ik me niet zo makkelijk afschepen, zeker niet door iemand van terrorisme, maar een blik op mijn horloge leerde me dat ik mocht opschieten. De grote baas hield niet van wachten.

Ik nam haastig afscheid en klauterde de bengelende noodtrap op. Het regende nog steeds.

3

Na de grote besmetting waren de landsgrenzen in Europa afgebrokkeld en werden alle bestuurlijke organen opgedoekt door een nijpend gebrek aan mensen. Iedereen die nog gezond was, hokte samen, en later, toen het grootse bouwwerk was gerealiseerd, trok men zich terug binnen de veilige muren van Tetraville. Maar ook hier waren er geen ministeries meer, of geen openbare instellingen. In de vier centra binnen de ommuurde stad, die simpelweg bekend stonden als Zone A, B, P en M, restten slechts enkele loketten in oude overheidsgebouwen voor de alledaagse beslommeringen van de inwoners. Aangiften van overlijden (wat driekwart van het werk uitmaakte), meldingen van geboorten (wat door zijn uitzonderlijkheid steevast een item werd in het televisiejournaal), soms een huwelijk (ook een item) en occasioneel een scheiding (voer voor de doofpot).

De president was het onaantastbare hoofd van Tetraville. Almachtig en verkozen voor het leven door afgevaardigden van het ministerie van Volksgezondheid en dat van Veiligheid en Bescherming, waaronder ook de Politieraad ressorteerde. Dit waren de enige ministeries die nog over waren van het eens zo ingewikkelde kluwen van overheidsinstanties van voor de besmetting. De president verbleef meestal in Zone P. Hij vertoonde zich zelden in het openbaar en verschanste zich in een stevig bewaakte wijk van de stad. Vele burgers hadden het gevoel dat hij hen aan hun lot overliet.

Voor de rest was het vooral een kwestie van te overleven in de bijna tweeduizend kilometer lange strook bewoning. Tetraville. Het was een laatste levensader van het eens zo levenslustige Europa, waar de inwoners er krampachtig de moed inhielden, ook al wisten ze dat ook deze stad ten dode was opgeschreven.

Ik probeerde aan iets anders te denken terwijl ik naar de gebouwen van de Politieraad liep. Het had toch geen zin. Vroeg of laat gingen we er allemaal aan. Wat konden mij een paar capriolen van de gezagsdragers schelen. Om diezelfde reden had ik ook besloten niets meer over de vreemde vrijlating van gisteren te zeggen. Onze grote baas zal zijn redenen wel hebben gehad.

Stipt op het afgesproken uur stapte ik het kantoor van hoofdcommissaris Gerard de Manty binnen. De secretaresse keek me ijskoud aan terwijl ik me voorstelde. Ze keek in de agenda die op haar bureau lag en leidde me naar een wachtkamer zonder stoelen of banken. Ze kwakte zonder een woord commentaar de deur achter zich dicht. Ik ijsbeerde en probeerde mijn ademhaling onder controle te houden. Ik heb sinds een tijdje een zesde zintuig ontwikkeld dat me waarschuwt voor stront. Het werkte op dit moment op volle toeren.

Gerard de Manty stamde, evenals de president, uit een oude, adellijke familie met Franse wortels en liet geen enkel moment onbenut om je daaraan te herinneren. Hij wees me een stoel aan in zijn overdadig gedecoreerd kantoor. Een antiek bureau met kunstig houtsnijwerk, dito stoelen en aan de muren oude schilderijen met vergezichten. Idyllische tafereeltjes van jacht- en schranspartijen in het groen. Beelden van voor de grote besmetting.

Met een korzelig handgebaar wreef hij een imaginaire pluk van zijn pak en ging zelf bij het raam staan. Donkere wolken dreven nog steeds over Tetraville.

'Ga zitten. *Je dois te parler.*'

Ik ging zitten op de plompe stoel.

'*Comment vont les choses, mon cher* Paul Notbom?'

Er liep een rilling over mijn rug. Hij sprak mijn naam op die verfoeilijke Franse wijze uit. Ik glimlachte flauwtjes en weerhield me er op het laatste moment van hem te vertellen dat mijn naam Notteboom was. Notteboom. Was dat nu zo moeilijk?

Ik concentreerde me op een van de spuuglelijke schilderijen. 'Dat gaat. We hebben de zaken aardig onder controle.'

Hij ging grommend zitten. 'Dat weet ik, dat weet ik.' Hij stak een sigaar op zonder me er eentje te presenteren. Maar ik had natuurlijk niks anders verwacht. Ik wreef mijn bezwete handen aan mijn broek af. Even vreesde ik dat ik gisteren met die arrestatie een blunder had begaan en nu de rekening zou gepresenteerd krijgen.

Maar Gerard de Manty blies een kegel rook naar de zoldering en begon over iets heel anders. 'Je weet dat over iets minder dan een maand de Spaanse grens volledig wordt afgesloten. *Je te raconte rien de neuf, je suppose?*' Hij glimlachte spaarzaam.

Ik knikte. Het machtige Iberische schiereiland had de besmetting niet kunnen bedwingen. Vijf jaar geleden had de president beslist om uit voorzorg een bijkomende muur te bouwen. Dwars over alle toppen van de Pyreneeën. Dat had vele voorhoofden doen fronsen. Velen beschouwden het als een overtollig bouwsel, Tetraville was immers al ommuurd. Toch hield de president het been stijf. De muur kwam er.

Maar de bouwwerkzaamheden hadden een averechts effect op wie zich nog in Spanje bevond. Migratiepogingen waren nog nooit zo talrijk geweest. Veel besmette mensen probeerden alsnog over de grens te komen, in een ultieme poging om naar Tetraville te trekken. De president greep eens te meer drastisch in. Elke indringer moest zijn poging met de dood bekopen.

Over minder dan een maand zou de bouw voltooid worden en zou Spanje hetzelfde lot ondergaan als de overige delen van het oude Europa. Het werd hermetisch afgesloten, alle grensposten gingen onherroepelijk dicht. De nog resterende inwoners – waarschijnlijk niet meer dan een paar honderdduizend – waren vanaf dan op zichzelf aangewezen en zouden lijdzaam moeten toezien hoe hun aantal uiteindelijk tot nul zou herleid worden.

Zo had het in de kranten gestaan.

'De grens vormt een probleem,' vervolgde de Manty. '*Un problème grave.* Dwars door de Pyreneeën, zeer onherbergzaam gebied. We moeten er van uitgaan dat er ondanks alles veel pogingen zullen ondernomen worden om ze over te steken en Tetraville binnen te dringen.'

Ik ontspande. 'Ja, dat klopt. Maar we mogen toch niet vergeten dat precies de bergketen een natuurlijke grens vormt. Een moeilijk te nemen obstakel, zeker als je besmet bent.'

'Mja, *vous n'avez pas tout à fait tort.* Maar toch mogen we geen risico's nemen.' Gerard de Manty duwde zijn sigaar uit in de asbak en sloeg een dossier open. 'Wat ik nu ga zeggen valt onder code vijf, absolute geheimhouding.'

'Je kunt op mij rekenen. Ik neem geen notities en maak geen gewag van het besprokene in welk verslag dan ook.'

Hij knorde goedkeurend. 'De afgelopen maanden werd een immense veiligheidszone aangelegd over de gehele lengte van de grens. Samen met de muur werden kazernes gebouwd voor de soldaten die zullen instaan voor de bewaking, er zijn mijnenvelden gelegd, er loopt een muur van torenhoog prikkeldraad over de hele bergketen, van de Middellandse Zee tot de Atlantische Oceaan. *Du beau travail, si je puisse m'exprimer ainsi.*' Hij sloeg het dossier dicht en keek me aan.

Ik voelde de bui hangen. 'Wat wordt er van me verwacht?'

'Oh, niet zoveel. Je wordt niet overgeplaatst, als je dat zou vrezen. Maar we hebben iemand nodig die de hele boel gaat inspecteren, voor de procedure wordt gestart. De constructieploegen zijn nog de hele maand ter plaatse. Als er aanpassingen moeten gebeuren, kan het nog.'

Ik voelde niet veel voor het karweitje. Toch liet ik niks merken. Ik werd hier niet voor een keuze gesteld, ik kreeg een opdracht.

'Jij hebt prachtig werk geleverd bij de uitbouw van de veiligheidszone rond Tetraville, dus denken we dat je de geschikte persoon bent om dit werkje te klaren. Het spreekt voor zich dat je inzage krijgt in het complete dossier, zodat je ter plaatse weinig tijd zult verliezen. We verwachten binnen de kortste keren een uitgebreid rapport van je.'

'Wanneer vertrek ik?' vroeg ik zo nonchalant mogelijk.

'De tijd dringt. We kunnen niet voorzichtig genoeg zijn. Er lopen nog steeds mensen rond die denken dat wij het niet goed met ze menen. Denk maar aan die laffe bomaanslag, pal onder onze neus.'

Ik hield me op de vlakte.

'*Bon, soyons concret.* Je vertrekt nog dit weekend. Je hebt maar een maand om de hele grens te inspecteren, maar ik weet dat jij dat aankunt. Over precies vijf weken moet je rapport klaar zijn.'

Ik verschoof wat op mijn stoel. Ik zag het helemaal niet zitten om een maand van huis weg te zijn. Zo lang kon ik Rosy niet alleen laten. Ze gedroeg zich vreemd de laatste tijd, dus daar kwam geheid gehannes van. Maar net zo goed wist ik dat ik hierover mijn mond moest houden tegen de Manty. Ik zat dus met een behoorlijk probleem. En dan was er nog iets.

'Dit weekend heeft mijn zoontje zijn Grote Inwijding, in Zone P. Ik heb beloofd om hem te vergezellen.'

Gerard de Manty knikte gezwind. 'Natuurlijk, natuurlijk. Elke vader moet zijn zoon begeleiden bij de Grote Inwijding. *Cela va de soi.*'

'We vertrekken vrijdagmiddag. De inwijding is op zaterdag.'

'Mooi, mooi. Dan kun je zondagavond naar Zone M en van daaruit naar de Pyreneeën vertrekken. Je bent dan tenslotte toch al halfweg. Je vrouw kan met je zoontje terugkeren. Zij gaat toch mee, veronderstel ik?'

'Ja, natuurlijk.' Ik had veel te snel geantwoord, maar er kwam gelukkig geen reactie.

Gerard de Manty stond op en overhandigde mij het dossier. 'Prima, dat is dan geregeld. Je krijgt de rest van het dossier bij aankomst in Zone M. Zorg dat het niet in verkeerde handen terechtkomt. Code vijf wordt nu opgeheven.'

Ik nam snel afscheid. Toen ik de gang opliep, keurde de secretaresse me geen blik waardig.

4

Twee verdiepingen lager stond ik vertwijfeld naar het bord in de hal te staren. Er werd blijkbaar opnieuw driftig verhuisd in de gebouwen van de Politieraad. Ik liep toch maar verder. Ik wilde een oude vriend van de cel Patrimonium – nog een onderdeel van de Gerechtelijke – opzoeken, maar toen ik door de gang struinde, merkte ik dat de verdieping waar hij vroeger huisde nu aan Terrorisme toebehoorde. Ik keerde snel op mijn stappen terug. Net voor de deur naar de hal stond een kantoordeur wagenwijd open. Ik hoorde een vermoeide stem.

'Nee, nee. Daar zijn we helemaal zeker van. De krantenverkoper heeft er niks mee te maken...'

Onwillekeurig hield ik de pas in. Ik draalde wat in de gang en leunde nonchalant tegen de muur.

'Nee, het verhoor was negatief. Daar komt nog eens bij dat de bom in het luik zat waarin 's nachts de kranten worden gedropt. Iedereen kan er bij...'

Er viel een lange stilte. De man in het kantoor zuchtte.

'Ik weet niks van een tunnel... Wat is dat nu voor prietpraat?'

Ik hield mijn adem in. Ik keek schichtig over mijn schouder, maar er kwam niemand aan.

'Verdomd nee, spreek er met niemand over. Dat moeten we eerst uitzoeken. Anders zullen die kinkels van Handel en Smokkel er hun neus insteken. Dan kunnen we het opnieuw schudden...'

Het gesprek kreeg een abrupt einde: een telefoonhoorn werd op de haak gesmakt. Ik stapte nonchalant door en bereikte ongezien de trappenhal.

Op het plein voor het Justitiepaleis was het muisstil. Er liepen wat voetgangers aan de overkant, een werkman in rode overall sproeide pesticide tussen de straatstenen. Het was harder gaan regenen. Ik liep langs de gebouwen van de Politieraad naar het eerstvolgende metrostation.

5

De kantoren van onze cel Smokkel en Handel lagen in de oostelijke buitenwijk van Zone B in Tetraville. Niemand was er rouwig om dat we daar rustig uit het zicht van de grote bonzen in het centrum zaten. De metro bracht me er in een minimum van tijd. Ik stapte uit bij de halte die enkel door leden van de cel mocht gebruikt worden. Mijn magnetische kaart gleed moeiteloos door de lezer bij het uiteinde van het perron: de stalen deuren schoven langzaam open.

Toch ging ik niet onmiddellijk naar mijn kantoor. Ik liep de hal door en stapte het plein op. De gebouwen lagen in een valleitje dat vroeger gedomineerd werd door een park met vijver. Sinds de besmetting waren de bomen in het park geveld, de grond afgegraven en de vijver drooggelegd. Een grijze, betonnen vlakte was het resultaat.

Het was opgehouden met regenen. Ik ging zitten op een van de schaarse banken die het betonnen plein rijk was. Het lukte me niet helemaal om de dingen in mijn hoofd op een rijtje te krijgen. Wat een vreemde opdracht had ik gekregen. Strikt genomen behoorden inspecties van installaties niet meer tot mijn domein. En het feit dat de Manty zich hier persoonlijk mee bezighield, leek me op zijn minst vreemd. Ik kon me niet van de indruk ontdoen dat hier meer achter zat. Dat vond ik een bijzonder onaangenaam gevoel.

Ik raakte er niet uit. Ik zocht mijn kantoor op, sloot de deur en zette me aan het telefoneren. Eerst belde ik Rosy, mijn vrouw, en vertelde haar over mijn vreemde opdracht. Ze zei niks, zoals wel vaker de laatste tijd. Ik meldde haar dat ik een maand zou wegblijven. Geen reactie.

Ik slaagde er niet meer in om Karl Segers bij Terrorisme te pakken te krijgen. Op zijn kantoor werd ik brutaal afgescheept. Ze hadden dus duidelijk iets te verbergen. Mijn zesde zintuig beaamde dat volmondig. Er was meer aan de hand met die bomaanslag dan ze lieten uitschijnen.

Ik liep naar de hoogste verdieping van ons kantoorgebouw.

In de gemeenschappelijke ruimte bij de trappenhal zaten enkele mannen bij het koffieapparaat. Ze slurpten uit witte bekers en bogen zich over een berg aantekeningen.

Ik schoof bij hen aan. 'Zijn dat de voorlopige rapporten over de Bulldozer?'

De mannen knikten moedeloos. De Bulldozer was een mysterieuze figuur – niemand had hem ooit gezien, sommigen twijfelden zelfs of hij wel bestond – waar onze diensten al enkele jaren jacht op maakten. De man slaagde er telkens in om vanuit besmet gebied Tetraville binnen te dringen en ons dan treiterig van zijn aanwezigheid op de hoogte te brengen. Eerst scheen hij alleen te werken. Maar het laatste halfjaar was hij drie keer op bezoek geweest, voor inbraken die hij onmogelijk alleen had aangekund.

Er was de inbraak in de gebouwen van de regionale televisie geweest, een hele klus. Merkwaardig genoeg was er niks noemenswaardigs gestolen. Alleen wat oude videobanden. Daarna waren ze binnengedrongen in de kantoren van een verzekeringsmaatschappij. Hier verdween een lading onbelangrijke diskettes. Tenminste volgens de verantwoordelijken. En dan was er de alarmerende inbraak in de oude koninklijke paleizen. De Bulldozer had toen oude archieven overhoop gehaald.

Wat mij betrof was die Bulldozer een gestoorde kierewiet. Niettemin baarde hij onze oversten grote zorgen. Dat hij er telkens in slaagde om ons superbeveiligde Tetraville binnen te dringen, was een echte nachtmerrie voor hen. Slechts met de grootste moeite wisten we de zaak totnogtoe in de doofpot te houden. Maar als zijn bezoekjes frequenter werden en hij gasten meebracht, was de kans groot dat het zaakje uitlekte. Meteen werd dan de hele veiligheid van Tetraville bedreigd en ging onze reputatie de dieperik in. Dat mocht niet gebeuren. Alle middelen werden ingezet, maar resultaat boekten we niet.

De langste man uit het gezelschap stond op. Hij heette Roland Lacroix, maar werd door zijn collega's smalend Laplanche genoemd vanwege zijn gestalte. Hij tapte nog een koffie van de automaat.

'Het wordt weer noppes. We hebben geen enkel bruikbaar spoor. Ik durf met moeite dit rapport indienen. Bij de inbraak in het koninklijk paleis werd een brandkoffer gestolen uit het archief. Die hebben we in de buurt leeg teruggevonden, dat is al. Er zal weer wat zwaaien.'

'Wat staat er verder nog in je rapport?'

Laplanche keek me meewarig aan. 'Niks. Helemaal niks. Zeven bladzijden om te melden dat we geen vooruitgang boeken. De Manty wil resultaten. Maar als ik er geen heb, kan ik er geen geven.'

'Paul, ga jij even met hem praten. Je schijnt de weg te kennen.' De mannen lachten.

Mijn goede maat Denis had gesproken.

Ik glimlachte fijntjes. 'Feestelijk bedankt. Ik heb al een tripje naar besmet gebied voor de boeg.'

Mijn opmerking miste haar uitwerking niet. Er viel een ijselijke stilte. De hele groep keek me met verstomming aan.

Eventjes genoot ik van de aandacht. 'Ik moet de voorzieningen aan de Spaanse grens controleren. Volgende maand wordt die afgesloten.'

'Werd je daarom bij de Manty ontboden?' Je kon de opluchting in Denis' stem proeven.

'Ja. Ik vertrek zondagavond, na de Grote Inwijding van onze Robin. Dus wens ik jullie het allerbeste met de Bulldozer.'

Op weg naar buiten haalde Denis me in. Hij trok aan mijn mouw en keek even over zijn schouder. Maar er was niemand.

'Paul, er was toch niks meer? Ik bedoel, je babbeltje met de Manty?'

'Nee Denis, eerlijk. Wees gerust, het ging alleen maar over mijn opdracht aan de Spaanse grens.'

'Misschien moeten we toch maar eventjes gas terugnemen. Ik heb het voorgevoel dat we in de gaten gehouden worden.'

Ik had zovele voorgevoelens, maar hield wijselijk mijn mond. Ik glimlachte minzaam. 'We hebben het er wel over als ik terugkom. Slaap tot zolang maar op je beide oren.'

Denis knikte, maar ik zag dat hij zich zorgen bleef maken.

6

Rosy, mijn vrouw, was al naar bed en ook Robin sliep vredig. Ik had hem geholpen met zijn huiswerk – waar hij trouwens niet veel van terechtbracht. Hij was veel te opgewonden over de nakende trip naar Zone P in Tetraville voor de Grote Inwijding. Ze kregen zelfs op vrijdag vanaf 's middags vrij op school om zich helemaal voor te bereiden op de treinreis, nog diezelfde avond. Dat liet me weinig tijd om mijn eigen lopende zaakjes af te handelen. Toch moest ik een en ander natrekken. Ik trok een zwarte broek en trui aan en propte mijn voeten in sportschoenen. Ik liet alle mogelijke identiteitspapieren thuis, op mijn politiepenning na.

De laatste metro naar het centrum was al vertrokken, dus haalde ik de wagen uit de ondergrondse parkeergarage. Als lid van de Gerechtelijke kregen we een voertuig ter beschikking, een recht waarvoor velen ons benijdden. Niettemin werden de kilometers nauwkeurig bijgehouden, maar daar had ik al wat op gevonden. Een autokraker die ik had ingerekend, had me de truc met de bedrading aangeleerd. In ruil had ik zijn aanklacht afgezwakt.

De straten waren goed verlicht, maar helemaal leeg. Tweemaal botste ik op een patrouille van de nachtwacht, maar het kenteken op het portier gaf me vrij spel.

Ik bereikte het metrostation waar ik vanmorgen, na mijn onderhoud met de Manty de trein had genomen.

Er brandde nog licht in de verlaten gangen. Ik rammelde ruw met het ijzeren hekken. Slechts een paar seconden later kwam de nachtwaker al aangesloft.

Ik duwde mijn penning door het traliewerk. 'Handel en Smokkel. Laat me onmiddellijk binnen.'

De man ontsloot het hek en liet het ratelend naar boven schieten. 'Zijn er problemen?'

'Sluit maar opnieuw af. Ik ben alleen. Ik moet iets controleren, er is niks aan de hand.'

'Straks begin ik mijn ronde, kan ik...'

'Let maar niet op mij. Doe je werk zoals het hoort.'

De man knikte onderdanig en verdween in zijn hokje.

Ik rende de schaars verlichte gang door en daalde de stilstaande roltrappen af. Bij het einde van het perron knipte ik mijn zaklantaarn aan en begon aan mijn tocht door de donkere metropijp. Er stonden wat plassen van doorgesijpeld regenwater en af en toe hoorde ik het geritsel van wegrennende ratten. Hoezeer er ook jacht gemaakt werd op dit ongedierte, ze raakten niet uitgeroeid. Toch stonden ze bekend als een van de gevaarlijkste overdragers van de besmetting, zeker nu alle huisdieren waren afgemaakt.

Bij een flauwe bocht zag ik een lichtschijnsel in de verte. Het volgende station. Het station dat vernield was door de bomaanslag. Ik knipte mijn lantaarn uit en liep gespannen verder. De noodverlichting op de perrons brandde, maar er was niemand aanwezig. Ik had ook niks anders verwacht.

Ik klauterde op het perron. De eigenaar had blijkbaar een poging gedaan om zijn krantenstalletje opnieuw te assembleren, maar cruciale onderdelen ontbraken. Waarschijnlijk weggebracht voor verder onderzoek. Ik ontstak mijn lamp opnieuw en scheen over de perronvloer. Op regelmatige afstanden had iemand met een krijtje merktekens aangebracht. Sporen van voetstappen.

Ik knielde bij een merkteken en zag twee paar modderige voetafdrukken mooi naast elkaar. De afdrukken waren heel duidelijk. Deze mensen hadden een zware last gedragen. De afdrukken leidden naar het krantenstalletje. Ik onderzocht de vloer links en rechts van de sporen, maar kon geen afdrukken ontdekken die de andere richting uitgingen.

In omgekeerde richting volgde ik het spoor van de vermoedelijke daders. Ik kwam bij de perronwand. Een reclamepaneel was weggeschoven. In de achterliggende muur gaapte een gat, net groot genoeg om erdoor te kruipen. Ik bescheen de tunnel achterin. Met een grote portie lef hadden de daders dwars door de koker van de metropijp geboord.

Ik kroop door het gat, op handen en knieën, wel zo'n tien meter. De aarde was er omgewoeld en hier en daar was hun bouwwerk gestut. De koker kwam uit op een riool. Het stonk er verschrikkelijk. Ik zag minstens drie ratten wegvluchten over een richel, net boven het inktzwarte water. De riolen doorzoeken was onbegonnen werk. Het was een netwerk van verschillende tientallen kilometers, kriskras onder Zone B. De daders konden van overal gekomen zijn.

Ik krabbelde onhandig achteruit, want de tunnel was te smal voor me om me om te draaien. Ik stootte mijn hoofd en liet bijna mijn zaklantaarn vallen. Net toen ik mijn evenwicht terugvond, zag ik de glinstering in het licht van mijn lamp. Boven de richel waarover het ongedierte was gevlucht, in een smalle spleet in de wand, stak een plat, metalen doosje. Het hing vol aangekoekte viezigheid, maar een van de ratten had er wellicht op zijn vlucht tegenaan geschuurd en had zo het blinkende oppervlak vrijgemaakt.

Ik liet me plat op mijn buik vallen. Mijn vingers konden er net bij. Toen ik weer naar het perron was teruggekrabbeld, wrikte ik het doosje open. Er stak een eindje van een negatieffilm in. Ik hield de strook in het licht. Drie opnames, gemaakt met een reflexcamera.

Een oud, klassiek fotoapparaat dat al tien jaar niet meer in de handel te krijgen was...

Alhoewel het Rosy en Robin ten strengste verboden was mijn kamer te betreden en ze beiden nog vredig sliepen, draaide ik bij mijn thuiskomst toch de deur op slot. Rosy en ik hadden al een hele tijd aparte slaapkamers. Ik rommelde wat in mijn safe, die ik met trillende vingers had geopend, en vond de map helemaal onderin. Ik knipte het licht op mijn bureau aan en sloeg de map open.

Het laatste blad bevatte twee stroken negatieffilm die in de daarvoor voorziene uitsparingen staken. Er was plaats voor nog eens vier stroken. Ik haalde de laatste strook eruit en checkte de piepkleine nummers die tussen de gaatjes bij de rand waren aangebracht. Die vergeleek ik met de nummers op het nieuwe strookje uit de metalen doos.

Ik sloot de ogen en zuchtte. Het strookje dat ik gevonden had, hoorde bij de stroken die tot nu toe in mijn bezit waren. Mijn nachtmerrie duurde verder...

Ik liet me op het bed vallen en staarde naar de zoldering. Drie maanden geleden had ik een eerste strookje ontvangen. Doodleuk via de post.

Nog geen week later een tweede. In een gesloten omslag afgegeven bij de portier van ons appartementsgebouw. Toen was het afgelopen. Ik dacht aan een flauwe grappenmaker. En nu dit.

Wie had me hier verdomd in de tang? Zat hier iemand van Terrorisme achter? Hadden ze ervoor gezorgd dat ik het gesprek over de tunnel opving? Ik ging weer rechtop zitten. Nee. Ze konden niet voorzien dat ik zou verdwalen in het gebouw van de Politieraad en toevallig voorbij dat bureau zou komen op het moment van dat telefoongesprek.

Hadden de daders van de bomaanslag het gedaan? Belachelijk. Ze konden niet voorzien dat ik in die tunnel zou afdalen.

Ik hoorde gestommel op de gang. Ik opende mijn deur op een kier en zag nog net Rosy de badkamer binnengaan. Ze had een prop vuile kleren onder de arm. Ik hoorde haar rommelen met de wasmachine en even later begon het toestel zacht te zoemen.

Een wasje en een plasje midden in de nacht. Dat deed ze om me op stang te jagen. Ik besloot niet te reageren. Ik had geen zin in een scène. Ik sloot de deur af en kroop tussen de lakens.

7

Het perron van het treinstation van Zone B, het oude Brusselse Zuidstation, liep vol geagiteerde tien- en elfjarigen. Op hun paasbest hotsten ze over de gladde vloer, schreeuwend, kirrend. Sommige ouders lieten begaan, andere probeerden enige orde in de chaos te scheppen. Wat grandioos mislukte.

Robin had een paar vriendjes ontdekt en trok met hen naar de snoepautomaat. Ik hield me afzijdig van het gewoel en liet hem begaan. Rosy stond afwezig te roken. De Grote Inwijding was voor vele gezinnen een hoogtepunt, voor ons betekende het slechts het omwoelen van pijnlijke gebeurtenissen uit het verleden en het oproepen van vele nieuwe vragen. Maar we konden er nu eenmaal niet onderuit.

De trein was er nog niet. Ik haalde mijn notitieboekje te voorschijn en keek nogmaals mijn aantekeningen na. Gisteren had ik mij op kantoor teruggetrokken en wat mensen opgebeld. De vermoedens werden bevestigd. Terrorisme wilde het dossier van de bomaanslag absoluut behouden en ze maakten in hun rapporten niet het minste gewag van de gegraven tunnel.

Toen ik links en rechts de druk wat opvoerde, vernam ik dat ze een mogelijke dader in het vizier hadden. Een oude revolutionair die al jaren in Tetraville ondergedoken leefde en zich sporadisch amuseerde met het volkladden van muren van overheidsgebouwen.

Ik had niet verder aangedrongen. Er was nog altijd een kans dat ze het bij het rechte eind hadden. Ik zou na mijn terugkomst van de Spaanse grens het zaakje opnieuw van nabij volgen. En eens kennismaken met die oude rebel. Dat zou wel lukken op een rustig plekje, zonder pottenkijkers. Als hij er iets mee te maken had, kon hij me misschien ook meer vertellen over de negatieven die ik gevonden had.

Een stevige gok, maar ik had niet meer op dit moment.

Ik klapte mijn boekje dicht toen de trein het station binnenreed.

Wij liepen met ons drietjes naar de gereserveerde coupé achteraan in het treinstel. Als lid van de Gerechtelijke had ik zo mijn privileges. De jaloerse blikken van de andere ouders nam ik er welwillend bij.

Rosy was verdiept in haar boek, Robin bestudeerde de kaart waarop onze reisroute was aangegeven. De school had dit allemaal prima voorbereid. Ik keek naar buiten, naar het eentonige landschap van Tetraville, nu we Zone B uitreden. Het spoorwegemplacement besloeg zes evenwijdige sporen. Talloze hogesnelheidstreinen flitsten ons voorbij, of kruisten ons stel met een fenomenale vaart. Het was druk. Nu er geen goed onderhouden autosnelwegen meer waren, was het uitkijken voor files op het spoor.

De bebouwing werd dunner, tussen de grijze woonblokken strekten zich eentonige betonvlakten uit. Verderop, waar nog minder mensen woonden, waren hele velden met plastic overspannen als bescherming.

Robin vouwde de kaart op. 'Eigenlijk hoef ik geen Grote Inwijding. Ik weet alles al.'

Ik keek hem lachend aan. 'Oh ja?'

'Natuurlijk. De leraar heeft er de hele week over gepraat en alles zit hier opgeslagen.' Hij tikte tegen zijn frêle voorhoofd. 'Tetraville is een grote, langwerpige stad van wel tweeduizend kilometer lang, die van noord naar zuid loopt. Er wonen zeshonderd duizend mensen in Tetraville. De breedste stroken zijn zestig kilometer breed, de smalste nauwelijks tien. Tetraville is opgedeeld in vier zones: A, B, P en M. Die opdeling komt ruwweg overeen met de ligging van oude steden die voor de grote besmetting bestonden. Amsterdam, Brussel, Parijs en Marseille.'

Ik bestelde drankjes bij de langslopende ober en klapte in mijn handen. 'Proficiat. Net een pratende encyclopedie.'

Robin glunderde. Hij tikte me tegen de knie en stak een vingertje op. 'Pas op, het is nog niet gedaan.' Hij leunde achterover. 'Langs de oost- en westzijde van Tetraville ligt een beschermende zone van wel een kilometer breed, bestaande uit stapels steengruis. Alle begroeiing wordt hier tegengehouden door het steengruis regelmatig met chemische producten te besproeien. Deze zone wordt de veiligheidszone genoemd. Die is nodig om de vieze beestjes uit Tetraville te houden.'

'Dat is mooi,' knikte ik. 'Je kent je basis. Je zult zien dat je na de Grote Inwijding nog een pak meer zult begrijpen.'

'Ik weet ook dat in Tetraville alle bomen en planten geweerd worden, want die verspreiden de beestjes.' Hij lurkte voldaan van zijn drankje. Ik glimlachte. Robin leek met de dag meer op zijn moeder, ook hun karakters groeiden naar elkaar. Hij was verstandig, bijzonder mondig als het nodig was, maar op andere momenten net een gesloten boek. Het leek of Rosy voelde dat ik over ons nadacht. Ze keek me koel aan en wendde dan haar blik af.

Robin had zijn drankje op. 'Ik denk dat het leuk zal worden, daar in Zone P. Ik ben echt heel benieuwd.'

Hij wipte op en neer in de zetel en keek me smachtend aan.

'Nee Robin, ik ga je niks vertellen. Dat moet een verrassing blijven.'

Hij tuitte spaarzaam zijn lippen. 'Ik kon het toch proberen?'

'Er zal veel spektakel zijn. Er is een film, zoals in de bioscoop, en nog veel meer.'

Zijn gezicht klaarde op. 'Zal er ook popcorn zijn?'

8

De meute opgewonden kinderen liep door wat overbleef van het oude pretpark Disneyland in Zone P. De meeste attracties waren gesloopt – er was een schrijnend gebrek aan technische ingenieurs en volleerd onderhoudspersoneel om de boel op verantwoorde wijze draaiende te houden. Flagranter was echter het gebrek aan kinderen, maar daar wilde niemand het over hebben.

Ik volgde de groep, samen met de andere ouders. De brede hoofdstraat, waar nog enkele vreemde huisjes en een toren van een nepkasteel overbleven, leidde ons naar een kaal terrein waarop een enorme koepel verrees. Er stonden lange slierten wagentjes klaar op blinkende sporen. De rollercoaster was de enige attractie die voor verval was behoed. De kinderen joelden bij het instappen. De wagentjes liepen over een aandrijfketting naar een blinkende cilinder. Er ontsnapte stoom, dreigende achtergrondmuziek zwol aan en onder luid gekrijs werden de wagentjes weggeschoten. Ze stormden over de sporen en verdwenen in de koepel waar ze aan een waanzinnige rit begonnen.

Wij werden onmiddellijk naar het eindpunt geleid. Een na een spuwde een zwart gat de wagentjes uit en van puur jolijt staken vele kinderen hun armen in de lucht. Ik ontdekte Robin in het eerste wagentje. Hij keek verongelijkt om zich heen. Hij had nog geen zin om uit te stappen.

Maar het was uit met de pret. Na deze spectaculaire intro was het tijd voor het ernstige werk. De Grote Inwijding begon. De wand van het perron schoof plotseling open en een heus auditorium lichtte op. Lichteffecten en tromgeroffel, een dreunende bas. De kinderen werden stil en namen hun plaatsen in. Wij schoven mee aan.

De lichten in de zaal doofden. Alleen het immense podium bleef verlicht, terwijl de muziek nu vol uit alle sprekers schalde. Een vuurwerkschicht. Links van het podium schoof een wand open. Een bundel fel wit licht viel de zaal in. In de bundel verscheen een man. Hij stapte met kordate passen het podium op. Hij was groot, droeg zwarte laarzen, een lange zwarte jas over een zwart pak en had een donkere zonnebril op.

De kinderen, over hun eerste angst heen, joelden en brulden. De man op het podium maakte een pirouette, waarbij de panden van zijn jas hoog opzwiepten. Nog meer gejoel. Ik glimlachte. De organisatoren waren er opnieuw in geslaagd de bittere pil die de kinderen straks te slikken kregen aardig in te pakken.

Na een oorverdovende paukenslag vielen alle lichten uit. Gekrijs van de meisjes, stoere jongens die om meer schreeuwden. En dat kregen ze. Het podium werd weer hel verlicht en de man zweefde nu boven de grond. Hij zwaaide met armen en benen, maakte salto's in de lucht en ging steeds hoger. Plotseling vloog hij op de wand af, zette zich met beide voeten stevig af en zweefde rakelings over de verbaasde hoofdjes door de zaal. Hij beschreef een cirkel en landde op het podium. Applaus.

De man stak beide armen in de lucht. 'Hé jongens!'

Uitzinnig geroep. Ik zag Robin schreeuwend overeind springen.

De man maakte een reeks koprollen en kwam bij het andere eind van het podium terecht. 'Hé meisjes!'

Gekrijs, gegil.

De man klauterde overeind. Zijn stem galmde door de microfoon. 'Wel, jongens en meisjes, jullie zijn hier met velen gekomen. Kijk eens aan, als ik goed kan rekenen zitten jullie hier met tweehonderd tachtig te samen. Tweehonderd tachtig jeugdige rakkers, allemaal tien en elf jaar oud. Jullie komen uit heel Tetraville, tenminste uit het gedeelte dat nog Nederlands spreekt, wat ongeveer de helft van de stad uitmaakt.

In de andere, Franssprekende helft van Tetraville wonen welgeteld driehonderd kinderen die zo oud zijn als jullie. Meer dan vijfhonderd in totaal, dat zijn er heel wat, niet?'

Enkele jeugdige hoofdjes knikten heftig, andere staarden apathisch naar de spreker. Ze hadden duidelijk moeite met de plotse ommezwaai. Ik sloot ontzet de ogen. Het was erger met Tetraville gesteld dan ik me herinnerde. Amper zeshonderd tieners op een totale bevolking van zeshonderd duizend. We stierven verder uit en er stond geen volgende generatie klaar om de geboortecijfers om te gooien.

Toen het geroezemoes was uitgestorven, beklom de man een spreekgestoelte dat uit het niets naar voren schoof. Zijn gezicht stond bedrukt.

'Nochtans, meisjes en jongens, is het ooit anders geweest. Er was een tijd, nog niet zo lang geleden, amper vijftig jaar, dat we met veel meer kinderen en volwassenen op deze wereld leefden.' Er ontstond opnieuw commotie toen de vloer oplichtte. De kinderen hieven verschrikt de benen op en staarden naar de beelden die onder hen werden geprojecteerd. Jeugdige vingertjes klemden zich aan de armleuningen vast. De kinderen leken wel te vliegen. Vrij als een vogel in de lucht, over immense steden, met duizenden auto's, bussen, fietsers. Een grote wriemelende mierenhoop.

De man liet zijn stem dalen tot een geheimzinnig gefluister. 'De mensen leefden overal. Miljoenen en miljoenen mensen. Overal verspreid over heel Europa en de andere werelddelen. Overal vond je steden. Tetraville bestond niet eens. Ieder leefde op zijn eigen plekje, waar hij maar wilde.'

Er stegen lichte kreetjes op toen de vloer groen oplichtte. We zweefden over bossen en groene velden. Paniekerig geschreeuw. Sommige kinderen gingen rechtop in hun zetel staan. Bibberende vingertjes wezen naar de huizen die ze tussen het groen ontwaarden, naar de mensen die in hun tuin werkten, of op het land, naar de wandelaars in de bossen. Een paar kinderen weenden.

De man legde nu een zachte ondertoon in zijn stem. 'Inderdaad, kinderen. De mensen leefden toen ook op het platteland, temidden van de natuur. Ze wandelden in de bossen. Werkten op het veld. Hadden een tuin rondom hun huis en planten op de vensterbank. Zelfs in de steden was er groen te vinden. Er waren parken, lanen met bomen, vijvers en heuse wouden.'

De man stopte abrupt. De beelden vielen weg. Slechts één lichtstraal was nu op hem gericht. Er viel een ijzige stilte.

Hij sprak stil. 'Waarom leefden de mensen veilig in het groen?' Hij pauzeerde even en schreeuwde het dan uit. 'Geen teken!'

Verschrikte kreten in de zaal, maar de man liet hun geen kans om alles te verwerken. 'Waarom ravotten kinderen ongegeneerd in het bos? Geen teken! Waarom at iedereen de vruchten van het land? Geen teken! Waarom rolde iedereen door het groen? Geen teken! Geen besmetting! Geen gevaar!'

Het licht verzwakte. Alleen zijn aangezicht zat nog in het straaltje gevangen. Je kon een muis horen lopen.

De stem daalde tot een schor gefluister. 'Nu zullen jullie me vragen: wat is er dan allemaal gebeurd, precies vijftig jaar geleden? Hoe is de besmetting er kunnen komen? Hoe zijn die teken er gekomen? Wel, tijdens deze Grote Inwijding vertellen wij jullie wat er precies is gebeurd.'

Ik keek naar Robin. Voorlopig gedroeg hij zich kranig. Hij zat met gekruiste armen en halfopen mond naar de man te luisteren.

Op het podium schoof het grote fonddoek open. Beelden verschenen van een krioelende mensenmassa in een Aziatische stad. Toeterende auto's, fietstaxi's, horden voetgangers. De camera zoemde in op een man die zich met de grootste moeite een weg over het voetpad baande. Zijn aangezicht was bezweet, hij hijgde.

'Vijftig jaar geleden, in februari 2003 om precies te zijn, gebeurde er iets ergs. Iets wat de wereld voorgoed veranderde.'

De man op het beeld had steeds meer moeite om te stappen. Zijn borstkas ging hevig op en neer. Hij wiste zijn zweet met een zakdoek.

'Johnny Cheng is een zakenman die bijna constant op reis is door heel Azië. Hier loopt hij in Hanoi, Vietnam. Hij voelt zich niet al te lekker.'

De camera zwenkte. De man strompelde de oprijlaan van een ziekenhuis op.

'Het wordt steeds erger met de arme Cheng. Die februarimaand wordt hij ernstig ziek. Hij gaat naar een ziekenhuis. De dokters staan voor een raadsel.'

Een paar mannen in witte jassen overlegden druk met elkaar. Er volgde een beeld van Cheng in een ziekenhuisbed. Een verpleegster stopte hem in.

'Ondanks de goede zorgen sterft Cheng nog geen maand later. De dokters kennen de doodsoorzaak niet. Een of andere mysterieuze longziekte.'

Nu volgden de beelden elkaar snel op. Een totaalbeeld van de baai van Hongkong met deinende bootjes. Overbevolkte straten. De majestueuze ingang van een vijfsterrenhotel.

'Wetenschappers beginnen een onderzoek. Cheng kwam vanuit Hongkong. Het zou kunnen dat hij de mysterieuze ziekte heeft opgelopen in het hotel waar hij verbleef, want ook daar hebben verschillende mensen dezelfde symptomen. Maar dan is het al te laat. Die zieke mensen in het hotel, die uit alle uithoeken van de wereld komen om een conferentie bij te wonen, zijn al lang naar huis terug. Zo verspreidt de ziekte zich razendsnel over de hele planeet.'

Het filmpje eindigde met een sullige aardbol die ronddraaide. Een paar rode pijlen schoten om de globe heen.

'Binnen een paar weken kende heel de wereld de nieuwe, dodelijke ziekte. Sars, zo werd de ziekte genoemd. Het is een longziekte waartegen geen geneesmiddel bestaat. Je wordt besmet, je krijgt moeilijkheden met je ademhaling en je gaat dood. Miljoenen mensen sterven in de maanden die volgen omdat er geen geneesmiddel tegen de ziekte bestaat.'

Even was de zaal in duisternis gehuld, maar toen links op het podium de lichten opnieuw aangingen, stond er een heus laboratorium klaar. Meterslange reageerbuizen en kolven met pruttelende inhoud in waanzinnige kleuren. Twee mannen in witte jassen goten dampende vloeistoffen over in karaffen. Een derde maakte aantekeningen op een klembord.

'De geleerden vinden dat de ziekte wordt veroorzaakt door een coronavirus. Meestal is dat een onschadelijk virus. Maar deze variant is dus duidelijk anders. Hij is dodelijk. Niemand wordt gespaard.'

Een van de onderzoekers viel neer. Gegil in de zaal. Een paar kinderen wisten hun tranen.

'En het virus verandert nog steeds. De onderzoekers staan voor een compleet raadsel. Binnenin het kleine loeder treden voortdurend chemische reacties op zodat het onmogelijk is om een geneesmiddel te ontwikkelen.'

De vloerlichten gingen aan. De zaal zweefde nu over een verlaten stadslandschap.

'De gevolgen van de epidemie zijn schokkend. De gehele wereldbevolking wordt tot minder dan een duizendste herleid. Amper zes miljoen mensen overleven de ramp. Volledige economieën storten in elkaar. Fabrieken gaan dicht, bedrijven sluiten. Er zijn geen winkels meer. Er zijn nog amper boerderijen die voor voedsel zorgen. Scholen sluiten. Meer en meer verbindingen met andere delen van de wereld worden verbroken. De telefoon doet het niet meer. Het internet bestaat niet meer. Door een tekort aan gespecialiseerd personeel storten satellieten neer. Computernetwerken raken in een knoop en vallen uit. Banken en financiële instellingen moeten sluiten, niemand raakt nog aan zijn spaarcentjes. Er heerst anarchie op straat.

En er gebeurt nog veel meer!'

Dreigende muziek. Het fonddoek schoof weer dicht en alle lichten dimden.

Een paar verschrikte kreetjes stegen op. Toen was er gegil. Aan het plafond, gevangen in een plotse straal van rossig licht, hing een gigantische teek. Het leek wel een grote zeekrab. Het mechanische monster, oneindig vergroot, gleed schokkerig door de zaal. De poten bewogen onheilspellend.

'Het verderfelijke Sarsvirus heeft zich opnieuw getransformeerd en houdt zich nu schuil in teken die overal in het groen leven. Die teken, niet veel groter dan een mier, zijn van een tot nu toe ongekende soort. Ze zijn verzot op mensenbloed en ze zijn met miljarden. Waar ze zo plotseling vandaan komen weet niemand, maar ze zijn er. En het is onmogelijk om ze uit te roeien. Elke dag lijken er duizenden bij te komen.'

Er verschenen meer teken aan de zoldering, groenige, vuurrode, dreigend purper, knalgele. Elk van hen volgde zijn parcours, hobbelend en wiebelend. Eentje, vies slijmerig groen, daalde tot de kinderen hem bijna konden aanraken. Consternatie, traantjes.

'Zo komt de besmetting op gang. Nog meer mensen raken besmet, worden ziek en sterven aan de vreselijke longziekte. Een handjevol geleerden werkt de klok rond om een oplossing te vinden. En even lijkt het erop dat ze die ook vinden...'

De mechanische monsters aan het plafond verdwenen een na een, tot grote opluchting van de kinderen. Intussen was de spreker langs de zijwand opgeklommen naar een vreemd uitsteeksel, dat een heus bureau bleek te zijn. Hij klom in de kleine opening achter het meubel en schikte wat bladen.

'Na een behandeling met een nieuw ontwikkeld antibioticum schijnt de ziekte te wijken. Helaas, het is slechts schijn. De ziekte is er nog, het duurt alleen langer voor je er aan sterft. Er zijn namelijk drie fasen. Bij de eerste heb je slechts last van kortademigheid, bij de tweede begin je te hoesten en komen er lichte slijmen naar boven.

Voor de derde fase moeten jullie uitkijken. Wie besmet is, heeft dan een heel zware hoest, waarbij stukjes afgestorven long mee naar buiten komen. Opgepast, want in deze fase is de patiënt zeer besmettelijk. Absoluut te vermijden. Als jullie zo iemand zien, maak je dan zo snel mogelijk uit de voeten. Je kunt toch niks meer voor hem doen.'

Gesnik in de zaal. Plots vulden dreigende paukenslagen de ruimte. Op het podium was het filmdoek weer te voorschijn gekomen. Het toonde een eenvoudig beeld. Een wieg. Een lege wieg. De camera zoemde langzaam in op het sneeuwwitte dekentje.

'En er is nog meer slecht nieuws. Het virus heeft zich nog verder getransformeerd. Het is opnieuw dodelijker geworden. Niet alleen werkt het op de longen van de mensen in, hij rommelt nu ook met de genetische code van de mens. Er treden beschadigingen op in het sperma van de mannen en de eicellen van vrouwen. De mensen worden onvruchtbaar door een tekenbeet. Als je besmet bent, kun je geen kinderen meer krijgen!'

Het close beeld van de lege wieg verdween langzaam. En toen was het uit met de dreiging. Overal floepten kleurige lampjes aan, een fanfare speelde een leuk hoempapadeuntje. Op het scherm verschenen vertrouwde beelden. Beelden van onze stad. Vele kinderen haalden opgelucht adem.

'Er wordt ingegrepen. De stad Tetraville wordt ontworpen, een lang lint dat Amsterdam met Brussel, Parijs en Marseille verbindt. Binnenin de stad wordt alles wat groeit, gerooid. In de stad leven en werken nog alleen gezonde mensen. Niemand mag er nog in of uit. Langs het hele lint komt een veiligheidszone, een brede strook stenen die de invasie van groen, en van teken, moet tegenhouden.

De muur en de hele veiligheidszone wordt streng bewaakt. Er zijn slechts een klein aantal poorten. Goed beschermde politiemannen voeren af en toe controle uit buiten deze poorten, want we mogen geen risico's nemen. Niemand mag de besmetting in Tetraville binnenbrengen.'

Het filmpje toonde de bouw van de veiligheidszone. Horden mensen die met alle mogelijke overgebleven vrachtwagens steengruis aanvoerden. Dat gruis was afkomstig van de afbraak van leegstaande huizen binnen Tetraville. Op het gruis werd een grote betonnen muur opgetrokken. Tegen de muur kwamen hoge palen met helle lampen. Elektriciens wikkelden een hoogspanningkabel om de top van de muur. Iedereen werkte opgewekt en naarstig, de muziek leek hen vooruit te stuwen.

Ik keek van het scherm weg. De film was nep. Hij was opgenomen in een studio met een bende goed gedrilde figuranten. De eigenlijke bouw van de veiligheidszone was wel eventjes anders verlopen. Ik kon het weten. Ik was er zelf bij.

Ondertussen zwiepte de camera al opnieuw over de huizen van Tetraville. Gelukkige mensen kuierden door de straten, over de betonnen pleinen. Een glimlachende winkelierster verkocht in water gekweekte groenten. Een kind plukte een appel uit een fruitcouveuse. Een dikbuikige slager hakte een homp vlees door. Dat vlees was omwille van de film chemisch behandeld. Het was rood in plaats van het gebruikelijke flets roze. Maar daar hadden de dieren, die uitsluitend met water en chemicaliën gevoed werden, geen schuld aan natuurlijk.

De man had opnieuw het podium beklommen en begon aan de eindspeech.

'De bouw van onze afgeschermde stad Tetraville was de enige goeie oplossing. Er is lang over gepraat, maar uiteindelijk bleek het de enige juiste beslissing te zijn. We zijn er in geslaagd om onszelf te beschermen tegen de besmetting. We hebben een woonomgeving gecreëerd zonder gevaar voor besmetting door teken.'

Er viel een pauze. Het gezicht van de man stond ernstig, zijn stem daalde.

'Natuurlijk zijn er door de bouw van de muur ook drama's gebeurd. We moesten er streng op toezien dat er geen besmette mensen binnen de muren kwamen. Hoe erg het voor sommigen ook was, zij mochten niet naar binnen. De arme sukkelaars die nog buiten Tetraville leven, hebben een hard leven, maar we mogen ze niet in onze stad toelaten. Niet nu. We zijn aardig op weg om de besmetting het hoofd te bieden. Wij moeten er immers voor zorgen dat er opnieuw veel gezonde mensen komen, dat er opnieuw veel gezonde kinderen komen.

En dat zullen we doen! Dat zullen jullie doen!

Wij waken over de gezondheid van de burgers. Alle mensen die in Tetraville wonen, gaan elke maand naar het medisch onderzoek. Dat weten jullie. Velen van jullie hebben je ouders waarschijnlijk al verzeld bij zo'n bezoekje. Na elke controle krijgen je ouders dan hun vernieuwde gezondheidskaart.

Wel, jongens en meisjes, vanaf nu, vanaf de Grote Inwijding, krijgen jullie ook een gezondheidskaart. Jullie zullen vanaf vandaag volwaardige inwoners zijn van Tetraville. Leve Tetraville!'

Duizenden ballonnen vielen over de kinderen heen. Er weerklonk vreugdemuziek en tientallen kleurig uitgedoste clowns begonnen een vreugdedans met de kinderen.

Ik ontdekte Robin tussen de meute en zag dat hij de emoties goed had doorstaan. Hij stortte zich vol overgave in een ingewikkelde breakdance.

Ik glimlachte. Ik keek Rosy aan, maar haar gezicht was een ijskoud masker.

9

Zone M stond bij elke politiedienst bekend als het einde van de wereld. Sommigen hadden het over het hol van Pluto. Toen vanuit de trein de eerste woonwijken zichtbaar werden, zag ik dat daar nog geen verandering in was gekomen. Ik was hier voorheen maar één keer geweest – om een indringer te ondervragen die vanuit de Middellandse Zee geprobeerd had om Tetraville binnen te dringen en waarvan we vermoedden dat hij relaties had in Zone B – maar Zone M oogde nog desolater dan ik het me kon herinneren.

De hogesnelheidstrein reed het station binnen waar hier en daar nog naamborden met *Gare St-Charles* hingen, het oude toeristenstation waar de autotreinen aankwamen. De duisternis was ingevallen. Op het perron brandden slechts enkele spaarzame lampjes. Alle winkeltjes waren gesloten – houten panelen voor de uitstalramen, deuren met zware kettingen vergrendeld – en zelfs de zitbanken waren verdwenen. De politieagenten en soldaten die hier verbleven om in te staan voor de bewaking van deze uiterste zuidpunt van Tetraville hadden blijkbaar geen luxe of gezelligheid nodig.

Ik stapte uit, samen met een handjevol soldaten dat uit verlof kwam. Onze voetstappen klonken hol door het verlaten stationsgebouw. Op het reusachtige plein was er geen beweging. Slechts een enkele auto – een kaduke Peugeot – stond bij een lege fietsenstalling. Er zat iemand aan het stuur die met de lichten knipperde zodra hij me opmerkte.

Ik plofte mijn koffer in de bagageruimte en ging naast de chauffeur zitten. 'Paul Notteboom' – ik benadrukte de uitspraak van mijn naam om alle gehannes te voorkomen – '*Je viens de la Zone B pour une inspection.*'

'Wat een manier om oude vrienden te begroeten.'

Ik wist niet waar ik het had.

De chauffeur schudde me kwiek de hand en startte intussen de motor. 'Het is natuurlijk een hele tijd geleden.'

Zijn gezicht kwam me inderdaad bekend voor, maar mijn geheugen liet me in de steek.

'Kris Brams – zoals de componist maar zonder de h.'

Ik hoorde aan zijn accent dat hij uit Zone A kwam. Het wilde nog steeds niet lukken met mijn geheugen. 'Hebben wij elkaar ontmoet toen de muur gebouwd werd?'

Hij knikte geestdriftig. 'Jij inspecteerde de installaties. Ik was verantwoordelijk voor de bewaking van de nog niet afgewerkte poorten.'

Plots klikte het. Een geestdriftige jonge knaap die zijn uiterste best deed om zich van zijn taak te kwijten, maar op gepaste tijden de riemen afgooide. Best een geschikte kerel. 'We zijn nog een nachtje gaan stappen in de walletjes.'

'Klopt.'

'Dan ben jij ook een eindje van huis nu.'

Hij haalde onverschillig de schouders op. 'Thuis heb ik gezegd dat het een fantastische promotie was.' Hij lachte uitbundig.

Ik lachte met hem mee. Naar Zone M komen was nooit een beloning. Dit was de vergeetput. 'Iets verkeerd gelopen?'

'Een beetje te veel indringers door het net laten glippen toen de muur nog niet helemaal klaar was. En een meningsverschil met een overste. Hij dacht dat ik me liet omkopen. Ik kon mijn onschuld bewijzen, maar het vertrouwen was sindsdien een beetje zoek.' Hij vertelde het luchtig. De gedwongen overplaatsing scheen hem weinig te deren.

De auto trok schokkend op. Kris negeerde elk verkeersbord dat we op onze weg tegenkwamen.

'Dus hier zit ik nu bij Pluto. En vandaag ben ik er om jou te dienen. Niet overdrijven natuurlijk. Met dat dienen, bedoel ik.'

We lachten allebei. Kris was nog altijd een fidele kerel. Ik schatte hem nu ergens achteraan in de dertig. Bij de bouw van de muur kwam hij recht van de officiersschoolbanken. Hij was stevig gebouwd, met brede schouders en stralende ogen in een kortgeknipte kop.

'Heb je kinderen?' vroeg ik toen we het troosteloze stadscentrum naderden. Kris was toen in Zone A nog de zorgeloze vrijgezel geweest.

'Ja. Twee zonen. Flinke kereltjes. Volgend jaar doet mijn oudste zijn Grote Inwijding.'

'Oh, daar kom ik net vandaan. Mijn zoon Robin was erg onder de indruk, in de wolken eigenlijk. Ze maken er tegenwoordig hun werk van om die hele heisa aan de kinderen duidelijk te maken.'

'Je zoon was in de wolken bij al dat slechte nieuws?'

Mijn gedachten dwaalden af. 'Hij is een nuchter kereltje. Dat heeft hij van... eigenlijk van zijn moeder. En hij was zo fier als een pauw met zijn gezondheidskaart.'

'Gefeliciteerd.'

'Robin is verzot op film. We namen hem eens mee naar het museum in Zone B, waar nog een heuse bioscoop geïnstalleerd is. We kregen hem niet meer naar huis. Dus kun je nagaan dat hij van deze voorstelling genoten heeft.'

'Leuk dat je je kinderen zo ziet opgroeien...' Kris hield abrupt op en beet met een zenuwachtig gebaar op zijn lip. 'Sorry, ik wilde je niet met mijn probleem... Ach wat, ik mag trouwens niet klagen. Ik krijg keurig mijn premies uitbetaald, dus in dat opzicht was het wel een promotie. En het leven hier mag dan op het eerste gezicht dramatisch lijken, er zijn toch wel een paar aangename kanten ook. Ik... nou, ik kom er wel mee weg.'

Ik glimlachte. 'Je moet ermee opletten te vertellen wat er in je omgaat. Slechte mensen zouden daar misbruik kunnen van maken. Heb je dat niet geleerd bij de politie?'

'Ja, het is waar. Maar jij bent oké.'

'Hoe kun je dat nu weten? Ik kan veranderd zijn.'

Hij hield koppig vol. 'Nee, toch niet. Dat voelde ik meteen. De eerste minuut is cruciaal. Dat stond destijds toch in onze cursus psychologie op de politieschool? In de eerste minuut moet je je een zo accuraat mogelijk beeld vormen van je verdachte, om nadien je houding tijdens de ondervraging te bepalen.'

Ik geeuwde ongegeneerd. 'Wat is dat lang geleden.'

'Toch heb ik het altijd onthouden. En het klopt.'

'Kris, niet overdrijven.'

'Dat doe ik niet. Jij liep zelf naar deze auto toe, stopte zelf je koffer in de bagageruimte en opende zelf het portier. Dat zegt al heel wat. En de eerste gespreksonderwerpen... nee, je bent oké.'

De straten waren nauwelijks verlicht. We tuften als verdwaalde reizigers door de stikdonkere nacht.

'Waar breng je me naartoe, Kris?'

'Naar het oude centrum. Je boft. Er zijn nog een paar hotelletjes die iets van die oude zuiderse gelukzaligheid uitstralen.'

Ik zuchtte. Gelukzaligheid. Er zouden tonnen van dat spul nodig zijn om me een beter gevoel te geven. Het beeld van de verlaten stad dat zich tijdens deze rit ontrolde, was niet bijster opbeurend.

Kris las de afkeuring op mijn gelaat. 'Eventjes op de tanden bijten. Dit zijn de oude buitenwijken. Ze worden voornamelijk bevolkt door de soldaten die de grenzen en de kustlijn bewaken. Legerkazernes zijn nooit een toonbeeld van gezelligheid.'

We reden zwijgend verder door de negorij. Lege lanen, onverlichte steegjes, verlaten panden. Slechts hier en daar was een raam verlicht. De straten lagen vol zwerfvuil.

'Onbegrijpelijk. Dat trekt toch ongedierte aan?'

Kris lachte schamper. 'De Politieraad is heel bedreven in het uitvaardigen van wetten. Toezien op de naleving is een andere zaak. Je maakt je er terecht zorgen over. Maar niemand doet er wat aan. Er wonen niet genoeg burgers meer in Zone M om de vuile werkjes op te knappen. Politie en leger vertikken het om het zelf te doen. Uitzichtloos.'

Er viel opnieuw een stilte in de auto.

In het centrum brandde wat meer licht op straat en was het zwerfvuil geruimd, maar ook hier sloeg de deprimerende troosteloosheid toe. Een veel te grote stad waarin veel te weinig mensen als mieren rondspookten.

Een aftandse bus braakte een lading soldaten uit. Ze sloften door de poort van een kazerne. We kwamen bij de *Place de Lenche*, een oud plein dichtbij de vissershaven. Een fontein sproeide warempel water. Ik bekeek het voorhistorische bouwsel met opengevallen mond.

Kris merkte mijn verwondering. 'Een beeld van een of andere lokale kunstenaar dat gedestilleerd water sproeit. Overal wordt het water geweerd uit schrik voor de besmetting en dan dit. Het kost een fortuin en het lijkt nergens naar.'

'Allemachtig. Worden ze hier gek? Wat zit hier achter?'

Kris lachte onbedaard. 'Over een maand komt de president op bezoek. Alles wordt in gereedheid gebracht om hem feestelijk te ontvangen.'

'Wel allemachtig. Zal onze grote president zich verwaardigen om zijn zwaarbewaakte Zone P te verlaten en zich onder het gewone volk te begeven?'

'Zoiets ja. In elk geval willen ze hier het bezoek niet onopgemerkt voorbij laten gaan.

'Oh,' zei ik zo luchtig mogelijk – ik kon de president niet uitstaan met zijn hautaine, aristocratische flair, ik zag hem hier al afkeurend ronddolen tussen het voetvolk –'is er dan een feestje hier in Zone M?'

Kris schudde het hoofd. 'Integendeel. Hij komt persoonlijk de sluiting van de Spaanse grens bijwonen. Een feestje kun je dat moeilijk noemen.'

De rest van de rit zweeg ik. Ik dacht na over het merkwaardige voornemen van de president: wat had hij hier te zoeken? Kris stopte bij een hotel aan een grote avenue die op het plein uitgaf. Eens hadden hier bomen gestaan, maar die waren weggehaald en de putten waren met beton volgestort. Op de monotone grijsheid prijkten zielige beeldhouwwerkjes. Katten, honden en nog een paar huisdieren die al lang uit het dagelijkse leven verdwenen waren. Inspiratieloze troep.

Het naambord van het hotel was van de gevel verwijderd – typisch voor alle infrastructuur die door de Politieraad was ingelijfd. Kris stopte op de grote oprijlaan die er helemaal verlaten bijlag. Hij opende onderdanig het portier en wenste me een aangenaam verblijf. Hij rommelde wat in de bagageruimte van de auto en overhandigde me mijn koffer.

Het hotel had ooit grandeur uitgestraald, maar die was nu helemaal verdwenen. De reusachtige lobby was nagenoeg leeg. Vier majestueuze zuilen rezen op uit de witmarmeren vloer, maar daarmee hield het feestje op. Er stonden geen tafels en stoelen meer, geen zachte zetels of zelfs geen planten. In de gang naar de liften waren de hoogpolige tapijten weggehaald en liep je over verweerd beton.

Bij de receptie stond een hulpagent met een zuur gezicht. '*Votre clef, monsieur Notbom.*'

De sleutel lag op de balie klaar, hij wees hem met zijn reusachtige kin aan. Ik was te moe om een opmerking te maken en graaide de sleutel mee.

Na een verkwikkend bad voelde ik me al een stuk beter. Een korte wandeling door het hotel had mijn vrees bevestigd. Er was geen bar meer en buiten op straat viel evenmin een donder te beleven. Toen ik terug naar mijn kamer liep, wenkte de agent me. Hij overhandigde me een enveloppe.

Ik maakte hem pas op de kamer open, want hij droeg het briefhoofd van de Gerechtelijke Politie. Het waren nochtans niet mijn orders voor de volgende dag, zoals ik had verwacht. Het was een haastig gekribbeld briefje.

Maak een wandeling door de tuin. Kris.

De tuin was een geplaveide binnenplaats met een paar banken, omgeven door duistere gebouwen. Het geheel werd schaars verlicht door twee zielige lantaarns. Bij de verste bank zag ik beweging. Kris zwaaide naar me. 'Sorry voor deze manier van werken, er hangen overal microfoons.'

'Weet ik. Ook in de wagen?'

'Weet ik niet. Ze zijn tot alles in staat.' Hij grinnikte. 'Zin in een nachtje stappen? Ik ken wel een leuke tent niet ver hiervandaan.'

'Eindelijk. Ik dacht al dat ik hier levend begraven werd.'

In minder dan tien minuten was ik omgekleed en klaar om een stapje in de steeds kleiner wordende wereld te zetten. De agent in de lobby deed alsof hij me niet zag vertrekken, maar toen ik bij de draaideur in het spiegelende glas keek, zag ik dat hij een aantekening maakte in een schriftje.

Stappen was letterlijk te nemen, want Kris had de dienstauto keurig afgeleverd. Hij loodste me door een wirwar van kleine, hellende straatjes. We kwamen bij *le Vieux Port*, de oude vissershaven waarrond het oorspronkelijke Marseille zich had ontwikkeld. Nu was het water er weggepompt, er lagen nog enkele oude schepen op de droge bodem die het geheel nog iets authentieks gaven. Ook de gebouwen rond de inham straalden een verloren gewaande gezelligheid uit. Er brandde opmerkelijk meer licht dan in de rest van de stad en de cafeetjes waren bevolkt met vrolijk pratende soldaten en politiemensen. Een ware verademing.

Kris wees een gebouw aan naast het oude stadhuis. 'Daar is een min of meer leuke tent. Het stelt allemaal niet veel voor, maar het zal alleszins beter zijn dan je in je eentje te bezatten op je hotelkamer.'

We gingen naar binnen door een smal gangetje. Het was een oude brasserie, er speelde een muziekje en er was zelfs wijn te verkrijgen, een zeldzaamheid, want alle wijngaarden waren vernietigd. Dit wijntje was binnen de grenzen van Tetraville geproduceerd op een kunstmatige manier. De wijnranken groeiden in een pulp die alle eigenschappen had van de gebruikelijke kalkgrond. Het resultaat smaakte wat zuur, maar het was beter dan de eeuwige limonade.

Op een jonge officier na waren we de enige gasten, maar ik amuseerde me. Kris was een vlotte prater en vertelde de ene smeuïge anekdote na de andere. Het leven in Zone M was waarlijk geen pretje. Ellenlange, eentonige wachtdiensten en tomeloze verveling in vrije momenten voedden de verbeeldingskracht. Er was het verhaal van de nepaanhouding van een jonge, welwillende vrouw. Er werd rondgestrooid dat ze werkelijk op ieder moment van de dag of nacht zin had in een nummertje. Wie er in trapte, werd op film vastgelegd als hij verlekkerd door de gangen van de vrouwengevangenis sloop. Daarna werd de film ontelbare keren in de kantine gedraaid, met als finale het beteuterde gezicht van het slachtoffer bij de lege cel. Of de geschiedenis van de inspectie door een hogere pief, die eigenlijk gewoon een nieuwe hulpagent bleek te zijn. Toen hij door de oversten werd ontmaskerd werd de rode loper in allerijl weer opgeborgen.

De tijd vloog voorbij. De nacht was al een eindje gevorderd toen we aangemaand werden om de laatste consumptie te bestellen. De rode wijntjes werden gebracht en Kris hief het glas.

'Op onze toekomst, of juist niet.'

'Onze toekomst.' Ik dronk van het goedje dat steeds beter begon te smaken.

Plots zwaaide de deur van de brasserie open. Twee geüniformeerde agenten kwamen binnen en liepen meteen op ons tafeltje af. Ik zag dat de grootste van de twee een commissaris was. We kregen hoog bezoek.

'Mag ik vragen wat jullie hier doen?' Een onmogelijk accent, maar de man beheerste tenminste het Nederlands. Nog iemand die het in het noorden had verkorven en was overgeplaatst.

Ik keek Kris aan, maar die staarde in het niets als een betrapte schooljongen. Ik stond op en nam de commissaris apart. Ik toonde hem mijn marsbevelen. Hij keek er ongeïnteresseerd naar en duwde dan mijn hand weg.

'Ik ben nog maar enkele uurtjes geleden aangekomen. Ik wilde iets van de stad zien.'

'Wat is er dan zo speciaal hier?'

'De wijn.' Ik hief mijn glas op en dronk tergend traag. 'Ik kom uit Zone B. Lang geleden dat ik dit mocht proeven. Hebben we daarmee een wet overtreden?'

De commissaris draaide zich abrupt om. 'Jouw opdracht was om hem af te halen aan het station en naar het hotel te brengen. Niet om aan sightseeing te doen.'

Kris kromp in elkaar. 'Ik breng hem dadelijk terug.'

De commissaris knorde ongeduldig, wenkte de agent die hem vergezelde en verdween.

Ik ging opnieuw aan het tafeltje zitten. 'Wat had dit te betekenen? Leuke sfeer hier.'

'Ach, louter intimidatie. Het is geen pretje hier met al die manschappen die zich steendood vervelen. Ze proberen het boeltje gewoon een beetje onder controle te houden.'

Daar dacht ik het mijne van. Een commissaris die zich hoogst persoonlijk zorgen maakte over mij. Ik kon me niet van de indruk ontdoen dat hier meer achter zat. 'Eerlijk gezegd, ik snap er geen bal meer van.'

'Wat bedoel je?'

'Mijn opdracht hier. Wat moet ik hier in 's hemelsnaam uitvreten? Inspectie van de muur langs de Spaanse grens. Dat behoort al jaren niet meer tot mijn bevoegdheid. Zoals je weet was ik wel betrokken bij de bouw van Tetraville, maar intussen doe ik heel ander werk.'

Kris liet die opmerking even in de lucht hangen. Hij kauwde langzaam op een nootje dat bij de wijn werd geserveerd. Toen zuchtte hij diep. 'Weet je waar ik me zorgen over maak?' Hij zette zijn glas neer en staarde voor zich uit. 'Waarom al die moeite om een grens te sluiten?'

Ik antwoordde niet. Die gedachte speelde ook al een hele tijd door mijn hoofd. De stilte sleepte aan.

Uiteindelijk hief Kris het hoofd en keek een beetje boos. 'Kom me niet vertellen dat het jou nog niet is opgevallen. Waarom al die moeite om een grens hermetisch af te sluiten, dwars door een onherbergzaam gebied, als het land dat er achter ligt toch bijna volledig uitgestorven is?'

'Het is niet de eerste keer dat de president vreemde maatregelen doorvoert. Groot-Brittannië en Ierland zijn al meer dan tien jaar uitgestorven. Niettemin ligt er een zware verdedigingsgordel langs de hele Atlantische kust. Verdedigen tegen wie?'

Kris staarde nors voor zich uit. Mijn flauwe opmerking zinde hem duidelijk niet. 'Die hele zaak stinkt. Er wordt een heleboel boven onze hoofden bedisseld en dat vind ik niet gepast. En daar sta ik beslist niet alleen mee.'

Ik kon het zelf niet beter verwoorden. Kris had een gevoelige snaar geraakt. Ik ging er niet verder op in.

Hij fluisterde: 'Soms vraag ik me af of die verdedigingsgordels niet in de omgekeerde richting werken.'

'Wat bedoel je?'

'Ze zijn er niet om ons te beschermen, maar om Tetraville af te schermen voor nieuwsgierige ogen. Al dat geflikflooi van de leiders boven onze hoofden, al die maatregelen waar niemand iets tegenin kan brengen. Ik heb het gevoel dat er zaakjes gebeuren die het daglicht schuwen.'

'Misschien.' Ik vertelde hem niet dat ik het in feite met hem eens was. 'Maar vergeet niet dat Tetraville er slecht voor staat. Er sterven nog steeds twee keer meer mensen dan er geboren worden. Alle verdediging tegen de besmetting is welkom.'

Kris was niet tevreden met mijn antwoord, maar hij hield zijn mond.

We dronken onze glazen leeg en stapten op. De hele weg terug spraken we geen woord. Pas bij het hotel zag ik dat de zorgelijke frons op zijn voorhoofd verdwenen was. Hij nam glimlachend afscheid.

De agent in de lobby deed alsof hij sliep. Ik hoorde de bladen van het schriftje ritselen toen ik de trap opliep.

10

Ik had nog maar net de deur van mijn kamer gesloten, toen ik het geritsel tegen het raam hoorde. Ik stapte het balkonnetje op. Kris stond daar. Hij hijgde van de klim. Hij sloot het raam achter me en fluisterde in mijn oor. 'Sorry, door die heisa vergat ik je nog te bedanken voor je tussenkomst in de brasserie.'

'Kris, doe normaal. Je waagt je nek niet om me dit te vertellen.'

Hij grijnslachte. 'Goed gezien. Heb je al slaap?'

Ik grinnikte. We leken wel bloedbroeders die al een heel leven met elkaar optrokken. 'Je wil me iets voorstellen?'

'Een echt leuke tent, met vrouwen...' Hij boog nog meer voorover. Zijn lippen raakten haast mijn oorschelp. '... En echte wijn. Enkel voor liefhebbers.'

'Foei toch. Wat neem jij risico's.'

'Dat maakt het leven pittig. Hier, verstop dit ergens, maar zet het volume hoog genoeg.' Hij overhandigde me een ouderwetse cassetterecorder.

'Wat staat erop?'

'Douchegeluiden, daarna wat gerommel in een koffer, wat gehoest en dan uren snurkgeluiden.'

'Je bent een professional.'

'Laten we zeggen dat ik ze dit nog al eens geflikt heb.'

Onze tocht werd een hele onderneming. We klommen over de balustrade en slopen door de donkere hoteltuin. Daarna ging het langs stille en verlaten straten tot bij een oude loods in een buitenwijk. Een forsgebouwde kerel stond ons op te wachten. Ik hoorde hoe Kris met hem onderhandelde. Nog geen twee minuten later zaten we in zijn bestelwagen, achterin in de afgesloten laadruimte.

'Maak je geen zorgen,' zei Kris. 'Dit is geen ontvoering. Het is alleen nog een eindje hiervandaan.'

'Ik hoorde je een prijs bedisselen. Dit transport kost je een fortuin. Hoe betaal je die kerel?'

'Leg ik je later wel uit. We hebben dit systeem opgezet om alle risico's uit te sluiten. Totnogtoe lopen de zaken prima. Een paar kerels op het bureau maken ook van deze dienst gebruik.'

We deden er zeker dertig minuten over tot onze bestemming. Ik had niet de indruk dat de bestelwagen wat rondjes had gemaakt om me te misleiden. Onderweg waren we over een lange brug gereden, waarbij het geluid van de motor ritmisch werd weerkaatst door hoge pijlers. Ik kende maar één zo'n brug in Zone M, over de opgedroogde bedding van de rivier. We gingen dus oostwaarts. Uiteindelijk stopten we en de chauffeur gooide de deuren open. We stonden in een stille straat met groezelige huizen. Kris wees naar het einde van de straat, waar een flauwe bocht de rest van de huizen aan het zicht onttrok. 'Wat verder achter de bocht ligt de muur. We moeten voortmaken, er is hier nog meer controle dan in het centrum van de Zone.'

'Mooie plek om een illegale kroeg te vestigen. Onder de neus van de vijand.'

We liepen door een smalle gang tussen twee huizen. Er droop water van de muren, de vloer lag vol rommel. Handig ontweek Kris elk obstakel. Achter de huizen lag nog meer rommel, vakkundig gestapeld deze keer, want een berg brandhout camoufleerde netjes een stalen deur, verankerd in een betonnen vloer. Een smalle trap leidde ons onder de grond. Vier paar ogen staarden me vijandig aan, maar Kris hief zijn hand op en stopte elke man wat geld toe. De vijandigheid smolt als sneeuw voor de zon.

Na een ellenlange gang en drie gepantserde deuren te zijn gepasseerd, hoorde ik muziek. Een laatste deur rees voor ons op. Ze ging knarsend open. Het leek wel of de tijd werd teruggedraaid. We kwamen in wat een heel gezellige kroeg leek. Het zat er stampvol vrolijke mensen. Er hing een dichte rook, op de tafels stonden pullen bier en heuse wijnflessen. Schaars geklede diensters brachten nieuwe bestellingen, lieten zich de tik op het achterste welgevallen en kirden uitgelaten. Er was zelfs een klein podium waarop twee naakte danseressen een gevecht aangingen met een dildo.

Bedwelmd ging ik zitten aan een tafeltje met prima uitzicht op het podium. Kris schoof naast me op de bank en tikte me kameraadschappelijk op de schouder.

'Welkom in ons kleine paradijsje. Het is eventjes wennen, niet?'
Ik kon alleen maar knikken. Kris wenkte een serveerster. Blijkbaar kenden ze zijn smaak, want in minder dan geen tijd stond er fles rode wijn op tafel. Ik bestudeerde het etiket op de fles.

Kris grinnikte. 'Het jaartal klopt niet, de etiketten zijn nog restjes van vroeger. Maar het is wel echt spul.'

Ik proefde. Ik wist niet waar ik het had. 'Heerlijk is dit. Waar komt die wijn vandaan?'

Kris boog zich naar me toe. 'Gesmokkeld.'

'Komt deze wijn echt van buiten Tetraville?'

Kris knikte. 'Een paar wijnboeren buiten de muur maken nog wijn op de oude, traditionele wijze. Maar ze raken hun waar aan de straatstenen niet kwijt. Hun echte afzetmarkt ligt hier in Tetraville. Wij brengen het spul binnen en zorgen ervoor dat niemand verraden wordt. Het brengt aardig wat op.'

'Wij? Bedoel je dat het hele bureau hieraan meewerkt?'

Kris schudde het hoofd. 'Paul, niet al te nieuwsgierig worden. Je weet al meer dan goed voor je is. Hou je aandacht maar wat bij het podium. Ook dat is het echte spul.'

Kris had niet gelogen. De show werd hoogst pikant. Hij lachte. 'Voor de meeste mannen hier kost dit avondje een flinke hap uit hun maandloon, maar ze zouden het voor geen geld willen missen.'

Ik dronk gulzig van de wijn. 'Waarom doe je dit allemaal voor me? Misschien ben ik wel niet te vertrouwen.'

'Mensenkennis, mijn beste Paul. Daar hadden we het al over. Drink nog wat wijn. Daarna kraken we een *cuvée spéciale*. Absoluut de top.'

Ik liet me de traktatie welgevallen, maar mijn scepsis verdween niet helemaal. 'Kom Kris, je moet het me vertellen. Waarom betrek je me hierbij?'

Het duurde nog een lang, uitgesponnen bluesnummer, waarbij de dildo op het podium overuren maakte, voordat Kris zich naar me toe boog. 'Expansie. We willen uitbreiden.'

'Uitbreiden?' Het begon me te dagen. 'Jullie willen nog zulke tenten openen? Jullie willen een kroeg openen in Zone B?'

Kris legde een hand op mijn arm. 'Niet op de zaken vooruit lopen. We hebben nog niks concreets in gedachten. Laten we zeggen dat we even de mogelijkheden onderzoeken. We hebben iemand nodig die het terrein kent.' Hij trok zijn hand terug en staarde naar de gymnastiekles op het podium. 'We zullen het daar later nog wel over hebben. Als het je interesseert, natuurlijk.'

Ik hield de boot voorlopig af. 'We zien wel. Ik zal erover nadenken. Trouwens, hoe denken jullie die spullen in Zone B te krijgen?'

'Dat hebben we al uitgedokterd. We vervoeren al wijn binnen Tetraville.'

'Hoe dan?'

'Die hogesnelheidstreinen hebben een schat aan verborgen ruimtes. Je zou versteld staan wat er op één rit kan getransporteerd worden.'

Ik viel van de ene verbazing in de andere. 'Dat vergt een hele organisatie.'

'Daar wordt aan gewerkt. Af en toe brengen we geïnteresseerden mee naar hier om hen in de juiste stemming te brengen.' Hij pauzeerde even en proestte het dan uit. 'Wees gerust, ik wil je niet onder druk zetten. Geniet maar van de show. Het hoogtepunt is nabij.'

Maar van genieten kwam niet veel in huis: het hoogtepunt van *The Dildo Babes* werd hopeloos verknoeid. Er begon een zacht alarm te rinkelen en de muziek stopte meteen. De danseressen waren deze situatie blijkbaar gewoon, want ze graaiden hun kleren van het podium en verlieten gedisciplineerd de zaal. De dildo bleef eenzaam achter.

Opeens viel het me op dat iedereen zijn kalmte bewaarde. Het leek wel of er een tot in den treure geoefende brandoefening aan de gang was. De serveersters ruimden beheerst de tafels af. De barmannen stopten alle flessen en glazen in een grote wandkast, die werd afgesloten. De gasten liepen keurig naar de uitgangen. Niemand sprak een woord.

Kris greep me bij de arm. 'Er is waarschijnlijk gevaar aan de oppervlakte. Dit zijn gewoon voorzorgsmaatregelen. Kom mee, ik zal je wat laten zien.'

We liepen naar een deur achter de reusachtige toog en kwamen in een fel verlichte gang. Bij de trap wat verderop zag ik de mensen afdalen. Ik leunde over de reling. Er was een reusachtige ruimte waar iedereen rustig op de vloer ging zitten.

Kris kwam naast me staan. 'Een geluidsdichte ruimte. Zodra iedereen beneden is, wordt de ruimte afgesloten en de gang hier gecamoufleerd. Onmogelijk op te sporen.'

De laatste van de gasten daalde de trappen af en ik maakte aanstalten om hem te volgen. Kris hield me tegen. 'Ogenblikje. Het management neemt nog een extra voorzorg. Wij gaan deze kant op.'

We liepen door een wirwar van gangen en ruimtes, daalden nog enkele trappen af en kwamen in een zoveelste gang. Die had alleen een aarden vloer. Er stroomde wat water door een greppel in het midden. 'Wees niet bang. Het hele complex wordt nauwkeurig nagekeken op teken. Het is hier veilig. Er zitten zelfs geen ratten.' Kris liep me voor door de schaars verlichte gang.

Ik volgde schoorvoetend. Het werd een fikse wandeling. De gang kronkelde, daalde, steeg, maakte onverwachte bochten en splitste zich ettelijke malen. Uiteindelijk kwamen we bij een reeks trappen. Bovenaan was een platform. Ik zag een andere gang waar een spoor door liep.

Kris opende voorzichtig een deur en voor ik het besefte stonden we in de buitenlucht. Ik zag bomen en struiken aan de rand van het veld waarin we stonden.

De werkelijkheid drong onmiddellijk door. 'Verdomd, we zitten buiten Tetraville. Dit is jullie smokkelroute!'

'Dit is meer dan we geïnteresseerden bij hun eerste bezoek laten zien. Ik hoop dat je van het privilege genoot. Je krijgt natuurlijk nog alle tijd om over onze voorstellen na te denken.' Kris ging op een baal stro zitten.

De trap was bij een oude schuur uitgekomen. Ik maakte het me gemakkelijk en ging ook op een baal zitten. We wachtten geduldig, tot ik een telefoon hoorde rinkelen. Het toestel zat in een verzegelde kast naast de schuurdeur.

Kris had de sleutel, opende het kastje en nam op. Hij praatte niet, luisterde alleen en knikte af en toe met het hoofd. Toen hing hij op. 'De kust is veilig. Er was een patrouille bovengronds die enkele huizen heeft uitgekamd, maar de wachters denken dat ze op zoek waren naar deserteurs. Niemand heeft naar de geheime toegang van de kroeg gezocht.'

'Deserteurs?'

'Er zijn vele agenten die het werk niet aankunnen. Ze vluchten en verschuilen zich in de verlaten buitenwijken.'

We liepen terug het gangenstelsel in, maar ik kon me absoluut niet oriënteren. Gelukkig kende mijn gids feilloos de weg. Maar de pret was voorbij. Uit veiligheidsoverwegingen werd de kroeg gesloten. De dildo was al opgeborgen.

De rit met de bestelwagen naar het centrum van Zone M terug verliep in volledige stilte. Ik was diep onder de indruk van de hele organisatie. Hoewel ik niks liet merken, was ik danig enthousiast over de schat aan mogelijkheden die hier lagen.

De cassetterecorder snurkte nog steeds toen ik over het balkon klauterde en de kamer insloop. Ik liep voorzichtig naar de deur. Niemand was tijdens mijn afwezigheid in de kamer geweest. Het zegel dat ik had aangebracht was niet geschonden.

11

Maandag 2 september 2052

9.32 uur

Kris was een prima acteur. Hij fungeerde opnieuw als de neutrale chauffeur, zijn gezicht gaf geen krimp. We wisselden wat algemeenheden uit in de dienstauto, terwijl hij me terug naar het station bracht. Bij klaarlichte dag zag Zone M er nog troostelozer uit. De strakke wind van over de Middellandse Zee had vrij spel tussen de gebouwen en zwiepte stof en zwerfvuil hoog op. Schaarse voorbijgangers liepen voorovergebogen en beschermden hun ogen met hun handen, soldaten hadden stofmaskers op.

We reden de hoofdingang voorbij en kwamen bij een zware poort waar twee soldaten op wacht stonden. Ze controleerden onze passen, keken in de bagageruimte van de auto en openden uiteindelijk de poort toen ze opmerkten dat Kris zijn geduld begon te verliezen.

Over het terrein naast de stationsgebouwen liep één spoor dat bij een roestige omheining op een stootbumper eindigde. Op de spoorstaven stond een oude locomotief met twee personenrijtuigen. Voor alle ramen hingen metalen luiken. Twee ervan stonden open. Een man in witte overall spoot overvloedig schuimend ontsmettingsmiddel tegen de ruiten, zijn kompaan sloot zorgvuldig het luik af en verzegelde het met vleugelmoeren.

Kris grijnsde. 'Dit alles voor een ritje door besmet gebied. Het lijkt wel een expeditie naar de zuidpool.'

'Je kunt niet voorzichtig genoeg zijn. Hebben ze jou dat nooit ingepompt bij je Grote Inwijding?'

'Natuurlijk. Maar het blijft een gek gezicht. Alsof die schurftige teken overal op de loer liggen. Ze overdrijven. Je hebt zelf gezien...' Kris beet op zijn onderlip. 'Nou ja, je hebt het zelf gezien.'

Ik wilde hem de hand schudden, maar wachtte daar nog even mee. 'Ik heb zelf gezien dat Zone M uiterst clean is. Dat is heel juist. Het is hier zelfs zo clean dat het strontvervelend wordt. Ik zal wat blij zijn als ik terug naar huis kan.'

Kris glimlachte en kneep uitzonderlijk hard in mijn hand. Ik overwoog een dubbelzinnige opmerking, maar hield mijn mond.

Een corpulente inspecteur kwam naar onze wagen toe gelopen. Hij rukte zonder omhaal het portier aan mijn kant open. *'Paul Notbom, on vous attends!'*

Ik zweeg, hoewel hij een trapje lager stond op de hiërarchische ladder. Ik stapte uit en volgde hem naar een laag gebouwtje, dat ik door de logge locomotief niet eens had opgemerkt. In een kaal vertrek maakte ik kennis met mijn reisgenoten. Drie hoofdinspecteurs van de Gerechtelijke, uit verschillende zones. Met eentje had ik ooit samengewerkt, de anderen kende ik niet. Gezien de koele ontvangst zou dat wel zo blijven ook. We werden naar de dokter gebracht. Onze gezondheidspassen werden omzichtig gecontroleerd. In feite was het een chip die in onze politiepenning ingebouwd was. Het controleapparaat flitste geruststellend groen op.

Het eerste deel van de treinrit verliep eentonig. We zaten met zijn allen zwijgend in de spaarzaam verlichte coupé. Niemand volgde de reis via de beeldschermen aan de wand. Ik wierp een vluchtige blik, zag dat we Zone M verlieten via een enkel spoor dat westwaarts liep door een vlak en verlaten landschap vol steengruis.

Ik verdiepte me in de map die we hadden ontvangen. Kaarten van de Pyreneeën, de meer dan driehonderd kilometer lange grens tussen het voormalige Spanje en Frankrijk. Meer foto's en tekeningen. Over de hele kam was een muur gebouwd, een flink eind boven de tweeduizend meter, zodat het rooien van groen tot een minimum beperkt was gebleven. De muur was minder hoog dan die van Tetraville, maar hij was ook met camera's en warmtegevoelige bedrading uitgerust.

Ik maakte een aantekening. Een vraag die ik wilde stellen.

Over de hele lengte van het bouwsel waren twaalf poorten voorzien. Een oude wegenkaart – ook bijgevoegd – leerde me dat die poorten overeenstemden met de oude grensovergangen. Hier waren speciale maatregelen genomen. De muur was er een pak hoger en robuuste torens en platforms maakten extra bewaking mogelijk.

Als er ooit sukkels, in een waanzinnige trektocht naar de veilige geborgenheid van Tetraville, de grens over wilden, dan zou dat waarschijnlijk bij deze passen gebeuren. Maar ze maakten geen enkele kans.

Ik legde de map weg. De woorden van Kris bleven door mijn hoofd spoken. Wat een gedoe voor een uitgestorven streek.

De trein kwam tot stilstand in een kleine loods. Ik keek naar de monitor die het beeld van de camera op de neus van de loc weergaf. We reden een smalle tunnel in, uit de zijwanden sproeide overvloedig ontsmettingsmiddel. Het stel vorderde langzaam, we hoorden het water langs de wanden druipen. We kwamen opnieuw in de open lucht. Voor ons doemde een toren op die de grauwe eentonigheid van de betonnen muur doorbrak. Het ijzeren hek onderaan de toren schoof ratelend open. Tien zwaarbewapende agenten keken het treinstel meewarig na toen het door Poort West-3 gleed. Onmiddellijk schoof het hek achter ons dicht. We waren van het veilige Tetraville afgesloten.

De trein haalde een behoorlijke snelheid. Ik keek naar de monitors. Voor, achter, zijkant. Overal hetzelfde eentonige landschap. Licht golvend, met oneindige rotspartijen waartussen stakerige, droge struiken groeiden. Geen mens te bekennen.

'Doe geen moeite. We hebben nog twee uurtjes in dit landschap voor de boeg.'

Ik keek op. Een van de hoofdinspecteurs schoof bij aan mijn tafeltje. Een forse kerel met een zangerige stem. Een licht accent ook.

'Thomas Welkenraedt, aangenaam.'

Een Duitser. Mijn gehoor had me niet bedrogen.

'Paul Notteboom.' Hij had een stevige handdruk.

'Ik ken de route. Ik ben er al eens geweest. Ik ben verantwoordelijk voor de kazernering van de manschappen. Ik hield toezicht op de bouw van de verblijven.'

'Juist. Mijn afdeling is de muur en de beveiliging ervan.'

'Ik dacht al dat je naam me bekend voorkwam. Was jij niet betrokken bij de bouw van Tetraville?'

'Inderdaad. Ik zat in de werkgroep voor het gedeelte rond Zone B. Door mijn technische opleiding, zie je?'

Thomas knikte. Het gesprek stokte. Dat stoorde me niet echt. Mijn zesde zintuig werkt ook bij personen. Nekharen die overeind komen als een niet zo betrouwbaar iemand achterbakse bedoelingen heeft. Welkenraedt was zo iemand. Te glad, te genereus met woorden. Hij knoopte zijn boord los en liet zich onderuit zakken. 'We klimmen naar de *Punto de Ares*, dat is de eerste poort in de muur als je van oost naar west gaat.' 'Weet ik. De hele historiek van de bouw zit in het dossier. Eerst dachten de autoriteiten om de eerste poort bij de oude autoweg te bouwen, vlakbij de zee. Maar daar zagen ze van af. Het terrein is te laag gelegen en de autoweg is er veel te breed. Onmogelijk te bewaken.' Hij nam ongevraagd mijn map op en rommelde wat in mijn papieren. 'Ja. De bewaking wordt geen makkie. Langsheen de *Punto de Ares* loopt een oude weg, helemaal tot in Barcelona. Volgens de laatste rapporten woont er nog een laatste cluster mensen in deze stad. Als er oversteekpogingen komen, zal het hier zijn.'

Ik liet het gesprek rustig doodbloeden en keek naar de monitors. De politieman klapte het dossier dicht en deed hetzelfde. Ik was blij toen hij uiteindelijk opstond en een ander tafeltje opzocht. Welkenraedt was een slijmbal. Ik hou niet van slijmballen.

12

Ons bezoek aan Poort S-1, zoals de oude *Punto de Ares* nu officieel heette, liep vertraging op omdat Thomas Welkenraedt zich tot een onmogelijke klier ontpopte. Bij elk onderdeel van de constructie had hij wel iets op te merken; elke ruimte, elk soldatenverblijf kreeg meerdere kritische aantekeningen in zijn rapport. Niemand die hem een strobreed in de weg legde als hij opnieuw begon te emmeren. Ik hield me wat afzijdig. Gisteren had ik onmiddellijk na onze aankomst al een eerste ronde gemaakt langs het betonnen lint. Het zag er goed uit. De rotsachtige ondergrond zou verzakkingen onmogelijk maken, de elektrische bedrading was keurig aangebracht. De perfecte samenstelling van het beton was over de hele lengte – tenminste dat stuk dat ik was afgelopen – gerespecteerd.

Welkenraedt begon aan een nieuw hoofdstuk. Ik liep naar buiten en hapte ijskoude lucht. Het bonzen in mijn hoofd werd wat minder. Het ijzeren hek bij Poort S-1 was nog niet aangebracht. Door de opening zag ik de mistige bergtoppen aan de Spaanse zijde van de Pyreneeën. Ik liep naar de dalende weg, die met duizend bochten naar de Middellandse Zee kronkelde. Het asfalt was op vele plaatsen gebarsten. Bij een bocht was een verzakking, de helft van het wegdek ontbrak en een groot deel van de steunmuur lag de dieperik in.

Ik liep de weg verder af, niet goed wetend wat ik hier eigenlijk kwam uitspoken. Ik keek naar de horizon. De kim van een leeg land zonder toekomst. Nauwelijks honderd meter voorbij de verzakking lag er een rotsblok op de weg. Een kanjer met een bed van steengruis eromheen. Ik zocht me een weg door de brokken heen, verder naar beneden.

Vijftig meter verder, nog een bocht in de weg. Ik hoorde een licht gedaver, een of andere motor, en wat stemmen. Twee mannen ruimden met een kleine kraan de brokstukken van de ingestorte steunmuur op. Hun kreupele vrachtwagen kraakte onder elke plof die het gruis in de laadbak maakte.

Ze droegen uniformen. Het waren soldaten van de voorpost boven. Toen ze me zagen, schrikten ze op. De motor van de kraan viel reutelend stil. *'Qu'est-ce que vous faites la? C'est interdit!'*

'Geeft niet. Ik hoor bij de inspectieploeg.'

De grootste schudde nijdig het hoofd. 'Toch blijft dit verboden gebied. Jullie komen toch voor de muur? Deze plek hoort niet bij het gedeelte dat moet geïnspecteerd worden.'

'Waarom ruimen jullie puin?'

De soldaten keken elkaar aan, niet meteen bereid om een antwoord te geven. Toen zag ik de stellage een eindje boven ons, tegen de bergwand aan. Ze herstelden de ingestorte steunmuur bij de verzakking.

'Zwaar werk?'

De stilte sleepte eindeloos aan. Ik begreep er geen snars van. Ik haalde de schouders op, draaide me om en begon aan de wandeling terug naar boven. Nog voor ik bij de eerste bocht was, hoorde ik de soldaat iets in zijn radio schreeuwen.

Toen ik in de bocht was, hoorde ik het kabaal. Een enorme plof, krakend metaal en paniekerig geschreeuw van de soldaten. Er stortte nog een gedeelte van de weg in. In een flits zag ik de laatste brokken steen over de cabine van de vrachtwagen tuimelen en op het wegdek uit elkaar spatten. Een van de soldaten hield zijn hand tegen het hoofd, zijn vingers kleurden rood. De andere lag uitgeteld op het wegdek. Ik rende erheen, maar veel kon ik niet doen.

De bons in mijn hoofd was geheel verdwenen, mijn zintuigen stonden scherp. Daarboven, bij het gedeelte van de steunmuur dat pas was ingestort, was in een fractie van een seconde een eigenaardig beeld te zien geweest. Een gezichtsbegoocheling? Nee. Ik was er voor de volle honderd procent van overtuigd dat ik iemand had zien wegvluchten. Ik had een schouder en hoofd gezien, dat tussen de rotsblokken verdween. Ik rende erheen.

Ik zette een spurt in, rende de weg op, tot bij de verzakking. Voetstappen, dwars over de weg, verdwijnend tussen de rotsblokken aan de overkant. Ik rende er achteraan. Het terrein glooide en zat vol gaten. Ik verzwikte bijna mijn enkel. De voetstappen werden onduidelijker, tot ze tenslotte helemaal verdwenen.

Happend naar adem leunde ik tegen een rotsblok aan. Het had geen zin. De man was ontsnapt – hij verkeerde waarschijnlijk in een veel betere conditie. Ik draaide me om en vatte de terugtocht aan. Mijn borstkas ging hevig op en neer.

De weg kwam opnieuw in zicht. Ik wipte over een groot rotsblok waar een vervaarlijke scheur in zat. Daar zag ik de witte omslag liggen. Klein formaat, helwit, hij lag er nog maar pas. Ik knielde, onderzocht de spleet op teken en stak mijn hand naar binnen. Het papier was nog warm. Iemand had hem maar net uit zijn zak gehaald. Hij was niet dichtgeplakt. Eén blik op de inhoud was voldoende. Ik voelde de grond onder me wegzakken.

'Wat gebeurt hier allemaal?'

Thomas Welkenraedt keek me verbaasd aan. Hij was geflankeerd door vier soldaten. Dezelfde grijze uniformen, dezelfde wapens als de mannen die de weg repareerden. Bij de instorting zag ik een medische ploeg die zich over de slachtoffers ontfermde.

Ik zette mijn meest onschuldige gezicht op. 'Er is opnieuw een gedeelte van de steunmuur ingestort. Even dacht ik dat ik iemand zag wegrennen.'

'Dacht je?'

'Ja. Maar er was niemand. Ik denk dat het een of ander dier moet geweest zijn.'

'Hier zijn geen dieren meer.'

'Mensen ook niet. Ik zal het me wel verbeeld hebben.'

Welkenraedt zuchtte. Hij geloofde me niet. Ik hield mijn hand nonchalant in mijn jaszak. De enveloppe brandde tussen mijn vingers.

'Wat deed je daar eigenlijk bij die muur?'

Ik hield de toon luchtig. 'Weet ik niet. Ik maakte een wandelingetje.'

'Dit is verboden gebied, ook voor ons.'

Het hele gedoe begon op mijn zenuwen te werken, maar ik hield wijselijk mijn mond. We liepen in groep naar de poort terug. Ik treuzelde extra lang bij de douchecellen in de ontsmettingsruimte en constateerde tot mijn voldoening dat iedereen verdwenen was toen ik de cabine verliet. Ik droogde me snel af en checkte mijn kleren. Niemand had ze doorzocht. Ik haalde de envelop te voorschijn.

Er stak slechts een smal strookje van vier negatieven in. Ik hield ze tegen het licht. Het was absoluut geen verrassing. Dit had ik verwacht. Mijn verzameling was bijna compleet nu.

De rest van de dag hield ik me behoorlijk kalm. We werkten ons programma af en in het bureau van de hoofdingenieur begon ik aan mijn rapport. Uiterlijk rustig, maar mijn gedachten draaiden op volle toeren. Wat was hier aan de hand? Waarom werd een ingestorte steunmuur hersteld, op een weg die niet meer zal worden gebruikt? En waarom gebeurde die herstelling door ervaren soldaten, die een klus opknapten ver beneden hun waardigheid? Dan waren er natuurlijk de negatieven. Hoe wist mijn persoonlijke kwelduivel dat ik hier was? Wie had hem getipt over mijn missie?

Er was nog iets vreemds gebeurd. Door de hele heisa was het eerst wat aan mijn aandacht ontsnapt, maar de scène met de neerstortende rotsblokken bleef zich maar herhalen in mijn hoofd. Ze vielen en vielen en vielen. En telkens waren er die verdomde geluidjes. Eerst onopvallend, maar bij de herhalingen klonken ze steeds nadrukkelijker.

Ik had verschillende keren een zachte klik gehoord. Toen ik met de soldaten stond te praten, maar ook toen ik bij de bloedende man stond en me over de andere soldaat op het wegdek boog. Zachte klikken, eerst aarzelend, maar daarna steeds sneller. Iemand had foto's gemaakt van het hele gebeuren...

Ze hadden nog wat voor me in petto.

Die avond, toen ik wat probeerde te rusten in het Spartaans ingerichte kamertje van de kazerne, werd er ruw op de deur gebonkt. Mijn antwoord werd niet afgewacht, de deur vloog meteen open.

Thomas Welkenraedt.

Ik sprong van het bed op en liet mijn afkeuring voor zijn onbehouwen entree duidelijk blijken. 'Ja? Is er iets?'

'Voor jou is de inspectie afgelopen. Je mag naar huis.'

Ik staarde hem ongelovig aan. 'Naar huis? Heeft dit te maken met wat er vandaag gebeurd is?'

Hij schudde woest het hoofd. 'Natuurlijk niet. Maar de man die jij verving, is nu toch komen opdagen. Zijn ziekte scheen minder erg dan eerst gevreesd.'

'Ik ben bang dat ik niet helemaal kan volgen.'

'Je weet toch dat je op deze inspectie eigenlijk iemand verving?'

'Daar weet ik niks van.'

'Heeft de Manty je daar niks over verteld?'

'Nee.'

'Dan weet je het nu. Je vertrekt morgenvroeg naar Zone M en na de middag heb je al een trein naar huis.' Hij draaide zich abrupt om en beende mijn kamertje uit.

Ik geloofde geen woord van zijn verhaal. Woedend gooide ik me op het bed. Het mysterie werd met het uur groter.

Die nacht piekerde ik me suf. Ik kwam nauwelijks aan slapen toe.

13

De treinrit vanuit Zone M naar huis was lang en saai. Ik zakte onderuit in de zachte zetel en dommelde weg. De fletse wijn die ik bij het middagmaal had gedronken en het gebrek aan slaap deden me dromen. De eerste beelden doemden op. Halverwege roes en slaap nam de scène vaste vormen aan. Mijn hoofd gleed tegen het raam aan, mijn brein draaide op volle toeren.

Maart 2040. Als hulpagent modder ik maar wat aan in het korps. De besmetting neemt nu echt afschrikwekkende vormen aan. Mensen sterven bij bosjes, het geboortecijfer is nog nooit zo laag geweest. Elk dorp, elke wijk heeft zijn eigen crematorium dat de klok rond werkt. Iedereen begrijpt dat er drastische maatregelen nodig zijn. Toch talmen de politici.

Drie jaar geleden al werd door de Europese commissie beslist tot de bouw van Tetraville, maar eindeloze discussies hebben het project vertraagd. Nochtans woedt de ziekte nog in volle hevigheid en elke dag vallen er nieuwe slachtoffers. Europa valt verder uit elkaar. Koninklijke families, politici, clerus, niemand ontsnapt aan het virus. Er moet ingegrepen worden.

Enkele machtige mannen nemen het initiatief. Ze zijn afkomstig van verschillende Europese regeringen – of wat daar nog van overblijft – en stellen een krachtdadig plan voor de bouw van Tetraville voor. Na een interne verkiezingsstrijd komt de president aan de macht. Hij is een wat schimmige figuur, afkomstig uit een oude, adellijke familie.

Vreemd genoeg gaan er opnieuw maanden voorbij. Het lijkt wel of alles bij het oude zal blijven. De president laat zich nauwelijks zien. De mensen in zijn onmiddellijke omgeving zwijgen in alle talen.

Dan komt er plotseling schot in de zaak. De president verschijnt in alle media om het plan te ontvouwen. Alles komt in een stroomversnelling. De vreselijke betonnen mastodont krijgt vaste vorm. Er wordt met man en macht gebouwd.

Stilaan beseffen de Europeanen wat hen te wachten staat. Er ontstaat paniek. Iedereen wil nog de beschermende cocon in voor het te laat is. De chaos is compleet. Leger en politie komen er aan te pas. De gezondheidskaart wordt geïntroduceerd. Wie ze niet bezit, gaat er onverbiddelijk uit. De meest vreselijke scènes doen zich voor. Mensonterende situaties die elke verbeelding tarten. Maar de president en zijn trawanten houden voet bij stuk. De poorten gaan onherroepelijk dicht. Wie niet gezond is, blijft buiten.

Ik schoot wakker door de commotie die was ontstaan in de wagon. Twee controleurs hadden iemand onderschept die zonder gezondheidskaart reisde. Hij werd afgevoerd.

Ze keerden terug en zetten controle verder. De langste van de twee gooide een vluchtige blik op mijn politiekaart en knikte stijfjes. Politie en gezondheidsdienst waren niet meteen de beste maatjes. Zij vonden dat we regelrechte hufters waren, wij bestempelden hen als verdorde ambtenaartjes. Ze vertrokken naar de volgende wagon. Ik dommelde opnieuw in.

Ik rijd zuidwaarts over de snelweg tussen Antwerpen en Brussel. Rechts van me verrijst de muur, overal om me heen kieperen vrachtwagens steengruis uit om de veiligheidszone uit te bouwen. De muur is bijna klaar, arbeiders brengen de elektrische bedrading aan. Ik heb net Poort Oost-55 bezocht. De poort ligt bij Antwerpen en zal bijzonder beveiligd worden. De autoriteiten vrezen voor een golf van indringers vanuit het oosten.

Overal in de streek patrouilleren zwaarbewapende soldaten en agenten de klok rond. Dagelijks worden tientallen mensen gearresteerd. Besmette sukkels zonder gezondheidskaart die door de mazen van het net willen glippen.

Gearresteerden worden onverbiddelijk teruggestuurd. Zij die het opnieuw wagen, worden neergeschoten. Dat weet verder niemand, alles verdwijnt in de machtige doofpot van de Politieraad. Wij hebben met zijn allen een dure eed gezworen. Loslippigheid staat gelijk met uitwijzing. Daar heeft niemand van ons zin in. Of we het er nu mee eens zijn of niet. De eeuwenoude wet van de jungle, van het recht van de sterkste is opnieuw van toepassing.

Ik bereik de grote werf. Iedereen van de Politieraad weet waarover het gaat. De plek is op korte tijd zo berucht geworden, dat verdere aanwijzingen niet nodig zijn. Het is de buurt van de oude stad Mechelen. Omdat ze nagenoeg uitgestorven is – een hardnekkige haard van besmetting herleidde de bevolking tot een paar tientallen – valt ze net buiten Tetraville. Het gevaar dat een grote groep besmetten deze plek als uitvalsbasis gebruikt en van hieruit aanvallen op Tetraville inzet is te groot. De stad wordt volledig met de grond gelijk gemaakt.

Er hangt een reusachtige stofwolk boven de grote werf. Het lijkt wel of er een meteoriet is ingeslagen. Zo ver het oog reikt zie je ruïnes. Honderden mechanische kranen halen daken naar beneden, beuken op muren in, maken gebouwen met de grond gelijk. Bulldozers vegen het gruis bij elkaar en laden het op de klaarstaande vrachtwagens. De Sint-Romboutstoren staat nog eenzaam overeind tussen al het mechanische geweld. Hij zal met beton worden volgestort en getuigen van het roemrijke verleden van de stad. Herinneringen voor het nageslacht.

Als dat er ooit nog komt.

'Nee, ik hoef niks. Laat me met rust!' Ik schoot wakker door de onvriendelijke tik tegen mijn schouder.

De ober stelde mijn reactie niet op prijs en droop verongelijkt af. Ik stond op en dribbelde door de treinwagon. Mijn stijve spieren speelden op. Ik ging weer zitten. De beelden bleven me achtervolgen.

Ik bereik mijn einddoel, Poort Oost-54, ter hoogte van Brussel. De autoriteiten drukken er op dat oude benamingen voor steden wegvallen en er alleen nog over Tetraville wordt gesproken. Een of andere psycholoog heeft dit uitgedokterd – een nieuw begin, een nieuwe naam. Ik wed dat de oude namen nog een hele tijd over de tong zullen rollen. Meer dan veertig jaar geleden werd de euro ingevoerd en nog steeds worden rekensommetjes in de oude munten gemaakt.

Ik parkeer op het vlakke terrein bij de poort. Hier maakt de muur een bocht om de oude agglomeratie te omspannen. De stellingen bij het bouwwerk worden weggehaald. Alles staat klaar om de gigantische poorten aan te brengen en het gebied definitief af te sluiten.

Er patrouilleren meer soldaten en agenten dan er arbeiders werken. Een helikopter voert constant verkenningsvluchten uit en seint elke verdachte beweging door.

Mijn onderzoek is van korte duur. De elektrische centrale is niet op tijd klaar geraakt en het beveiligingssysteem hangt er werkloos bij. *Niemand kan me uitleggen wat er precies is gebeurd. Ik neem wat notities voor mijn verslag. Zou iemand dit ooit lezen?*

Er ontstaat commotie. Een helikopter seinde een verdachte vrachtwagen die door de bossen verderop onze richting uitkomt. Het alarm gaat af, drie wagens vol gewapende agenten vertrekken.

Ik wandel het gebouw naast de poort in en neem de centrale hal naar het dak. Van daaruit kom ik via een wankele loopplank – het definitieve stalen gebinte met de omheiningen moet nog geplaatst worden – op de muur. Ik loop over het pad waarvan de patrouillerende soldaten later gebruik zullen maken.

Nu alle bomen in de eens zo groene omgeving gerooid zijn, heeft de wind vrij spel. De majestueuze villa's – karakteristiek voor de oude rijke oostelijke rand van Brussel – ontsnappen ook niet aan de sloop. Dampende bulldozers effenen het terrein, miljoenen euro's gaan tegen de vlakte.

Ik krijg het koud en wil teruglopen. Een bulldozer kiepert een volle lading gruis in een leeg zwembad. Dan zie ik een patrouillewagen die terugkeert van zijn inspectie. Hij ontwijkt op het nippertje de graafmachine, maakt een bocht rond het zwembad en hobbelt verder over de oude laan die nu deels opgebroken ligt.

Ik zucht. De chauffeur is een groentje. Het zoveelste. Bij deze gigantische operatie wordt iedereen opgetrommeld. Straks zullen ze kinderen bij hun gameboy weghalen en achter het stuur van een echt voertuig planten.

Ik wil weggaan, maar mijn benen weigeren dienst. Verstijfd blijf ik boven- aan de trap staan. Mijn zesde zintuig slaat alarm. Er klopt iets niet. Mijn ogen zoeken de plek waar ik de patrouillewagen het laatst heb gezien. Daar is hij. Hij vordert gestaag in de richting van de muur. Nog zo'n vijftig meter te gaan. Door de commotie bij de poort heeft hij vrij spel.

En dat is nu net het probleem. Het is een valse patrouillewagen. Het embleem hangt op de verkeerde plek en er zit geen identificatieplaatje op de bumper. Ik kijk rond, geen agenten te bekennen. De wagen is gestopt. Portieren gaan open en klappen dicht. Ik gluur voorzichtig over de rand van de muur. Een man en een vrouw zijn uitgestapt. Dit gaat fout.

Ik ga op mijn buik liggen en leun zover mogelijk over de rand. Aan de voet van de muur stroomt een riviertje Tetraville binnen. Er zit een opening in het beton, maar de ijzeren tralies zijn al aangebracht. Ik zie de indringers

*door het water waden. De man prutst wat bij het hekken. Iemand die goed
op de hoogte is van de stand van zaken. Hij weet dat er nog geen alarmsysteem aangeschakeld is.*

*Hij kleeft een pakje tegen het hek. Ik spring op en tuur de omgeving af. Als
ze het hek willen opblazen, moeten ze voor een afleiding zorgen. Beweging
genoeg, maar ik kan zijn kompanen niet ontdekken. Het is onbegonnen
werk. Alles en iedereen is hier verdacht.*

*Toch is hun actie perfect getimed. Met een oorverdovende knal gaat
een bulldozer bij een half afgebroken villa de lucht in. Opnieuw loeien
de alarmsirenes, soldaten stuiven door de poort het besmette gebied in.
Niemand merkt de stofwolk bij de voet van de muur op.*

*Ik storm de trappen af, ren langs de binnenzijde van de muur naar
het riviertje. Net als ik over de omheining naar de lager gelegen kade wil
springen, hoor ik de stemmen. Een wapen wordt ontgrendeld. Ik houd de
pas in en kijk om de hoek. Een soldaat houdt de vrouw onder schot. De
man is nergens te bekennen.*

*Ik zucht. Dit gaat weer eens fout. Eens te meer wordt een onschuldig
slachtoffer aangehouden en is de mensensmokkelaar kunnen ontkomen.*

Ik schoot wakker toen de trein afremde om het station van Zone B binnen
te rijden. Nog wat versuft graaide ik mijn spullen bij elkaar en liep naar
buiten. De twee gezondheidsinspecteurs banjerden met hun slachtoffer
naar het kantoor van de spoorwegpolitie.

Ik had met hem te doen. Deze kerel stond nog een lange nacht te wachten.
Zelfs al bezat hij een gezondheidspas, dan nog zou hij aan een grondig
medisch onderzoek onderworpen worden. En een torenhoge boete voor
reizen zonder geldige documenten hing boven zijn hoofd. Als bleek dat
hij niet in orde was met de keuring, dan stond hij nog voor middernacht
buiten Tetraville.

Ik had geen zin om onmiddellijk naar huis te gaan. Ik dronk een kop
koffie in het stationsbuffet. Ik nam de omslag met het strookje negatieven uit mijn zak en hield die voor de zwakke wandlamp. Het beeld was
duidelijk genoeg. Een riviertje door een enge tunnel, een radeloze vrouw
met de loop van een geweer op haar gericht. Op de achtergrond keek
iemand om de hoek.

Ik stak de omslag weg. De foto's waren twaalf jaar geleden genomen.

Het woelige jaar 2040. De locatie was Poort Oost-54 en ik gluurde om de hoek naar de soldaat die zijn boekje ver te buiten ging.

Ik had zin in een fles wijn, echte wijn. Onbegonnen werk hier in Zone B. Ik dacht aan Kris Brams en zijn project voor het smokkelen van echte drank. Er zat muziek in.

Maar die muziek zou moeten wachten. Ik had andere zorgen.

14

Rosy en Robin sliepen al toen ik iets na middernacht thuiskwam. Zo geruisloos mogelijk glipte ik Rosy's slaapkamer binnen en schudde haar zachtjes wakker. Ze kreunde en trok met de grootste moeite haar ogen open. Met een hand weerde ze het lamplicht af. 'Ik ben wat vroeger terug. Mijn opdracht zit er al op.' Ze staarde me aan. 'Is er iets mis gegaan?' 'Nee. Blijkbaar was ik maar een vervanger. De persoon in kwestie kwam uiteindelijk opdagen en ik kon vertrekken.' 'Bedankt voor de melding.' Ze draaide zich om en trok de lakens over haar hoofd.

De nachtkus liet ik maar achterwege. Ik knipte het licht uit en verdween stilletjes uit de kamer. Ik friste me wat op in de badkamer en zocht in de keuken naar iets eetbaars. Dat viel nogal mee. Kaas en worst in de koelkast. De fletse smaak van de namaakproducten negeerde ik. Na mijn karige maaltijd nam ik wat medicijn, de stress had me goed te pakken.

Ik sloot me op in mijn bureau en opende mijn kluis. Ik nam de map met de negatieven eruit. Ik propte de nieuwe strook die ik bij mijn vreemde tocht aan de Spaanse grens had ontdekt in de houder. Ik leunde achterover en plantte mijn voeten op het bureaublad. De scène die door de negatieven was opgeroepen, wilde niet wijken.

De soldaat met het geweer heeft me niet opgemerkt. Hij loopt grinnikend op de vrouw af. Ik kijk om, er is niemand om me te helpen. Als hulpagent ben ik ongewapend, ik kan niks anders doen dan afwachten.

De vrouw trekt zich in een donker hoekje van de tunnel terug. Angst gutst uit haar ogen. De soldaat hijgt. Met een dierlijk gegrom springt hij op de vrouw toe.

Ik vervloek de hele situatie. Dit komt ervan als je alles en iedereen laat opdraven voor bewakingsopdrachten. Tuig van de richel met een wapen in de handen. Een onmogelijke combinatie. De vrouw schreeuwt wanneer de soldaat haar ruw vastgrijpt.

Mijn hersenen kolken, ik storm vooruit. Met een tijgersprong heb ik de soldaat te pakken, maar hij is sterker dan ik vermoedde. Ik voel hoe hij me moeiteloos optilt. Het volgende ogenblik zweef ik door de lucht en tuimel het koude water in.

Hulpeloos maai ik met mijn armen door het water. Ik trek me op aan het muurtje en klauter op het droge. Verdwaasd krabbel ik recht. De soldaat is door het dolle heen, brult en schreeuwt. Kleren worden aan flarden gescheurd. Ik heb een kei gegrepen die op de bodem van het riviertje lag. Ik haal uit. Ik tref hem vol op het achterhoofd, maar hij wankelt nauwelijks. Hij draait zich grommend om.

De adrenaline neemt de overhand. Ik denk niet verder na en storm krijsend naar voren. De list werkt. De soldaat staat een paar tellen perplex. Geen seconde later heb ik de loop van zijn geweer te pakken en dan gaat alles snel.

Ik geef een stevige ruk aan het wapen. De soldaat verplaatst zijn linkerbeen om een betere positie te vinden. Dat is precies wat ik verwachtte. Ik trap hem ongemeen hard in zijn kruis. De soldaat gromt, maar laat het geweer uit zijn handen glippen. Ik grijp het stevig vast, mik en schiet. Hij stort bloedend neer, zijn hersenpan is uit elkaar gespat. Vreemd. Mijn hoofd wordt plotseling helemaal helder. Een reeks gedachten knalt door mijn brein. Ik hoor opgewonden stemmen naderen en toch weet ik precies hoe ik dit moet aanpakken.

Ik schrok op van de bons, maar het was slechts mijn been dat van het bureau was gegleden. Moedeloos hield ik de negatieven omhoog, hoewel ik precies wist wat er op stond. Een druipende figuur die uit het water klauterde. Diezelfde figuur in een handgemeen verwikkeld. Het schot. De soldaat die aan mijn voeten lag, met de nog rokende loop van het geweer netjes in beeld.

Ik borg de map op. Het waren kopieën en ik bezat nu bijna het hele filmpje. Het vervolg van de feestelijkheden liet zich makkelijk raden. Binnen afzienbare tijd zou mijn kwelduivel op de proppen komen met zijn voorwaarden om de originele film te kopen en zo de moord op de soldaat geheim te houden. Samen met al de rest.

Ik voelde me moe en leeg. De stilte en de geborgenheid van het kleine kamertje deden me goed. Ik klapte het logeerbed open en legde me te rusten. Dat werd geen onverdeeld succes. Zweet droop uit alle poriën en de meest waanzinnige beelden bleven mijn hersenpan teisteren. Ik woelde de kleffe lakens om en gleed langzaam weg in een verdovende roes.

De vrouw heet Rosy. Dat is tenminste wat ze me wil doen geloven. Ze heeft geen enkel identiteitspapier bij zich en zwijgt in alle talen over haar afkomst. Er is geen tijd voor verdere ondervraging. Ik rol het lichaam van de dode soldaat om en om tot het in het beekje ploft.

Net op tijd. Er komt een patrouille aan. Ik sta te trillen op mijn benen. Mijn natte kleren plakken aan mijn lichaam. Maar mijn hoofd blijft angstwekkend helder.

'Wat is hier aan de hand?'

Ik stap op de leider van de patrouille af. Het is gelukkig een groepje vrijwilligers. Onervaren sukkels. Die kan ik wel aan. Ik haal mijn druipende politiepas boven. 'Hulpagent Notteboom. De situatie is onder controle. Het hek bij de beek is opgeblazen, maar er is niemand binnengedrongen. Waarschijnlijk opnieuw een afleidingsmanoeuvre.'

De leider kijkt fronsend naar het vernielde hek. 'Niemand binnengedrongen. En die plas bloed op de stenen?'

Het ventje begint me te irriteren. Ik hef het wapen in mijn handen tot voor zijn neus. 'De indringer zal geen tweede poging wagen.'

'Ik moet hier wel een rapport over indienen.'

Ik klem mijn tanden op elkaar. 'Als er iemand een rapport moet indienen, dan ben ik het wel. Mag ik nu verdomme eerst wat droge kleren aantrekken?'

De man kijkt me vol twijfels aan. 'Eh... natuurlijk. Ik...'

Nu moet ik doorzetten, ik mag hem niet aan het woord laten. 'Breng de vrouw naar mijn auto. Zij heeft alles gezien. Zij is de belangrijkste getuige. En geef me een lijst met al jullie namen en adressen.'

De adamsappel van de man wipt gejaagd op en neer. 'Onze namen en adressen?'

'Voor mijn rapport. Je wilt zelf toch wel dat het zo volledig mogelijk is, niet?'

'Eh... ja, natuurlijk.'

Rosy laat zich gewillig naar de auto brengen. Ik krijg de lijst. Ik werp er een vluchtige blik op. Ze wonen allemaal in de buurt.

Ik sla de leider bemoedigend op zijn schouder. 'Ik kom morgen terug om alles op papier te zetten. Intussen praat je met niemand over dit voorval. Het is heel belangrijk dat er juiste rapporten worden ingediend. Verschillende getuigenissen zaaien alleen maar verwarring. Ik ben hier de hoogste in rang. Ik alleen maak het rapport. Begrepen?'
De leider knikt. Hij heeft nog steeds zijn twijfels, maar ik weet dat hij niets zal ondernemen. Voorlopig toch niet. Ik zal snel moeten handelen.

Ik schoot hijgend wakker. Ik voelde me geradbraakt op het kleine veldbed. Slaapdronken waggelde ik naar de grote slaapkamer. Rosy ademde rustig en bewoog niet. Ik sloot mijn ogen. De mallemolen in mijn hoofd draaide nog steeds op volle toeren. Ik keerde terug naar mijn kamertje.

Mijn plan kost me een fortuin. Mijn hele spaarpot gaat er aan op, maar ik vind de juiste man. Een oude vervalser die nog bij mij in het krijt stond. Hij levert me voortreffelijke papieren. Een geboorteakte, een identiteitskaart, een gezondheidspas, niet van echte documenten te onderscheiden. De man beweert dat het echte documenten zijn.
Rosy is gelukkig met haar nieuwe identiteit. Ik heb haar voornaam behouden. Hij klinkt goed. Hoezeer ik ook aandring, ze geeft geen krimp over haar verleden. Ik kom haar echte naam nooit te weten.

Ik schoot opnieuw wakker. Ik stond op om wat te drinken, knipte het kleine lampje in de badkamer aan. Mijn aangezicht zag asgrauw. Ik kon het niet helpen. Eens in de zoveel maanden kwamen de beelden opzetten en hielden ze me een hele nacht in hun ban.

De eerste dagen na de ontmoeting met Rosy zijn de drukste en meest bevreemdende uit mijn hele bestaan. Ik besluit geen enkel risico te nemen. Op geen enkel gebied.
Eerst neem ik de patrouille onder handen. De stommeriken volgen mijn bevelen strikt op. Ik spreek met hen af in een verlaten kazerne, dicht bij de plek waar het allemaal gebeurde. Ze komen zonder uitzondering opdagen.
Door mijn betrokkenheid bij de bouw van de muur kan ik heel makkelijk

aan explosieven raken. De ontploffing van de leegstaande kazerne wordt als een losstaande actie van terrorisme bestempeld. De daders worden nooit opgepakt en de slachtoffers krijgen postuum een erelintje voor moed en zelfopoffering. Mijn naam komt niet één keer voor in het hele onderzoek.

Mijn tweede opdracht is iets ingewikkelder, maar loopt niettemin ook voortreffelijk af. Ik lek informatie naar een collega van de cel Terrorisme. Ze komen zonder enige moeite de vervalser op het spoor. Ik weet dat hij nauwkeurige dossiers over zijn vervalsingen bijhoudt – enkele dagen geleden ben ik in zijn schuilplaats binnengebroken en heb ik alle verwijzingen naar mij en Rosy verwijderd. Terwijl ik me met andere zaken bezighoud, doet de cel Terrorisme de ene belangrijke ontdekking na de andere. De man maakt al jaren vervalsingen en zijn accurate dossiers doen hem volledig de das om. De buit is rijk, vele hoofden rollen. Het onze blijft gespaard.

De man wordt in voorlopige hechtenis genomen. Tijdens het overbrengen naar de gevangenis slaag ik erin om bij de klaarstaande wagen te geraken. De vervalser herkent me. Ik zeg niks, maar toon hem dat de deur van de gevangeniswagen niet op slot zit. Hij vertrouwt me en grijpt z'n kans. Ik schiet hem neer bij zijn vluchtpoging en krijg promotie en een lintje. Ik mag zelfs voor de cel Terrorisme gaan werken. Ik win op alle fronten.

De storm in mijn hoofd raasde verder. Het liep al tegen de ochtend aan. Ik strompelde door mijn kamer, langs de boekenkast. Op de derde plank stond de foto van Rosy. Ze keek met grote, lege ogen in de lens. Een zweem van een grijns onder een berg ijs. Rosy, het grote mysterie.

De trouwplechtigheid, een jaar na onze bizarre ontmoeting, is kort en bondig. Een administratieve formaliteit. De valse papieren doen hun werk. Niemand legt ons een strobreed in de weg.

Er is niemand uitgenodigd. Kan ook niet. Rosy weigert halsstarrig te zeggen of ze nog familie heeft, de mijne is helemaal uitgeroeid door de besmetting. We organiseren een etentje met ons beiden. Er vloeit wat wijn, ik raak tipsy en nodig haar ten dans. Even glijden alle zorgen van me af. Het leven lacht ons toe. Ik kus haar zacht.

Daar is dat mysterieuze gezicht. Ze kijkt me aan, glimlacht niet. De woorden rollen voorzichtig over haar volle lippen. Het duurt ettelijke minuten voor het werkelijk tot me doordringt. Ik blijf stokstijf staan.

De dans is ten einde.
Proficiat. Dat heeft ze gezegd. Met dat mysterieuze gezicht en die grijns
om de lippen. Ze is in verwachting. Ze geeft geen details. Ze zegt alleen dat
we nu beiden een geheim hebben.
Bijna acht maanden later wordt Robin geboren. Een kloeke, gezonde
zoon. Mijn bazen zijn in de wolken. Eindelijk nog eens iemand die het goede
voorbeeld geeft. Ik zorg voor de toekomst. Ik krijg promotie en een lintje.
Ik mag voor de cel Handel en Smokkel gaan werken. Mijn ultieme droom
wordt gerealiseerd. Nu kan niemand me nog wat maken.

Bij het ochtendgloren was ik nog steeds wakker. Ik hoorde hoe Rosy in
de aanpalende kamer opstond en Robin wekte om zich klaar te maken
voor school. Ik sukkelde uit bed en nam een douche. Het lauwe water
deed deugd. Ik sloot mijn ogen. De beelden bleven gelukkig weg. De film
was afgelopen.

15

Donderdag 5 september 2052

9.00 uur

Alle kantoren waren onbemand, er was niemand van mijn team aanwezig toen ik het gebouw van Smokkel en Handel binnenliep. De telefoniste achter de balie haalde haar schouders op. Ze had mijn mannen wel gezien, maar ze waren opnieuw vertrokken. Ze wist niet waarheen, ze hadden code vier gebruikt. Dat betekende dat ze undercover gingen. Ook mijn kantoor was leeg. Er lag alleen een aantekening op mijn bureau. Ik moest me onmiddellijk bij de Manty melden. Ik haalde mijn rapport over mijn bezoek aan de Spaanse grens – mijn deel van de opdracht, vanmorgen in zeven haasten aan de ontbijttafel geschreven – te voorschijn en repte me naar boven.

Maar de Manty was niet in mijn rapport geïnteresseerd. Ik overhandigde het hem, hij gaf het onmiddellijk door aan zijn secretaresse, die ermee verdween. Hij wees me opnieuw de protserige stoel aan, waar ik een paar dagen geleden ook al had gezeten. De deur naast de bibliotheekkast stond open en ik hoorde duidelijk dat er iemand aanwezig was in de belendende kamer. Er klonk een kuch – zwaar, duidelijk mannelijk.

'*Mon cher Notbom*, voor we starten wil ik je melden dat dit gesprek onder code vijf valt. Geheim, geen aantekeningen, geen rapporten.'

Ik wilde een opmerking maken over de man in de kamer naast ons, maar de ijselijke sfeer die hier hing deed me besluiten mijn mond te houden.

'In feite is een code vijf niet genoeg. Het zou zes of zeven moet zijn, *si cela existait*.'

Mijn maag speelde op. Ik zweeg.

'Ik zal je in korte bewoordingen uitleggen waar het om gaat. Allereerst is de hele zaak positief voor onze afdeling. Eindelijk moeten we ons geen zorgen meer maken om het dossier van de Bulldozer. Dat behoort ons nu helemaal toe en niet langer aan de mensen van Terrorisme.'

Ik had al snel door waar hij heen wilde. 'Bedoel je dat het bewezen is dat hij opereert buiten Tetraville?'

De Manty knikte spaarzaam. '*Absolument*. Eerst even de feiten op een rijtje.'

Hij stond op, schoof een luik in de bibliotheekkast open en schakelde de dvd-recorder in.

Op het tv-toestel op de bovenste plank kwam een wazig grijs beeld te voorschijn. Het was de muur in de veiligheidszone, met de bedrading erboven. In de rechterhoek van het beeld stonden enkele cijfers. Een datum. De opname was drie dagen geleden gemaakt, even na tienen 's avonds.

'Deze beelden zijn gemaakt door een bewakingscamera, een paar kilometer ten noorden van Poort Oost-54. Ik laat je het vervolg zelf bekijken.'

Er verscheen een stipje in de donkere hemel. Een attente bewaker had dat blijkbaar ook opgemerkt, want de camera zwenkte en zoomde in. Het duurde tergend lang voor er iets te onderscheiden viel. Maar uiteindelijk werd de opname scherp en duidelijk. Het was een helikopter.

Het tuig kwam gestaag naderbij. Het vloog zonder lichten, de koepel was inktzwart. De camera hield het toestel gevangen en zwenkte mee. Toen hij weer uitzoomde, zag je de helikopter over de muur vliegen en in de donkere wolken boven Tetraville verdwijnen.

Ik was verbouwereerd. 'Dat ding werd niet neergeschoten? Het kon ongegeneerd ons luchtruim binnendringen?'

De Manty knikte. 'Inderdaad. Op het eerste gezicht een onvergeeflijke fout van de bewaking. Maar dat was het niet. De schrandere bewaker had twee zaken opgemerkt. Het type van de helikopter was hem onbekend. Hij zag niet alleen dat het geen toestel van ons was, maar ook dat het een exemplaar was dat nooit eerder gebouwd was. Hij schijnt een expert te zijn op dat vlak.'

'En de tweede zaak?'

'Waarom had onze radar niks opgemerkt?' De Manty liet de vraag onbeantwoord en stak een sigaar aan. 'De bewaker alarmeerde ons hoofdkwartier. Dankzij een snelle interventie kon een ploeg met een mobiele camera de volgende beelden vastleggen.' Hij drukte op de afstandsbediening.

Hotsende beelden vanuit een rijdende wagen geschoten. De helikopter vloog rakelings over de daken. Plots remde de wagen af, want de helikopter ging rondcirkelen. Hij daalde en landde tenslotte op een pleintje naast een bank. De rotorbladen kwamen net boven de armleuning van de bank uit.

Mijn mond viel open van verbazing. 'Een modelvliegtuig?'

'Ja. Een geheel eigen ontwerp van de bouwers. Daarom herkende onze man het type niet. En waarschijnlijk geheel van plastic, zodat hij onzichtbaar bleef voor de radar.' De Manty wees naar het scherm. Een man was uit een van de huizen bij het plein gekomen. Hij keek schuw rond en wachtte ongeduldig tot de rotorbladen stilhielden. Toen nam hij het hele gevaarte onder zijn arm en verdween in het huis. De voorstelling was afgelopen. Ik hoorde opnieuw een kuch in de andere kamer.

De Manty leunde achterover. 'Enig idee wat hier achter zit?'

Een overbodige vraag. 'De Bulldozer bevindt zich buiten de muren van Tetraville. Hij stuurt bevelen naar zijn manschappen hier in de stad via de helikopter. Waarschijnlijk wordt hun buit op dezelfde manier over de muur gebracht.'

'Zo denken wij er ook over.'

'Wie is die man op de beelden?'

'Zijn naam doet er niet toe. We hebben ook nog niks ondernomen.'

Het begon me te dagen. 'Zijn huis wordt nog steeds in de gaten gehouden. Mijn team is ter plekke?'

'Precies. Totnogtoe is er niks gebeurd. De helikopter bevindt zich nog steeds in het huis, daar zijn we zeker van.'

Ik zag het helemaal voor me. 'We grijpen voorlopig niet in. We wachten tot de man de helikopter terugstuurt. We proberen de ontvanger te onderscheppen.'

De Manty glimlachte spaarzaam. '*Tout à fait.* Je hebt het helemaal. We haalden er een paar specialisten bij op gebied van modelbouw. Volgens hun berekeningen – rekening houdend met de grootte en het gewicht van het ding en het motortje dat onder de rotorbladen zit – heeft het een actieradius van maximum twintig kilometer.'

'Dus vijftien kilometer buiten de veiligheidszone.'

'Precies. Dat wordt jouw job. Je krijgt een wagen ter beschikking en voldoende beschermend materiaal. Je gaat het besmet gebied in, onderschept de ontvanger en volgt het spoor tot bij de Bulldozer.'

Zo eenvoudig was het. Ik werd opnieuw de rimboe ingestuurd en kon in mijn eentje de boel klaren. Onbegrijpelijk.

'Ik helemaal alleen?'

'We kunnen er geen volledige brigade op afsturen. Dat zou achterdocht wekken. Deze missie moet slagen. We moeten de Bulldozer oppakken. Dat is een absolute prioriteit.'

Dat zag ik zo niet – voor mijn part mocht de Bulldozer verder spelen met zijn modelvliegtuigjes, ik bleef liever binnen Tetraville. De Manty had het opgemerkt. Hij boog zich naar me toe. 'Over enkele maanden zal het precies vijftig jaar geleden zijn dat de vreselijke epidemie uitbrak. De president plant verschillende herdenkingsplechtigheden.'

Nog zoiets. Wie wil die ramp nu herdenken?

De Manty scheen mijn gedachten te lezen. 'Dat kan misschien vreemd klinken, maar de president wil dat we te allen tijde waakzaam blijven voor het gevaar... Ach, ik wijk af. We willen absoluut niet dat de Bulldozer die plechtigheden in het honderd stuurt. Hij moet geëlimineerd worden. Dat is een zaak van het grootste belang voor de veiligheid van Tetraville.'

Ik vond het vreselijke kletskoek. Hoe kon een gek met modelvliegtuigjes een bedreiging voor de openbare orde vormen? Hier werd iemand in de maling genomen.

'Wat moet er gebeuren als ik de Bulldozer kan lokaliseren?'

'Aanhouden en binnenbrengen. De president wil de bevolking overtuigen dat we absoluut veilig zijn binnen onze muren. Dat we het hoofd kunnen bieden aan elke bedreiging, ook deze. Jij bent onze beste man, jij kunt deze zware taak aan.'

Dat was nieuws. Hun beste man? Het leek er meer op dat ik de kluns voor de smerige klussen was. 'Hebben jullie mij daarom vroeger doen terugkeren? Voor deze nieuwe opdracht?'

De Manty keek me brutaal aan. 'Dat heeft er niks mee te maken. Het is wel een meevaller. Hoe sneller we die Bulldozer achter slot en grendel hebben, hoe beter.' Hij stond op, het onderhoud was afgelopen.

Aangezien bedenktijd en weigering ook al niet in zijn woordenboek stonden, hield ik mijn mond.

'Meld je morgenochtend bij het hoofd veiligheid van Poort Oost-54. Hij is van alles op de hoogte en zal je verdere instructies geven. Al je materiaal staat daar ter beschikking.'

Je had geen zesde zintuig nodig om te weten dat dit niet klopte. Dit stonk.

Ik nam de lift maar daalde slechts één verdieping. Ik stapte uit, glipte de trappenhal in en snelde opnieuw naar boven. Ik opende de gangdeur op een kier. Ik had geluk.

Net op dat moment ging de deur van het kantoor naast dat van de Manty open. De kucher kwam naar buiten. Thomas Welkenraedt streek de jas van zijn uniform glad en beende de gang door.

Zo, zo. Zijn opdracht zat er ook op. Het hele eind gekomen om in een vertrek wat te kuchen.

16

'Met Robin is alles in orde, als dat je nog interesseert.'
Rosy klonk bijzonder ontvlambaar. Ik was beducht voor de scherpe klank
in haar stem. Hier zo snel mogelijk de lont uithalen was de boodschap.
'Fijn. Ik ben blij dat hij zijn Grote Inwijding zo goed heeft doorstaan. Elk
jaar zijn er wel kinderen die de harde informatie niet aankunnen.'
'Hij heeft het prima verwerkt.'
Het werkte. Ik voelde haar ontspannen.
'Als afscheidsgeschenk kregen ze een mechanische teek cadeau. Hij
is samen met zijn vriendje druk bezig de motor in elkaar te knutselen.
Binnenkort hobbelt dat ding hier zoemend rond.'
'Ach zo.' Ik ging er niet verder op in. Ik had even mijn bekomst van
mechanische monsters.
Stilte dus. Rosy leunde tegen de deurstijl van mijn slaapkamer en volgde
onverschillig hoe ik mijn rugzak inpakte.
Ik voelde haar ogen in mijn rug branden. 'Ik heb een nieuwe missie. Deze
keer weet ik echt niet hoelang ik zal wegblijven.' Ik bleef zo dicht mogelijk
bij de waarheid, maar meer mocht ik haar niet verklappen.
'Alsof je het mij zou vertellen als je het wel wist.'
Ik ging niet in op de provocatie. Mijn hoofd stond er niet naar. Mijn
gedachten waren bij een klote helikopter. En bij miljoenen teken in besmet gebied.
Ik ritste mijn rugzak dicht. 'Ik moet nu weg.' Ik had nog een aantal zaken
te regelen. Ik wilde haar een afscheidszoen geven, maar Rosy wendde het
hoofd af. Ik zuchtte. 'Luister, Rosy, als mijn opdracht er opzit, moeten
we eens praten. Rustig praten. We kunnen misschien een paar dagen
vakantie nemen. Ik weet zeker dat we hier uit komen, want ik ben deze
situatie spuugzat.'
Het maakte niet de minste indruk op haar. 'Spreek voor jezelf. Trouwens,
ik weet niet of ik er nog zal zijn als je terugbent.'

'Trek je bij je minnaar in?' Ik had al een tijdje een flauw vermoeden dat Rosy een minnaar had, maar had haar totnogtoe niet kunnen betrappen. Ze keek me giftig aan. 'Je weet best dat ik niemand heb. Maar misschien moet ik wel eens uitkijken. Geen slecht idee.' 'Drijf me niet tot het uiterste. Je weet dat je nergens heen kunt. Je kent de voorwaarden.' 'Jouw voorwaarden, niet de mijne.' Dit ging helemaal de verkeerde kant op. Ik gooide mijn rugzak neer en greep Rosy bij de schouders. 'Luister, Rosy, ik beloof je dat we zullen praten. We kunnen dit oplossen. Maar onderneem niks terwijl ik afwezig ben. Zodra ik die verdomde Bulldozer...' Ik kon mijn tong wel afbijten.

Rosy reageerde nauwelijks op de onthulling. Met een zachte ruk trok ze zich uit mijn greep los en verdween in de keuken. IJskoningin op haar best.

17

Donderdag 5 september 2052
17.32 uur

Ik werd gek van de stilte in ons kleine appartementje. Rosy rommelde gestaag in de keuken, ze had de deur op slot gedraaid. Robin was naar een vriendje omdat de motor van zijn teek het niet deed. Ik draafde van mijn bureau naar de gang tot in de piepkleine hal en maakte dan rechtsomkeer. Steeds maar opnieuw. Tot mijn hoofd zowat op barsten stond. Het had geen zin. In deze toestand viel er met Rosy niet te praten.

Ik liep naar buiten en dwaalde doelloos over het plein, tot ik besloot mijn dienstwagen te nemen en een eindje te rijden. In het logboek vulde ik een nepopdracht in en vervalste de krabbel van de Manty. Ik reed naar het noorden.

Even voor het oude stadje Temse verliet ik de nog redelijk berijdbare hoofdweg en nam een onverhard pad door de velden. Die lagen er braak bij: onderhoudsploegen kieperden massa's insectenverdelgend spul over de stenen om het groen geen kans te geven. Niettemin kon je er heerlijk wandelen.

De muur was niet zo ver af. Hij volgde een hele tijd de loop van de Schelde tot hij iets meer naar het oosten de rivier abrupt afsneed. Er was een kanaal langs de muur gegraven dat het water van daaruit rechtstreeks naar de Westerschelde bracht, zodat de aloude omweg langs Antwerpen werd afgesneden. Op het tracé van de muur langs het water waren wandelpaden op het bouwsel uitgezet – je kon er lekker uitwaaien – maar ik bleef er vandaag liever weg. Het stikte er van de bewaking.

Hier in de velden was het gelukkig rustig. Er was geen onderhoudsploeg te bekennen, ik wandelde helemaal alleen over het pad. Onderweg waren bankjes geplaatst. Ik probeerde er verschillende uit. De tijd vloog voorbij en gelukkig waaide mijn hoofd leeg. Het angstgevoel dat mijn keel dichtkneep, verdween. Uiteindelijk zou alles wel weer in zijn normale plooi vallen. Zoals het altijd al was geweest.

Mannenstemmen en gedempt gelach klonken over het pad. Toen rook ik de geur van heerlijk gebakken vlees. Ik zag het groepje wat verderop staan. Een eindje van het pad af hadden enkele mannen hun barbecuestel opgezet. Ik hoorde het vuur knisperen.

Ze wenkten me. Ik twijfelde. Een portie geouwehoer was wel het laatste waar ik nood aan had. Een bebaarde kerel stak een pul bier omhoog en zwaaide met zijn andere hand. Ik hoorde hem vaagweg iets roepen over een verjaardag. Ik liep naar hen toe.

Veel te laat begreep ik dat er iets niet klopte. Ik had het moeten zien. Van waar de mannen stonden konden ze mijn auto zien staan. Een voertuig van de Politieraad had hen op hun qui-vive moeten brengen. Niemand zou het in zijn hoofd halen een onbekende politieman uit te nodigen op een openluchtfeestje. Dan haalde je je geheid moeilijkheden op de hals.

Maar deze mannen bleven maar wenken. Ik liep in de val. Toen ik bij hun plekje was aangekomen, greep de stoere baard met de bierpul me vast. Het leek wel of mijn schouder in een bankschroef stak.

'Geen paniek. We willen je geen kwaad berokkenen. Ze willen alleen met je praten.'

'Wie zijn jullie?'

Niemand antwoordde. Een tweede kerel had me vastgegrepen, de anderen ruimden de spullen op. We liepen samen het pad weer af. Hun auto stond een eindje achter de mijne geparkeerd. Ze moesten me al een hele tijd gevolgd zijn.

Ik werd zonder commentaar op de achterbank geduwd. Iemand had mijn sleuteltjes uit mijn jaszak gevist en volgde ons met mijn wagen. We reden naar Zone B terug. Niemand zei iets. Net voor het binnenrijden van de agglomeratie werd ik geblinddoekt. We reden nog ettelijke minuten door. Ik hoorde aan het vele schakelen dat we in rondjes reden.

Een poort ging knarsend open, de wagen trok op en reed een gebouw binnen. Dat hoorde ik aan de weerkaatsing van het geluid. Hij stopte abrupt, portieren vlogen open.

Ik knipperde met de ogen toen de blinddoek werd weggetrokken.

'Wat heeft dit te betekenen? Ontvoering van een politieman is niet min.'

We stonden in een verlaten parkeergarage. Tot mijn grote verbazing richtte niemand een wapen op me. Mijn ontvoerders keken zelfs vriendelijk en de kerel met de baard uitte verontschuldigingen.

'Het spijt me dat het op deze manier moest gaan, maar er zijn mensen die echt met je willen praten.'

'Dan hadden ze maar een afspraak moeten maken. Mijn kantoor staat voor iedereen open.'

Dat was een pertinente leugen, maar ze gingen er niet verder op in.

'Nee, het kon echt niet anders. En het is heel dringend ook, want morgen vertrek je op zending.'

Ik hield me stoer. 'Ik weet niks van een zending.'

'Je moet het besmet gebied in, op zoek naar de Bulldozer.'

Ik stond perplex. Deze kerels beschikten over uiterst geheime informatie – het zag ernaar uit dat code 5 zijn beste tijd had gehad – en ze zeiden het me op een toontje alsof ze net de laatste mop hadden verteld.

Ergens achter me ging een deur open en ik hoorde voetstappen. Ik draaide me om. Het was mijn dagje niet. Ik stond nog meer aan de grond genageld. Geen woord kon ik uitbrengen.

De man die was binnengekomen stapte zelf naar me toe en drukte me hartelijk de hand. Wat een verschil met de laatste keer dat ik hem ontmoet had.

'*Monsieur Notbom, nous avons besoin de vous.* Nogmaals onze excuses voor deze vreemde manier van handelen. Maar het is in ieders belang dat deze ontmoeting geheim blijft. Komt u mee naar het vertrek hiernaast. Er staan wat zetels, dat praat makkelijker. En praten moet er gebeuren, een heleboel zelfs, vrees ik.'

Hij ging me voor. Ik volgde met knikkende knieën en een droge keel. Ik zag dat het groepje mannen zich in de parkeergarage verspreidde en de wacht optrok.

Hij had niet gelogen. Het gesprek duurde lang. Onmetelijk lang zelfs. De uren verstreken. Af en toe kwam er nog een voertuig in de garage aan en voegde iemand zich bij ons. Sommigen hadden pakken dossiers bij zich om hun standpunten te verduidelijken. Anderen hadden slechts een handjevol foto's mee. Maar niettemin slaagden ze er allemaal in me behoorlijk van mijn stuk te brengen. Mijn hele wereld daverde op haar grondvesten.

Het liep al tegen de ochtend toen alles besproken was. Ik had hoofdzakelijk geluisterd, zij hadden de situatie haarfijn uitgelegd en me daarna opgezadeld met een schier onmogelijke opdracht. De tweede al in één enkel etmaal.

Ik reed naar huis terug en viel doodmoe op het veldbed in mijn kamer neer. Rosy noch Robin stoorden me. Natuurlijk kon ik de slaap niet vatten.

18

Poort Oost-54. Steeds maar weer Poort Oost-54. Mijn hele noodlot scheen gebaseerd op die vervloekte poort in de vervloekte muur. Er was nog niks veranderd sinds ik hier jaren geleden de vreemde schermutselingen had meegemaakt en had kennisgemaakt met Rosy. Het kazernegebouw tegen de muur aan gebouwd, de muur met het pad tussen de bedrading, het riviertje dat in de tunnel verdween, de kademuur met het trapje en het lagergelegen platform waar ik de opdringerige soldaat had doodgeschoten. Ik huiverde bij de herinnering. Duizend en één gedachten schoten door mijn hoofd. Maar het kwam er nu op aan het koel te houden.

Ik meldde me zoals door de Manty opgedragen bij het hoofd veiligheid. Ze waren er van mijn komst op de hoogte. Ik werd uitgenodigd in het lokaal naast de poort en nam plaats aan een rommelig bureau. Het hoofd was een oudere inspecteur die wat met het linkerbeen trok.

'Ga zitten, we hebben nog even de tijd om een aantal zaken door te nemen.'

De man stelde zich niet voor en ik zocht vergeefs naar een naamplaatje tussen de rommel. Het zij zo. Ik gromde iets onverstaanbaars.

'Ik zie dat je wat overbodige spullen hebt meegebracht.' Hij wees mijn rugzak aan. 'Het spijt me.'

'Wat spijt je?'

'Dat je die rugzak hier zult moeten achterlaten. Je krijgt een volledige nieuwe outfit van ons.'

'Waar is dat goed voor?'

'Als je ooit onderschept wordt, mag niemand er achter komen dat je van Tetraville bent. Dat zou ons allemaal in gevaar brengen.'

Dat vond ik geen afdoende antwoord, maar ik kreeg niet de kans daar een opmerking over te maken. Een agent kwam binnen en gooide achteloos een stapel kleren op het bureau, bovenop de andere rommel. De kleren roken naar schimmel.

'Dit zijn je spullen. Natuurlijk niet nieuw en ook niet zo fris, maar dat komt je dekmantel ten goede. Daarbuiten lopen ook geen afgeborstelde types rond.' Hij kon zijn leedvermaak nauwelijks verbergen.

Ik graaide in het textiel, trok truien en hemden binnenstebuiten, maar vond nergens etiketten, ook niet het verplichte met het logo van Tetraville en het nummer van je gezondheidskaart.

'Er komt nog een plunjezak aan om alles in te stoppen. Straks krijg je even de tijd om je om te kleden, maar eerst moeten we naar de garage.' Hij stond op en liep me voor naar buiten.

De garage lag een eindje bij de muur vandaan. Een groot, rechthoekig bouwsel waar de patrouillewagens gestald stonden. Twee monteurs verversten olie bij een exemplaar op de brug.

We liepen de garage door en kwamen bij een aanbouw. Er stond maar één voertuig. Een aftandse Toyota Land Cruiser, hoog op de reusachtige wielen en met een uitlaatpijp die langs de portierstijl naar het dak liep.

Ik had genoeg oude documentaires gezien om te weten dat dit exemplaar van voor de besmetting dateerde. 'Ik wist niet dat die karren nog rondreden.'

'Doen ze ook niet. Niet binnen Tetraville alleszins. In besmet gebied zullen er waarschijnlijk nog wel een paar rondtuffen. Ze zijn onverslijtbaar.'

Ik tikte tegen de carrosserie. Het klonk behoorlijk massief.

'Laat je vooral niet misleiden door het verlepte uiterlijk. De motor is grondig gereviseerd en doet het prima. Je kunt met een vierwielaandrijving overweg?'

Ik knikte. Auto's waren een passie, hoe weinig ik ook de kans kreeg om er mee te rijden.

De inspecteur liep om de mastodont heen. 'Alle nodige aanpassingen voor een ritje in besmet gebied zijn gemaakt.' Hij opende de motorkap en wees naar de inlaatklep van de luchtverversing. 'Het luchtsysteem werd helemaal afgesloten. Er kan niks meer naar binnen komen. Geen gevaar voor indringing van teken. Alle portieren passen in speciale sponningen voor een minimum aan luchtinstroming. Het is aan jou om uiterst voorzichtig te zijn als je uit- en instapt.'

Het portier klemde behoorlijk en toen ik het eindelijk open had, zag ik de dikke rubberen afdekking. Prima werk.

De inspecteur was naast mij komen staan. Hij wees naar een blinkende cilinder onder de bestuurderszetel. 'Luchtvoorziening. Er zit er nog eentje onder de andere stoel. Alles samen goed voor drie maanden verse lucht, als je er spaarzaam mee omspringt. Alle verwarmingselementen zijn weggehaald, dat moet je veiligheid nog verhogen. Die rotbeesten raken overal in.' Hij duwde met zijn volle gewicht tegen het portier aan. Het slot klikte na drie pogingen.

'In de kofferruimte vind je proviand en voldoende materiaal voor je toilet. Zuiver water en zeep, scheermachine op batterijen en nog wat spullen. Het spreekt voor zich dat je alles in de wagen doet.'

Ik kreeg stilaan genoeg van zijn betuttelend toontje.

'Je krijgt nog een beschermend pak mee, voor als de tekenconcentratie echt te hoog wordt. Pas op met die spullen, want ze scheuren als karton. En denk eraan dat je ongeveer een kwartier nodig hebt om het aan te trekken.'

'Ik zal er aan denken als ik nodig moet, of is dat ook voorzien in die pakken?'

Hij antwoordde niet en liep naar achter. 'Zo meteen wordt de aanhangwagen aangekoppeld. Er zitten drie vaten met elk vijftig liter diesel in, twee reservebanden en materiaal om aan de motor te sleutelen.'

'Waar is mijn lidkaart van de wegenwacht?'

Geen reactie. Hij wreef over zijn kin en tuitte zijn lippen. 'Ik heb nog een laatste opdracht. Je moet je dienstwapens inleveren.'

'Ik heb er maar één.'

'Hou me niet voor het lapje. Je draagt je officiële, maar er zit er nog één in je rugzak.'

Verkeerd gegokt. Het had weinig zin om het te ontkennen, of om alsnog een poging te wagen het mee te smokkelen. 'Ik vertrek ongewapend naar de rimboe?'

'Natuurlijk niet. Er zijn twee pistolen onder het dashboard vastgehecht. Niet traceerbare. Ze werden ooit buitgemaakt op onderschepte indringers. Kogels liggen in het handschoenkastje.'

Een jeep kwam de loods binnenrijden. Hij trok de aanhangwagen. De vaten diesel en de reservewielen waren met zware klemmen vastgehecht. Drie mannen haakten het vehikel af en sleurden het naar de Land Cruiser. Die bewoog nauwelijks toen de boom over de trekhaak gleed.

De inspecteur nam me opnieuw mee naar zijn kantoor. 'Er is ook een radio aan boord die je onmiddellijk in verbinding stelt met mijn diensten. Ik word je verbindingsofficier. De radio wordt alleen gebruikt bij de hoogste nood. Je positie mag nooit verraden worden. Als je de Bulldozer eenmaal hebt ingerekend, kun je ons vrijelijk oproepen. Dan komen we je onmiddellijk oppikken.'

Ik was er niet eens zo zeker van dat ik daartoe in staat zou zijn.

Twee uur later was ik er helemaal klaar voor. De Land Cruiser stond met aanhangwagen gereed voor vertrek voor de stalen deur van Poort Oost-54 en ik had het stinkende plunje aangetrokken. Ik klauterde in de cabine voor een laatste controle. De pistolen waren er. En de dozen met kogels in het handschoenkastje. Verzegeld. Er was genoeg proviand aanwezig om een stevig feestje te bouwen.

Ik was klaar voor mijn wereldreis.

Er kwam een hulpagent aandraven, molenwiekend. Ik wist meteen dat het zover was. De zware poort schoof knarsend open. De radio in de cabine knetterde.

'Er is een verdachte beweging gesignaleerd in het huis van de helikopterman. Je moet zo snel mogelijk een positie innemen.'

Ik toeterde als bewijs dat ik het begrepen had, startte de motor en denderde door de poort. Voor de tweede maal in een week tijd liet ik de veilige geborgenheid van Tetraville achter me. Ik keek in het spiegeltje. De zware poorten schoven onherroepelijk dicht.

19

Verdwaasd schoot ik wakker en botste met mijn hoofd tegen de deurstijl aan. Al meer dan twee volle dagen kampeerde ik in de Land Cruiser, maar ik scheen dat telkens te vergeten. Buiten was het mistig. Naar goede gewoonte bleef de radio morsdood. Blijkbaar was de beweging in het huis van de verdachte vals alarm, maar niemand hield me op de hoogte.

Ik had Tetraville verlaten op vrijdag en was naar een hoger gelegen gebied gereden in Wezembeek-Oppem, zo'n vijf kilometer buiten de veiligheidszone. Er had vroeger een sociale woonwijk gestaan. Twee rijen identieke huisjes stonden nog overeind, de rest lag tegen de vlakte. De wind had vrij spel door de gebroken ruiten en de achtertuintjes lagen bezaaid met afgerukte dakpannen en andere rommel. In de hoofdstraat groeide onkruid tussen het gebarsten beton. Daar had ik meteen een paar tientallen smeerlapjes opgemerkt. In het verwilderde gazon van de tuintjes was het oppassen geblazen, want het krioelde er werkelijk van de teken. Op sommige plaatsen leek het of de grasmatten golvende bewegingen maakten. De beestjes hadden het prima naar hun zin.

Ik veel minder. Ik rekte me uit en strekte mijn stramme benen. De slaapbank die over de passagierzetel en de achterbank heen geïnstalleerd was, sliep betrekkelijk comfortabel, maar het was de krappe ruimte die me de kriebels bezorgde. Ik plensde wat water in mijn gezicht en poetste mijn tanden. In ontbijt had ik geen trek.

Ik trok mijn stinkende windjack aan en opende het portier. De klamme kou overviel me. De Land Cruiser stond geparkeerd bij het begin van de hoofdstraat, op een pleintje waar het beton nog in voortreffelijke staat was. Ik maakte een rondje om de wagen. Geen beestjes.

Nadat ik zware schoenen had aangetrokken – ik bewaarde ze voor alle zekerheid in de aanhangwagen – ging ik op pad. Mijn einddoel lag niet zo heel ver. Halverwege de hoofdstraat was er een zijweg, die iets omhoog liep. Daar had ooit een loods gestaan, maar die was ingestort. Ik stapte omzichtig over grassprieten en bereikte de loods. Het ingestorte dak was geheel vrij van mossen en betrekkelijk veilig. Ik sprong over een brokkelig muurtje en liep over de gebarsten dakplaten.

Gisteren had ik van pure verveling diezelfde wandeling gemaakt en bij deze ruïne waren me de modderige voetsporen op het oude dakgebinte opgevallen. Ik keek omzichtig om me heen. Ze waren er nog steeds. En er waren nieuwe bijgekomen.

Zelfde modder. Zelfde profiel. Ik hing nog een hele tijd rond bij de loods, maar er was niemand. Dat verbeterde mijn stemming niet bepaald. Ik werd in het oog gehouden en dat was de afspraak niet.

Verkleumd stapte ik naar de jeep terug. Het lampje van de radio knipperde. Er was een oproep geweest tijdens mijn afwezigheid. Ik trok mijn laarzen uit, inspecteerde minutieus de ribbels in de zolen – geen beestjes – en klom in de jeep. Ik riep de kazerne op, ik kreeg bijna meteen contact.

'Stand-by blijven. Er is beweging gesignaleerd in het huis van helikopterman. Gisteren was er opnieuw een inbraak in een oud archief. Weten nog niet of het verband houdt met onze man. Houden je op de hoogte. Blijf in de jeep.'

'Ik weet heus wel wat stand-by betekent! En dan is er nog iets. Iemand houdt me in de gaten. Dat maakt me kregel. Het was de afspraak niet. Ik wil dat het ophoudt.'

Even was er de krakende stilte. Toen werd de verbinding verbroken. Ik wist nu zeker dat het een van onze mannetjes was die me schaduwde. Dat maakte de zaken er niet eenvoudiger op.

De rest van de voormiddag gebeurde er niks meer. Tot mijn standaarduitrusting behoorde een stel oude wegenkaarten. Om de tijd te doden bestudeerde ik het ingewikkelde wegennet van voor de grote besmetting.

Het lukte me mijn huidige positie op de kaart te bepalen. De kaart was vrij gedetailleerd. Ik zat dicht in de buurt van de E-40, de oude snelweg naar Luik en Duitsland. Het was een heuvelachtig gebied, maar zo te zien stond ik op een van de hoogste punten.

Ik rommelde nog meer in de koffer in de laadruimte. Ik vond een krachtige verrekijker, militair model met sterke lenzen en een nachtfunctie. Net toen ik opnieuw naar voren klauterde, sputterde de radio.

'Helikopter is opgestegen. Geven zo snel mogelijk de juiste positie door.'
Ik had geen tijd om te antwoorden, de verbinding viel uit.

Ik spreidde de wegenkaart over het dashboard uit, nam een balpen en tekende de huidige muur op de oude kaart. Dat lukte vrij goed. De veiligheidszone arceerde ik. Het was weinig waarschijnlijk dat de medewerker van de Bulldozer de helikopter binnen deze zone zou opwachten. Opnieuw gesputter. 'Doel vliegt nu pal oostwaarts. Heeft de muur overgestoken vier kilometer ten noorden van Poort Oost-54. We hebben nog steeds visueel contact. Doel houdt huidige koers aan.' Drie tiende seconde later werd de verbinding al verbroken. Ze waren echt bang dat ik mijn ongenoegen zou blijven uitschreeuwen.

Ik controleerde snel de schaal van de wegenkaart en markeerde met een rode pen de koers van de modelhelikopter. Mijn hart ging sneller slaan. Als het ding geen gekke capriolen uithaalde, stond ik pal op zijn vliegroute. Het groene lampje floepte aan. 'Visueel contact met doel verbroken. Laatste bericht: instandhouding van oostelijke koers.'

Ik klom op het dak van de Land Cruiser en zette de kijker aan mijn ogen. Het ingebouwde kompas hielp me aardig op weg. Mijn blik zweefde langs grijze wolkenplukken en heuvelachtige horizonten. Twee klapwiekende vogels, maar geen helikopter. Ik breidde mijn gezichtsveld uit. De ruïnes van de stad Leuven heel in de verte, brokstukken, muren zonder daken, overal bergen puin.

Plots had ik het onding te pakken. Het was wat van zijn koers afgeweken en zweefde over een lege weide, ergens aan de linkerkant van mijn blikveld. Het kwam in een rukwind terecht, de cabine schudde hevig en de machine bleef roerloos hangen. Dat leek eindeloos te duren. Toen zakte de helikopter langzaam in het hoge gras weg. De rotors kletsten tegen de halmen aan.

Ik zocht koortsachtig op de grond naar menselijke aanwezigheid. Niemand. En de rotors bleven maar draaien. Dat weerhield me ervan naar de weide te rijden. Er klopte iets niet.

Vrij snel kreeg ik gelijk. Het gras begon harder te bewegen en de machine kwam langzaam omhoog. Het staartstuk van de helikopter maakte een kwartdraai en hij kwam opnieuw in beweging. Hij vloog mijn richting uit. De landing was een afleidingsmanoeuvre geweest.

Het modelvliegtuig groeide. Ik kon het nu met het blote oog volgen. Het beschreef een halve cirkel en vloog naar het noordoosten. Toen het bijna aan de einder verdwenen was, leek de snelheid te minderen. Het toestel daalde. Ik zette snel de kijker aan mijn ogen om de details beter te bestuderen. De helikopter maakte aanstalten om te landen. Toen verdween hij achter een berm.

Ik klom snel in de cabine. Die lange, hoge berm kon niets anders dan de oude snelweg E-40 zijn. Hij was dus vlakbij geland. Ik startte en hobbelde Wezembeek-Oppem uit. Tweemaal lag de weg bezaaid met brokstukken van ingestorte huizen, maar de jeep nam de hindernissen feilloos.

Even voorbij Sterrebeek stootte ik op de overblijfselen van de oude snelweg. Bij de berm schakelde ik de vierwielaandrijving in en begon aan de klim. Ik reed helemaal schuin tegen de glibberige helling op, maar de Land Cruiser week geen centimeter van zijn baan. Halverwege zat een knik. Ik stopte en schakelde de motor uit.

Teken hielden blijkbaar niet van autowegbermen, want ik zag er geen enkele. Ik waadde met mijn hoge laarzen voorzichtig door het gras en bereikte de top. Ik stond versteld. De oude snelweg was nog in vrij goede staat. Het wegdek was vrijwel helemaal intact gebleven. De middenbermen waren overwoekerd met warrige struiken. Alleen de betonnen stootranden hadden het laten afweten. Ze lagen er verbrokkeld bij, op andere plekken waren ze geheel verdwenen.

Ik stak de drie baanvakken over – eens zou dit zelfmoord betekend hebben – klauterde omzichtig over de middenstrook en bereikte de pechstrook aan de overzijde. Ik knielde en tuurde door de kijker. Geen modelhelikopter te zien... of toch! Bij een modderige landweg stond een auto. Een vrouw stopte de helikopter net in de koffer. De afstandbediening gooide ze op de achterbank. Ze stapte zonder omkijken in en de auto reed achteruit het weggetje af.

Ik spurtte naar de Land Cruiser terug en reed tot bij de top van de berm, vanwaar ik een goed uitzicht had over de verlaten snelweg. De auto van de vrouw was een doodgewoon voertuig, zonder bijzondere terreinkwaliteiten. De enige weg hier in de buurt die voor haar geen problemen zou opleveren, was deze snelweg.

Het duurde ettelijke minuten, maar ik kreeg gelijk. De auto hobbelde ongeveer vijfhonderd meter van me vandaan aan de overkant de berm af en kroop onder een wolk uitlaatgassen de snelweg op. Hij dwarste de baanvakken en kroop door een gat in de middenberm. Ik liet hem rustig uit het zicht verdwijnen en reed toen zelf de snelweg op. Heel in de verte zag ik de wolk in het oosten verdwijnen.

We kenden het fenomeen bij Smokkel en Handel. Wachters op de muur hadden het meermaals gesignaleerd. Auto's die in besmet gebied rondtuften onder wolken uitlaatgassen. Onzuivere benzine was de reden. Alle grote reservevoorraden in besmet gebied waren op bevel van de president weggehaald, maar er waren altijd gehaaide besmetten die iets achterhielden. Daar stonden forse straffen op, maar geen enkele instantie wilde zich buiten de muur wagen om recht te doen geschieden.

Vandaag kwam het bestaan van onzuivere benzine mij goed uit. Het was betrekkelijk makkelijk de dampende roestbak te volgen. Hij reed zo'n twee kilometer voor me uit, verdween meermaals achter de einder, maar bleek, telkens wanneer ik de heuveltop bereikte, netjes zijn route via de oude E-40 te volgen. Hij vertraagde niet, stopte niet of haalde geen geintjes met me uit.

Ook de snelweg baarde geen zorgen. Hij bleef perfect berijdbaar. Op sommige plekken was het wegdek gebarsten, of was een gedeelte helemaal weggezakt, maar er bleef altijd minstens één baanvak beschikbaar.

Ik schakelde de radio in om mijn verbindingsofficier op de hoogte te houden van mijn vorderingen. Er kwam geen verbinding, er knipperde een oranje waarschuwingslampje. Ik probeerde een rits andere frequenties. Zelfde resultaat. Ik draaide het ding uit. Ze wilden blijkbaar niet meer met me praten.

Het werd bijna een eentonige rit. Mijn gedachten dwaalden regelmatig af, maar een blik op het dashboardklokje leerde me dat we al anderhalf uur onderweg waren.

De oude wegenkaart lag naast me en de berekening was snel gemaakt. We zaten in de buurt van Luik.

Ik schrok me het pleuris. Bijna was hij me niet opgevallen. Een tegenligger! Een dampende personenwagen, in een gezapig tempo, die aan de andere kant van de snelweg voorbij denderde. De chauffeur, een besnorde man met lang, onverzorgd haar, keurde me geen blik waardig.

Ik bleef fout na fout maken. Mijn doelwit vertraagde en ik volgde nu op minder dan tweehonderd meter. Ik kon het silhouet van de vrouw duidelijk onderscheiden. Ze schoof plotseling naar de middenberm en de auto verdween door een opening in de betonnen stootmuur, die hier nog wel intact was. Toen ik voorbijreed, kon ik nog net een glimp van een laag gebouw aan de overkant opmerken.

20

Radeloos reed ik aan een slakkengangetje verder over de snelweg. Wat verderop was een afslag, maar het oude wegdek was halverwege volledig opgebroken, en de sloten naast de weg leken me te diep, zelfs voor mijn terreinwagen. Ik durfde ook geen rechtsomkeer te maken op dit baanvak want er naderde een voertuig. Ik ging nog trager rijden, de auto reed me voorbij. De chauffeur keek strak voor zich uit.

Nauwelijks twee kilometer verder had ik de oplossing. Er zat opnieuw een gat in de middenberm. De strook grond ertussen was op primitieve wijze verhard. Hier kon ik veilig aan de overkant geraken. Ik dook in het gat, gluurde omzichtig om de hoek, maar er kwam geen tegenligger aan. Ik reed het hele eind terug.

Ik zag mijn verroeste doelwit: op een grote parking, nagenoeg helemaal leeg. Er stond alleen een aftandse vrachtwagen, geladen met houten kratten, en verrek... een Toyota Land Cruiser. Krek hetzelfde model als de mijne. Het lage gebouw dat ik had opgemerkt was een wegrestaurant. Er brandde licht binnen en bij een van de ramen zat een man een broodje te eten.

Ik parkeerde aan de rand van de snelweg, sloot de jeep af en liep naar het restaurant. De vrouw die ik volgde zat op een kruk bij de toog en roerde in een koffie.

Ik liet mijn blik snel rondgaan. De oudere man bij het raam – zijn broodje was verorberd, hij pulkte geduldig de restjes van tussen de bruine tanden – was de enige klant. Achter de toog bladerde de serveerster in een tijdschrift.

Ik bestelde een koffie, betaalde meteen en ging in een hoekje zitten. Mijn doelwit keek niet eens op, ze zat er verveeld bij en poetste haar brillenglazen. De koffie was heerlijk en het plakje cake dat er bij geserveerd werd hemels. Ik was de echte smaak van al die dingen vergeten.

Er kwam een man uit de toiletruimte. Het was een grote, stevige kerel met lange haren en baardstoppels op zijn wangen. Ik schatte hem minstens zestig. Hij wreef zijn handen droog aan zijn broek en diepte een cd op uit zijn jaszak.

Hij schoof de cd over de toog naar de dienster toe. *'Je n'ai pas d'argent, ma petite Agnes.* Is dit genoeg voor mijn eetmaal?' Hij sprak een vreemd, zangerig Frans.

De dienster bekeek de cover. *'Les classiques d'Helmut Lotti. Du tout vieux brol.* Ik hou er niet zo van, maar ik verpats hem wel.'

De man gromde iets onverstaanbaars en stapte naar buiten. Ik zag hem naar de vrachtwagen lopen en maakte aanstalten om hem te volgen. Toen hij de cd uit zijn jaszak haalde, had ik een ander pakje in zijn binnenzak opgemerkt, ter grootte van een sigarenkist, vuurrood van kleur. Precies dezelfde kleur als de modelhelikopter.

De truc was oud en weinig origineel. De wissel gebeurt onopgemerkt. De vrouw gaat naar het toilet, laat het kistje uit de helikopter daar achter, de man pikt het later op. Klaar is kees.

'Tu n'est pas d'ici, toi.'

De weg naar buiten werd me versperd door de oude man. Over zijn schouder zag ik de vrachtwagen de parking afrijden, de middenberm oversteken en onder een wolk uitlaatgassen naar het oosten verdwijnen.

'Je n'ai pas le temps...'

De oude man grinnikte. 'Spreek maar Nederlands, ik kom ook van hogerop.'

Een Nederlander. Ik herkende zijn tongval. 'Ik ben afkomstig van het oude België.' Mijn handen jeukten om hem bij dat deurgat weg te rukken, maar ik hield me in. De vrouw had nog niks in de gaten en dat wilde ik zo houden.

'Oud, oud, alles is oud tegenwoordig. Ik dacht echt dat je uit mijn streek kwam.'

'Waarom?'

Hij wees met een vuile vinger naar de parking. 'Jouw auto.'

De dame die ik had achtervolgd, glipte langs ons heen en verdween door de klapdeur. Ze liep naar haar wagentje en reed terug naar het westen, de richting van waaruit ze gekomen was. Haar werk zat er blijkbaar op.

'Wat is er met mijn auto?'

De oude man glimlachte fier. 'Ik heb net dezelfde. Zelfde lading waarschijnlijk.'

'Lading?'

'De Greenstar, nee?'

Ik wist niet waarover hij het had en begon mijn humeur te verliezen.

'Luister eens, ik heb die wagen gewoon gekocht van een vent die hem niet meer nodig had. Meer weet ik er niet van.'

'Die Land Cruisers zijn afkomstig van een lading die met het laatste schip uit Azië, de Greenstar, is meegekomen. Het schip kwam in een zware storm terecht en liep achterstand op in het vaarschema. Het kwam aan toen de poorten van Tetraville al onherroepelijk gesloten waren. Sindsdien ligt het te roesten in de haven van Hamburg, nou, wat er nog van over is tenminste. Van de haven, bedoel ik. De kapitein verkoopt de lading met mondjesmaat om in zijn onderhoud te voorzien.'

'Dat is een mooi verhaal, maar ik moet nu echt weg.' Ik duwde hem ruw opzij en liep naar buiten.

'Er is geen haast bij. Manfred, de Duitser, rijdt met een slakkengangetje. Je haalt hem zo in.'

Ik draaide me om. 'De man met de vrachtwagen?'

'Ja. Manfred, de Duitser. Hij komt één keer per maand om dingetjes te ruilen.'

'Wat voor spul?'

'Hij brengt huishoudspullen mee – dat schijnen ze ginder nog in voldoende mate te bezitten – en hij ruilt ze voor etenswaren. Dingen die hier nog gekweekt worden.'

Het was een mooie cover voor zijn ander werk. 'Enig idee waar hij precies woont?'

'Duitsland. Meer weten we ook niet.'

Duitsland. Dat was een verdomd groot stuk land om te doorzoeken. Ik voelde de moed in m'n schoenen zinken. Maar misschien was er een lichtpuntje. Als het handeltje van Manfred maar een cover was, en hij nu geladen met informatie naar de Bulldozer terugkeerde, was de kans groot dat hij dat via de kortste weg deed. 'Rijdt hij via Luik naar Duitsland terug?'

De oude man snoof en stapte verschrikt op me af. 'Ben je gek? Waag je leven niet en blijf weg uit Luik. Veel te gevaarlijk.'

'Waarom?'

'Allemaal losgeslagen gekken. Ze vermoorden iedereen die zich in de oude stad waagt. Rij er met een zo groot mogelijke boog omheen. Dat doet Manfred waarschijnlijk ook.' Hij draaide zich abrupt om en liep naar zijn voertuig.

Ik liep naar de jeep terug. Ik voelde dat er iets niet klopte. De oude man was sluwer dan hij liet uitschijnen. En hij loog. Het leek wel of hij krampachtig probeerde me uit Luik weg te houden. Meer had ik echt niet nodig om er een kijkje te gaan nemen.

Ik stak de sleutel in het slot en hield de adem in. Er stak een reep schuimrubber tussen de deurstijl naar buiten. Die was er niet geweest toen ik het voertuig had afgesloten. Het slot vertoonde geen beschadigingen.

Binnenin was er niks overhoop gehaald, maar er had wel iemand in de cabine gesnuffeld. De wegenkaart was verschoven en de verrekijker lag op een andere plaats. Toen ik startte, lichtte het paneel van de radio op. Die stond opnieuw afgesteld op de oorspronkelijke frequentie. Ik probeerde een oproep te doen. Er kwam geen antwoord. Iemand anders had blijkbaar al de stand van zaken doorgegeven en nu wilde mijn verbindingsman niet meer met me praten. Mooi was dat.

Ik schrok op van het geluid op de parkeerplaats. De oude man hobbelde met zijn jeep over de stenen en verdween via een smal weggetje achter het restaurant. Ik zag hoe hij mij gadesloeg in zijn achteruitkijkspiegel. Ik reed een eindje de snelweg op en stopte achter een bosje. Ik draaide het raampje van de jeep wat omlaag. Ik hoorde hoe de jengelende motor van de oude jeep zich verwijderde.

Maar uitsterven deed het geluid niet. Het hield abrupt op. Ik draaide het raampje dicht en sloop naar buiten. Via een grote boog bereikte ik het rotsachtige terrein achter het wegrestaurant. Een eindje verderop wachtte de oude man bij een overhellende boom. Hij stond met zijn rug naar me toe en keek ongeduldig over een laag muurtje.

Ik liet me voorover vallen. Een snelle inspectie leerde me dat er geen teken waren tussen de stenen. Ik kroop voorzichtig naderbij. Ik was hem tot op een tiental meter genaderd. Plots stak de oude man zijn hand op. Er kwam nog iemand aan.

De oude man had een knarsende stem. 'Hij is net weggereden. Ik heb hem aangeraden uit Luik weg te blijven, maar ik ben er niet zeker van dat hij naar me zal luisteren.'

'Tja, hij is koppig. Dat weten we. Verdomd, dat die handlangers van de Bulldozer nou net in deze streek actief zijn. Wij dachten dat ze veel zuidelijker zaten.'

De man hoestte. 'Op het hoofdkwartier zijn ze ook niet gelukkig met deze ontwikkelingen. De hele operatie wordt afgeblazen.'

'Wat bedoel je daarmee?'

'Precies wat ik zei. Alles wordt afgeblazen. Paul Notteboom wordt van zijn opdracht ontheven om de Bulldozer op te sporen en moet naar Tetraville terugkeren.'

'Kon je dat niet vroeger zeggen? Ik stond met hem te praten.'

'Ik heb intussen zijn jeep onderzocht. Maar ik kon me nergens verstoppen. Ik wil hem niet te erg verrassen, ik weet niet hoe hij zal reageren. Niemand mag ons samen zien. We moeten het op een andere manier proberen.'

'Heb je mij daarbij nodig?'

'Nee. Jij bent verbrand nu. Je hebt met hem gepraat. Als hij je opnieuw ergens ziet opduiken, is de kans groot dat hij vlucht. We sturen wel iemand anders.'

Ze namen haastig afscheid van elkaar. Ik hoorde de jengelende motor van de jeep. Deze keer stierf het geluid helemaal uit. Toch wachtte ik nog ettelijke minuten voor ik voorzichtig mijn hoofd boven het rotsblok uitstak, waarachter ik verscholen had gelegen. Het terrein lag er uitgestorven bij.

Terwijl ik naar mijn jeep terugliep, bleven de vreemde woorden van de man door mijn hoofd spoken. 'De hele zaak wordt afgeblazen.'

Ze was verdomme nog niet eens gestart.

Ik zuchtte. Dus ik was koppig. Dat zouden ze aan den lijve ondervinden.

21

De oude binnenstad van Luik verschilde in niets van de andere plaatsen waar ik al was geweest. Overal verlaten huizen, ingestorte panden en straten vol puin. Ik raakte er niet door. Ik probeerde een andere route. Een deel van de stad lag op een heuvel, misschien maakte ik daar meer kans. IJdele hoop. Ook daar was geen doorkomen aan. De hele wijk lag tegen de vlakte, er waren nog nauwelijks paden.

De oude wegenkaarten hadden me geleerd dat er drie bruggen over de Maas waren in het Luikse. Er was de brug geweest bij de grote kerk. Die had ik snel gevonden. De toren van de kerk was ingestort en dat gold ook voor de brug. Toen was ik naar de snelweg teruggereden, omdat daar nog een brug was. Maar ook die was niet langer bruikbaar. Twee afgebrokkelde pijlers stonden nog overeind in het stromende water. Einde van de snelweg naar Duitsland.

Ik reed opnieuw naar het centrum van Luik, langs het zuiden ditmaal. De laatste brug moest hier ergens liggen. Ik had nog steeds geen spoor van Manfred of zijn vrachtwagen. Ik vermoedde dat hij al lang de overkant had bereikt. Als hij al deze kant was opgegaan.

Ik reed voorzichtig over de flink beschadigde lanen van de binnenstad. Ik bereikte een groot park. Niemand had ooit de moeite genomen om het te rooien: het wemelde er van de teken. Miljoenen smeerlapjes krioelden vrolijk over de perken.

Omgewaaide bomen versperden me meermaals de doorgang. Opgebroken straten waren herschapen in modderpoelen waarvoor zelfs de Land Cruiser bedankte. En overal waren de teken. Sommige bomen kleurden zwart. Ik bleef in de wagen en hield angstvallig de kieren en de luchtroosters in de gaten. Totnogtoe drongen geen ongenode gasten mijn heiligdom binnen.

De motor brulde ruw toen ik over een dikke tak reed om rechtsomkeer te maken. Terug op de brede laan stopte ik en nam de oude wegenkaart.

Ik zocht naar de precieze locatie van de derde brug. Volgens de kaart lag ze ongeveer twee kilometer meer naar het zuiden. Toen viel me de stippellijn op de kaart op. Ik volgde ze met mijn vinger. Dat was het! Er was een tunnel die begon bij het treinstation en net voor de brug uitkwam.

Ik probeerde een aantal zijstraten van de grote laan uit. Ik vond er een die geweldig helde, maar nog enigszins berijdbaar was. Ik reed de helling op en bereikte het station. Het gebouw stond nog overeind, maar de perronoverkapping lag over alle sporen verspreid. Daar was de tunnelmond. Een oude aftakking van de snelweg verdween in het duister. Ik knipte alle lichten aan, ook die van de schijnwerpers op het dak, en reed de koker in.

De eerste meters verliepen zonder een enkel probleem. Toen doemde er een berg puin voor me op. Een deel van de zoldering van de tunnel was ingestort en er druppelde continu water uit het gat. Het wegdek werd spekglad door de wegsijpelende modder.

Ik hobbelde over het puin. Het dak van de tunnel kwam angstwekkend dichterbij. Veel ruimte bleef er niet over voor een logge terreinwagen. Enkel een smalle strook bij de steunmuur bleef bruikbaar. Ik stopte. Hier was de modderlaag helemaal platgereden, evenwijdige bandensporen liepen langs de muur. Iemand was hier nog niet zo lang geleden langsgereden.

De vierwielaandrijving deed prima werk. De jeep ploeterde door de brij maar bleef perfect bestuurbaar. Af en toe raakte ik een brok puin, waardoor het hele gevaarte door elkaar werd geschud. De brandstof in de aanhangwagen klutste, de vaten bonkten op elkaar. Tweemaal schraapte de dakrand van de Land Cruiser langs de tunnelwand.

Het puin bleef, maar de doorgang versmalde nog. Er bleef nu nog hoogstens twee meter over. Het wegdek bleef dalen. Ik kreeg een bijzonder onaangenaam gevoel. De lichtstralen priemden door de duisternis. Plots hield het pad op. Een reusachtige watervlakte strekte zich voor me uit over de hele breedte van de nu opnieuw vrije tunnelkoker. Achteraan raakte de waterlijn de zoldering van de tunnel. De twee bandensporen, die nog steeds langs de wand liepen, verdwenen in het water.

Dit ging verkeerd. Ik stopte en dacht een ogenblik na. Dit was niet het moment voor onnodige risico's. Ik trok het beschermende pak aan en stapte voorzichtig uit. Trossen teken kleefden tegen de onderkant van de jeep. Ik liep naar de aanhangwagen en nam een spade, die ik als peilstok in het water stak. Het wegdek was er nog, maar het helde af en het water hield zich nog steeds aan de fysische wetten. Het leek erop dat mijn trip hier eindigde.

Het duurde volle twintig minuten voor ik opnieuw achter het stuur zat. Het beschermende pak had ik nauwkeurig nagekeken en daarna weggeborgen. Nog eens tien minuten later, na een grondige controle, was ik er zeker van dat geen enkele teek kans had gezien om in de cabine te raken. Ik reed een eindje het water in en maakte rechtsomkeer. Toen begon ik aan de rit terug over het modderige pad. Maar dat feestje ging niet door. Slechts vijftien meter was me gegund. Toen werd ik verblind door wel tien paar oplichtende koplampen voor me.

Er stond iets massiefs op het pad, een grote, logge vrachtwagen. Aan de passagierzijde stapte iemand uit en ging voor het vehikel staan. Ik zag dat hij een wapen in de hand had. Mijn eigen koplampen verlichtten de kerel. Hij had een verwilderde kop, lang, vettig haar en ogen die niet veel goeds in de zin hadden. Hij droeg een zwart pak met daarover een lange, gescheurde mantel.

Plots richtte hij zijn wapen op me en brulde. Door het geraas van de beide motoren begreep ik er geen snars van. Maar dat hoefde niet. Ik had door dat er hier niet te onderhandelen viel. Ik nam zeven beslissingen tegelijkertijd en hoopte dat eentje ervan mij uit deze benarde positie zou halen.

Ik greep mijn wapen onder het dashboard en ontgrendelde het. Tegelijkertijd trapte ik de koppeling in, schakelde en gaf meteen plankgas. Een korte ruk aan het stuur bracht de Land Cruiser recht naar de berg puin in de tunnelkoker. Ik timmerde op het bedieningspaneel in mijn portier en het raampje schoof naar beneden.

Alles gebeurde nog sneller nu. Met mijn bumper stootte ik de verbouwereerde man aan. Hij schreeuwde en viel languit in de modder. Een schot ging af. Het scheerde rakelings over de jeep heen. Een pluk puin viel uit de zoldering. Ik stevende op de berg af, de wielen wroetten, de motor brulde. De Land Cruiser hees zich over de eerste top en duikelde in een diepe plas water die erachter lag. Ik bleef gas geven en voelde dat het voertuig zijn grip bewaarde. Volgende beklimming.

Nog een schot. Een zijruit werd verbrijzeld. Ik stak een hand door het geopende raampje en vuurde willekeurig. In mijn achteruitkijkspiegel zag ik dat mijn aanvallers hun lichten hadden gedoofd. De zware mastodont was nog nauwelijks te zien. Ik sukkelde verder. Deze top was hoger. De wielen slipten door het gewicht van de aanhangwagen. Het dak schuurde langs de zoldering van de tunnel. Plots schoot de jeep steil naar beneden en klapte de voorbumper tegen het asfalt aan. Ik was erdoor. Mijn opluchting was van korte duur. Bij de ingang van de tunnel stonden nog drie voertuigen. Iemand stond op het dak van de dichtstbijzijnde vrachtwagen en richtte een wapen op me. Ik vuurde bliksemsnel. De man tuimelde naar beneden. Ik reed de helling verder op, terwijl de andere voertuigen de achtervolging inzetten.

Ik reed de stad weer uit langs dezelfde weg als ik was gekomen. De motor brulde. Mijn achtervolgers slaagden er niet in om te naderen. Bij de rand van de stad hielden ze halt. Ze gaven het op. Ik bereikte opnieuw de oude snelweg en stopte langs de pechstrook. Niemand kwam achter me aan.

22

Ik doolde uren rond in het stikdonker. Nergens was een vrachtwagen te bespeuren. Even voor de ingestorte brug op de oude E-40 was er een verkeersknooppunt. Ik reed noordwaarts over de eveneens in onbruik geraakte snelweg naar Maastricht. Ik stopte alleen om de tank bij te vullen. Dat ging gepaard met een hoop geknoei, maar het leidde gelukkig mijn aandacht wat af. Ik jakkerde verder, probeerde de radioverbinding nogmaals uit, maar het ding gaf geen teken van leven.

Midden in de heuvelachtige velden rond Herstal en Blégny hield de snelweg plots op. Er was een reusachtige verzakking geweest, de vernielde baanvakken lagen zeker tien meter dieper in een poel van modder. Ik reed terug. Bij het verkeersknooppunt tufte ik rechtdoor en nam de eerste afslag. Hier was de weg gelukkig nog intact. Ik reed oostwaarts, onder de snelweg door.

De weg daalde nu. Ik zag geen enkel spoor van bewoning meer. Er lagen een paar bomen over het wegdek, maar ik slaagde er in om ze opzij te duwen met de jeep. Net toen ik mijn gevoel voor oriëntatie begon kwijt te raken, stond ik opnieuw bij de oever van de Maas.

Het was er pikdonker. Er liep een smal weggetje langs de oever, een oud jaagpad. Ik wreef mijn ogen uit. De vermoeidheid kreeg me te pakken. Daarom besloot ik een paar uur te pitten. Ik keerde de jeep, zodat ik in geval van nood snel zou kunnen wegkomen. Halverwege het manoeuvre trapte ik op de rem. Iets op het water had mijn aandacht getrokken. Ik doofde alle lichten en tuurde door het raam.

Vijfhonderd meter verderop, over het water, gleed een lichtbundel. Traag, deinend op de stroming. Ik reed voorzichtig met gedoofde lichten het jaagpad af. Ik stopte bij een lage kade. Er was niemand in de buurt.

De lichten waren van een overzetboot. Hij had nu bijna de overkant bereikt. Op het platte dek stond een vrachtwagen met houten kratten. Ik nam de verrekijker. Door de felle lichten aan dek hoefde ik de nachtfunctie niet in te schakelen. Er waren slechts twee mensen aan boord. De stuurman en de man met de lange haren die ik in het baanrestaurant had gezien. Manfred, de Duitser.

De overzetboot legde aan, de vrachtwagen reed de oever op en parkeerde op een veldje. Beide mannen verdwenen in een roestige keet bij de rand van het veldje. Er klonk muziek toen de deur open zwaaide. Ik parkeerde de jeep achter een bomenrij en wachtte op wat komen zou.

23

De zon kroop voorzichtig naar boven en zette de Maaskant in een rossige gloed. Ik had mijn slaapzak in het beschermende pak gewurmd en de pop een zo natuurlijk mogelijke slaaphouding meegegeven. Ikzelf stond boven op de heuveltop die uitzag over de rivier. Beneden bij de bomen zag ik de jeep. En twintig meter verder, bij een uitgedroogde sloot, zat de man die nu al meer dan een uur naar mijn voertuig gluurde. Hij moest mijn poppenkast al lang doorhebben.

Bij het opkomende licht tuurde ik door mijn verrekijker. Ik herkende hem. Groot, zwaar en een pokdalig gezicht. Het was de man die gisteren achter het baanrestaurant met de bejaarde had gesproken. Hij droeg nu een overall van dikke, zwarte stof en zware schoenen. Onder de overall zag ik de kraag van een beschermend pak.

Ik begon aan een grote, omtrekkende beweging. Halverwege de laatste helling hield ik halt en kroop voorzichtig over een rotsblok. De man tuurde onafgebroken naar de jeep en had niks in de gaten. De kei die ik gooide, was als afleiding bedoeld, maar ik trof de man vol op het hoofd. Hij schreeuwde het uit en wreef over de pijnlijke plek. Ik was bij hem en schakelde hem met een gemikte nekslag uit. Ik had geen tijd om hem verder onder handen te nemen. Ik sleepte hem de sloot in en knevelde hem met zijn schoenveters.

Terug naar de jeep. Ik bleef lange tijd in de bescherming van een bomenrij en wachtte geduldig. Niemand. Toen ik bijna bij de jeep was, klonk er herrie aan de overkant. De vrachtwagen van Manfred hobbelde onder een wolk zwarte uitlaatgassen een weggetje af en verdween achter een heuvelrug. Ik klom in de jeep en at wat koekjes als ontbijt. De overzet maakte nog geen aanstalten om terug te keren.

Ik startte de jeep en reed tot bij de oever. Ik toeterde. Onmiddellijk was er beweging aan de overkant. De stuurman kwam uit de keet te voorschijn en riep me iets toe. Ik begreep er niks van en toeterde nogmaals. Hij vloekte en stak beide armen in de hoogte. Hij keerde naar de keet terug en er gebeurde niks meer.

Een halfuur later kwamen aan de overkant twee auto's aan. De stuurman rende naar de boot en maakte die meteen los. Ze dobberden naar me toe. Toen ze eindelijk aanlegden, verdwenen de twee wagens meteen. De chauffeurs keurden me geen blik waardig.

De stuurman was een magere kerel met een hoge rug en afhangende schouders. Hij had een slepende pas, zijn huid was vaalwit en zijn ogen stonden vermoeid. Hij knoopte het gerafelde touw rond de meerpaal en liep op me af. 'Geduld is een mooie gave, jongeman. De wereld is ten onder gegaan aan ongeduld en stress. Brandt het ergens?'

'Kun je me naar de overkant brengen?'

'Daar ben ik voor. Kun je betalen?' Hij hoestte, maar stak niettemin een sigaret op.

'Wat wil je hebben?'

'Liefst geld. Anders spreken we wel een ruil af.'

'Ik heb geld.'

Dat stemde hem al iets beter. Ik betaalde het astronomische bedrag – tweehonderd euro, je kon er een deel van de roestige boot mee kopen – en reed de jeep op het dek. Hij gooide de trossen los en startte de motor.

De stuurman staarde met begerige ogen naar binnen. 'Je lijkt wel uitgerust voor een expeditie. Zoek je iets?'

'Gaat je dat wat aan?'

Hij glimlachte fijntjes. 'Ach, ik kom hier zo weinig mensen tegen. Een praatje doet goed af en toe. Ben je een zwerver?'

'Zoiets ja.' De toon van het gesprek werd minder bitsig. Hij leek me wel een geschikte vent.

Hij liet zijn oog vallen op mijn beschermende pak dat nu op de achterbank lag. Hij grijnsde. 'Ik begrijp het al. Je zat netjes beschermd in Tetraville, maar ze hebben jou eruit gekieperd.'

Mijn verbazing was niet gespeeld.

Hij lachte grommend. 'Zulke pakken hebben ze alleen binnen de muren. Die vind je hier niet.'

Mijn brein werkte razendsnel. Ik moest iets verzinnen. 'Tja... De ene dag leef je netjes binnen de muren en denk je dat er je niks kan gebeuren. Maar je reist één keer zonder gezondheidskaart en voor je het weet lig je er uit.'

Hij knikte begrijpend. 'Mooie jeep.'

'Heb ik op de kop getikt van die lading in Hamburg.'

Hij stuurde de boot met vaste hand over de stroming. Mijn antwoord scheen hem te bevallen. 'Mooie karren, die lading in Hamburg. Dan moet je geld hebben. Moet je mee opletten. Dat geteisem in het Luikse maakt ook deze streek onveilig. Als zij je beroven, zul je het niet navertellen.'

'Ik heb al kennis met ze gemaakt.'

Dat leek hem te verbazen. 'En je bent er zonder kleerscheuren vanaf gekomen? Dan heb je geluk gehad. Normaal laten ze geen getuigen achter.'

'Ze moeten je natuurlijk wel eerst te pakken krijgen. Wie zijn die mensen?'

Hij zuchtte. 'Weet niemand. Op een zekere dag waren ze er. Waar ze vandaan kwamen is een raadsel. Ze eigenden zich de stad toe en ze dulden niet dat iemand hun territorium binnendringt. Het zijn regelrechte gekken.'

Ik haalde nog wat euro's te voorschijn. 'Was dat Manfred de Duitser die je eerder overzette?'

Zijn gezicht betrok. 'Wat moet jij van Manfred?'

'Ik heb nog wat spullen nodig. Keukengerei en wat kleren. Ik heb me laten vertellen dat hij daarvoor kan zorgen. Ik miste hem net in het baanrestaurant aan de oude snelweg.' Ik hield het luchtig.

De stuurman nam de bankbiljetten aan. Zijn achterdocht ebde weg, de frons op zijn voorhoofd bleef. 'Dat was inderdaad Manfred.'

'Nou?'

Hij keek me aan. 'Nou wat?'

'Waar gaat hij heen? Zodat ik hem kan inhalen. Ik wil spullen van hem kopen.'

'Jij wilt wel veel waar voor je geld.'

Dit gedoe begon op mijn zenuwen te werken. In Tetraville maakte deze afperser geen schijn van kans. Maar dit was Tetraville niet.

'Ik heb je al meer dan genoeg betaald. Waar gaat Manfred heen?'

Ik greep een arm van de stuurman en draaide die in een pijnlijke bocht achter zijn rug.

'Ik heb een bloedhekel aan geldwolven. Die maken me heel pissig.'

'Laat verdomme mijn arm los. Straks botsen we ergens tegenaan. Ik bedoelde er helemaal niks slechts mee. Mag ik ook wat verdienen, ja?'

Ik liet zijn arm los.

Hij wreef over zijn elleboog. 'Stelletje wilden, dat zijn jullie.'

'Niet zeuren.'

'Nou, goed dan. Manfred heeft een grote loods bij de oever van de Rijn, ergens ten zuiden van de oude stad Keulen. Daar heeft hij zijn voorraadje zitten. Waarschijnlijk rijdt hij daarheen.'

'Neemt hij dan de oude snelweg E-40?'

De stuurman lachte spottend. 'God, wat zijn jullie stedelingen toch naïef. Jullie leven echt met je hoofd in de grond.'

'Wat is er mis met de oude snelweg? Buiten de ingestorte brug over de Maas, natuurlijk.'

'Vergelijk het maar met de situatie in Luik. Die hele strook is niet veilig. Er waart daar een bende rond, bloeddorstige monsters. Dat gespuis uit Luik zijn er misdienaars tegen.'

'Niemand mag die weg op?'

'Je kunt het altijd proberen. Niemand die het waagde is er ooit van weergekeerd. Het is een zwaarbewapende bende die over de beste opsporingsapparatuur schijnt te beschikken. Je bent nauwelijks een kilometer gevorderd of ze hebben je al bij de kladden.'

'Hoe weet je dat? Heb je het ooit geprobeerd?'

Er viel een stilte. We hadden bijna de overkant bereikt. Ik liet me nog even van mijn meest vrijgevige kant zien en stopte hem nog wat euro's toe.

Hij zuchtte. 'Er was een tijd, jaren geleden, dat ik nog een gezonde, opstandige jongeling was. Het maakte me woedend wat ons overkwam. Het oprichten van een beveiligde stad, wij die geen enkele kans maakten om er binnen te raken.'

'Ben je ziek?'

'Ik heb de eerste fase van de ziekte. Al jaren. Ik heb wat last van kortademigheid, maar daar blijft het bij. Mijn toestand verbetert wel niet, verslechteren doet hij ook niet. Ik kan nog perfect functioneren. En zo ken ik er nog wel een paar. Maar jullie lieten ons stikken.'

Ik keek hem nors aan. 'Heb ik niks mee te maken. Ik ben zelf buiten gekieperd.'

'Je weet over wie ik het heb. Die rotzakken van de Politieraad schijnen de touwtjes stevig in handen te hebben. Zowel binnen de muren van Tetraville als erbuiten. Ze hebben hier de streek leeggehaald. Alles wat bruikbaar was, hebben ze naar Tetraville gesleept. Auto's, benzinevoorraden, huisraad, geld, alles hebben ze geplunderd.'

'Hoe weet je dat het de Politieraad was?'

'Ze namen niet eens de moeite om hun voertuigen te camoufleren. Er liepen zelfs mannen bij in uniform.'

De stuurman staarde over het water. 'Het leek wel een heruitgave van de invallen van de Noormannen. Toen er niks meer te rapen viel, staken ze de boel gewoon in brand.'

'Wat bedoel je daarmee?'

'Ze vernielden alles achter zich. Alleen de oude snelweg lieten ze intact. Die hadden ze immers nodig voor hun rooftochten dieper het land in. Sommigen menen te weten dat ze doordrongen tot in Polen. Toen daar alles was leeggehaald en vernield, dachten we dat de ellende eindelijk voorbij was. Maar toen kwam die bende wildemannen opeens op de proppen. Al wie zich te dicht in de buurt van de snelweg ophield, werd vermoord. Ze ontzien niets of niemand.'

Zijn verhaal vertoonde een markante parallel met wat er in Luik aan de hand was. Het bezorgde me een vreemd gevoel. Het leek er op dat die gewelddadige bendes alles te maken hadden met de Politieraad. En dat ik door alles en iedereen in het ootje werd genomen. Maar daar zweeg ik over.

Hij stuurde de boot handig naar de aanlegsteiger. 'Eens heb ik geprobeerd om in de buurt van de snelweg te komen. Om te weten wat daar nu precies gebeurt. Bijna kon ik het niet navertellen.'

'Wat heb je gezien?'

'Niks. Ik kon slechts een glimp opvangen van de weg. Er was niks te zien. Een paar vrachtwagens stonden langs de kant en er patrouilleerde een helikopter. Toen openden ze opeens het vuur. Waar het vandaan kwam, kon ik niet zien. Mijn maat werd getroffen en bleef dood achter. Ik kon ontsnappen omdat ze dachten dat hij alleen was.'

We bonkten zachtjes tegen de steiger. Hij meerde aan.

'Dus als je Manfred wilt vinden, moet je langs oude weggetjes naar de Rijn toe. Hij heeft geen vaste route, misschien maakt hij nog een ommetje om wat zaken te verpatsen.'

Ik bedankte de stuurman en reed verder.

24

De dalwand aan de rechteroever van de Maas was niet zo hoog en steil. Ik bereikte de top zonder veel moeite, de weg was in prima staat. Op de heuveltop stopte ik en parkeerde de jeep een eindje van de weg af, op een braakliggend terrein. Er groeide onkruid tussen het puin, maar met de teken scheen het nog mee te vallen. Ik trok mijn laarzen aan, maar liet het beschermende pak voor wat het was.

Ik wandelde een eindje terug en zocht een plekje waar ik zicht had op de vallei. Er was volop beweging. De overzet was al opnieuw naar de linkeroever onderweg. Het dek was leeg. Toen zag ik een voertuig aan de overkant. Door mijn verrekijker zag ik de chauffeur. Het was mijn belager die zich uit de sloot had bevrijd. Ik moest dringend mijn knopen wat oefenen. Hij wreef nog steeds over de pijnlijke plek op zijn hoofd.

Ik haalde wat proviand uit de jeep en zocht mijn plekje opnieuw op. De overzet had zijn klant opgepikt en was al opnieuw onderweg. Mijn achtervolger was in de cabine druk in gesprek met de stuurman. Tussen twee hapjes door zette ik de kijker aan de ogen. Nee, een gesprek was het niet. Veeleer een bitsige woordenwisseling, afgewisseld met nerveus getrek en geduw.

Toen de boot aanmeerde, escaleerde de situatie. Er kwam een wapen aan te pas. Mijn achtervolger hield de stuurman onder schot, terwijl hij een paar knopjes indrukte op een toestelletje dat met een touw rond zijn hals bungelde. Om de een of andere reden scheen hem dat gerust te stellen, want hij kalmeerde. Hij drukte zijn wapen in de maag van de stuurman, er ontstond opnieuw een woordenwisseling. Er kwamen een paar ferme klappen aan te pas.

Ik snelde langs een onverhard pad de helling af. Ik nam grote risico's, want hier en daar hingen zware takken over het pad. Toen ik een tak raakte, vielen de teken met tientallen op de grond. Maar ik had geen tijd om mijn beschermende pak te halen. Ik liep door naar de oever.

Vierhonderd meter stroomafwaarts lag de overzetboot aangemeerd. Het jaagpad langs de oever bood geen enkele bescherming om ongemerkt te naderen. Er was maar één oplossing. Ik liet me in het ijskoude water zakken en dreef met de stroming mee. Een paar slagen brachten me wat van de oever weg en ik kreeg de overzet nu aan de waterzijde in het vizier. Beide mannen stonden nog aan dek, met hun rug naar me toe.

Er bungelden een paar autobanden aan een touw langs de kiel. Ik greep er eentje vast en hees me voorzichtig uit het water. Ik plaatste een voet in de band en bracht mijn lichaam naar boven. Ik ving het gesprek op.

Mijn achtervolger sprak traag en drukte op elke lettergreep. Iemand die het gewoon was om dreigementen te uiten. Of om verhoren af te nemen. 'We hebben alle tijd. Ik krijg mijn informatie toch. Het zal er alleen van afhangen hoeveel pijn jij kunt verdragen.'

'Loop voor mijn part naar de duivel. Ik hou niet van dreigementen.'

'Klootzak! Waarom doe je jezelf dit aan?'

Mijn achtervolger haalde uit met zijn wapen in de hand en trof de stuurman op de kin. Die onderdrukte een kreet en spuwde bloed op het dek. Woede joeg mijn adrenalinepeil omhoog. Ik sprong in een vloeiende beweging over de reling.

Ik richtte mijn totaal nutteloos geworden wapen op de man. 'Hou daar verdomme mee op.'

De man knipperde verdwaasd met de ogen. Hij was niet echt onder de indruk. 'Oh, daar ben je. Dat maakt de zaak wat makkelijker.'

'Wat wil je van mij?' Dat was een overbodige vraag, maar ik wilde niet laten merken dat ik het gesprek bij het baanrestaurant had afgeluisterd.

'Ik wilde je bedanken voor de mooie geste die je stelde. Het doet verdomd pijn.'

'Waarom volg je me?'

De man zuchtte diep. 'De hele zaak wordt afgeblazen. Je kunt terug naar Tetraville.' De loop van zijn wapen was nu op mij gericht.

Ik verroerde me niet.

'Wat een onnodige risico's neem jij toch. Weet je dan niet dat er tekenvariëteiten gesignaleerd zijn die in water overleven?' Hij wees met zijn vrije hand naar de plas water die rond mijn voeten ontstond.

Ik trapte in zijn val en keek naar de grond. Met één pas was hij bij me, griste het wapen uit mijn hand en gooide het achteloos overboord. Zijn eigen wapen plantte hij tegen mijn kaak aan. 'Nu heb je mij wel in een heel moeilijke situatie gebracht. Ik doe dit niet graag. Maar als het niet anders kan...'

'Doe wat je niet laten kan.'

'Domme naïeveling. Aanvaard gewoon de orders. Het stopt hier en nu. Omdat...'

Verder kwam hij niet. De klap was droog en gedempt, maar zijn ogen zwiepten opeens alle richtingen uit. Hij zakte in elkaar terwijl zijn wapen afging. De kogel suisde rakelings langs mijn wang, de hete kruitdamp schroeide mijn wang en ogen.

De stuurman keek ontdaan naar de man op de grond, en dan naar mij. In zijn hand hield hij de ploertendoder waarmee hij de mep had verkocht.

'Verdomd, ik wist niet dat zijn wapen op scherp stond.'

'Meestal wel als je iemand bedreigt.' Ik knipperde met mijn oogleden. Alles leek in orde, mijn zicht werd langzaam opnieuw haarscherp. 'Bedankt in elk geval.'

'Jij bedankt. Wat een etter, die kerel.'

'Wat wilde hij van je?'

'Hij had alles gezien. Hoe we met elkaar hadden gepraat, dat jij me geld had toegestopt. Hij wilde weten of je naar de oude snelweg ging. Hij moest je zo snel mogelijk zien te vinden. Wat is dat met die opdracht?'

Ik gaf geen antwoord en bukte me. De steeds groter wordende bloedplas rond het hoofd van de man verontrustte me. Ik plantte mijn vingers in zijn hals. Niks.

'Is hij dood?' De stuurman trok bleek weg. Zijn handen beefden.

Ik knikte. 'Ik vrees dat je iets te hard hebt geslagen met dat ding.'

De ploertendoder bonkte op het dek. De stuurman hing over de reling en kotste.

Het koste hem een klein kwartier en drie flinke slokken uit een jeneverfles om weer bij te komen. Hij kreeg eindelijk wat kleur op z'n wangen. 'Het was niet mijn bedoeling om hem...'

'Hou er maar over op. Hij was de aanvaller. Ik denk niet dat hij zou getwijfeld hebben om jou te doden. Of ons allebei.'

'Wat is hier aan de hand?'

'Dat weet ik niet. En dat maakt me bijzonder pissig. Ze doen er blijkbaar alles aan om bepaalde zaken bedekt te houden.'

'Nogmaals bedankt. Je hebt me gered.' De stuurman schudde me op een bijna kinderlijke manier de hand. 'Mijn naam is Cor Blanken.'

'Paul.' Ik verzweeg mijn familienaam.

Ik onderzocht de kleren van de dode man. Zoals verwacht vond ik niks. Geen labels, geen etiketten, geen papieren. Hij was clean, zoals ze mij ook hadden voorbereid op deze reis.

We onderzochten zijn auto op het dek van de boot. We vonden geen duidelijke sporen van zijn afkomst. Het was een oude Mercedes terreinwagen, maar de motor bleek bijzonder goed onderhouden. Vakwerk. De luchtinlaten waren vakkundig dichtgestopt en de portieren zaten keurig in extra rubberen strips. Ik kende de garage die deze werkjes opknapte.

Ik wilde geen risico lopen door in geïnfecteerde grond een graf te delven, dus kieperde ik het lijk plompweg overboord. Het dreef mee met de stroming. Weldra zou het door het water onherkenbaar opgeblazen worden. Een zoveelste slachtoffer, bezweken aan de verschrikkelijke ziekte.

Cor herstelde zienderogen. Hij nam me mee naar de roestige keet. Hier kon je iets eten en drinken. Een oud dametje uit de buurt voorzag de koelkasten geregeld van voorraad. Alles was met de grootste zorg ingepakt, want zij had de ziekte in de derde fase.

'Je moet je geen zorgen maken,' zei Cor, terwijl hij nog een rantsoen jenever naar binnen werkte. 'Ze komt nooit rechtstreeks in aanraking met de etenswaren, ze zorgt enkel voor de bevoorrading. In ruil geven wij haar wat medicijnen. Dingen die we hier en daar op de kop kunnen tikken. Voornamelijk inhalators.'

'En die helpen?'

'Niet zo heel veel. De ziekte is bij haar in de terminale fase. Ze hoest regelmatig afgestorven longkwabben op, de medicijnen verdoezelen haar toestand. Maar ze houdt zich kranig.'

Het voedsel in de koelkast zag er lekker uit, maar ik nam niks. Ook Cor hield het bij een vloeibare maaltijd. Hij ontspande en werd spraakzamer.

'Ik hoop dat niemand ooit te weten komt wat er op mijn boot gebeurd is. Anders kan ik het wel schudden.'

'Waarom?'

'Er staan genoeg aasgieren klaar om de business van me over te nemen. Ik hoorde laatst dat er iemand met een reusachtige overzetboot naar deze streek onderweg is. Een joekel dat dienst deed in de binnenhaven van Bremen, of daar ergens in de buurt. Naar het schijnt heeft de ziekte ginder onverbiddelijk toegeslagen. Wie het nog kan navertellen, trekt er weg.'

'Zijn er dan geen bruggen meer over de rivier?'

Cor schudde het hoofd. 'Allemaal verwoest toen de rooftochten afgelopen waren. Verderop naar het oosten, bij de Rijn, haalden ze hetzelfde geintje uit. Er wordt gefluisterd dat er hier nog één brug intact zou zijn, in het centrum van Luik. Maar zoals je al ervaren hebt, is er niemand die dat ter plaatse wil verifiëren.'

'En wat is jouw verhaal, Paul?' Cor had intussen een flinke blos op de wangen.

'Dat heb ik toch al verteld?'

'Komaan. Er moet meer zijn. Niemand wordt uit Tetraville gegooid met een behoorlijke smak geld er achteraan. In alle geval niet genoeg om een Land Cruiser te kopen. En je aanvaller had het over een opdracht.'

Ik keek hem aan en glimlachte. Het verbaasde me hoe gemakkelijk de leugens kwamen. 'Dat over die opdracht is gewoon een versluierd woordgebruik. Iemand die iets heeft mispeuterd en wordt uitgewezen, krijgt zogezegd een opdracht buiten Tetraville. Ach, ik ben gewoon het slachtoffer van de stomme wetten. Je weet wel, alle gezonde mensen moeten zoveel mogelijk nazaten op de wereld zetten. Dat hebben ze verdomd in wetten gegoten, en wie niet genoeg produceert, wordt gerechtelijk vervolgd.'

Cor grinnikte. 'Hou je niet van vrouwen misschien?'

Dat was een piste die mogelijkheden bood. Ik ging meteen aan de slag. 'Zoiets ja. Ik had alleen de pech met de verkeerde vent aan te pappen. Een verrader. Een paar relaties bij de Politieraad deden de rest. Ik moet zeggen dat ze het nog netjes oplosten. Ze hielden het op betrapping zonder gezondheidspas. Ik kreeg de kans om nog een paar zaakjes te regelen. Maar toen ging de poort onherroepelijk open voor mijn opdracht.'

Cor schoof de jeneverfles opzij. Hij was nog lang niet dronken. Zijn blik stond helder. 'Jij wil wraak, niet?'

'Ik wil terug naar binnen. Die verrader zijn verdiende straf geven. Maar ik wil op mijn manier naar binnen. Ik geloof geen woord van hun bewering dat mijn opdracht erop zit. Ze willen me hebben om me ergens voor te laten opdraaien. Een oude, beproefde methode.'

'Hoe wil je in godsnaam terug naar Tetraville? Iedereen die nog wat te been is, speelt met die gedachte. Maar niemand slaagt er in.'

Ik liet een pauze en glimlachte fijntjes. 'Laat ik nu ook wat relaties hebben. Via via heb ik vernomen dat hier ergens een groep bestaat die er regelmatig in slaagt om Tetraville binnen te dringen.'

'Wat?' Cor veerde recht.

Ik hield hem scherp in de gaten, maar zijn verbazing was niet gespeeld.

Hij hijgde. 'Tetraville binnendringen?'

'Meer weet ik er ook niet over. Maar die informatie klopt.'

'En wat heeft Manfred daarmee te maken?'

'Ik hoorde dat hij banden heeft met die bende.'

'De ouwe Manfred? Dat kan niet.'

'Ik wil het hem zelf vragen. Als het klopt, kan hij me helpen.'

Cor stond op en liep hoofdschuddend rond. 'Manfred, de Duitser. Ik geloof er geen woord van.'

'Als jij me tot bij hem brengt, kunnen we het verhaal checken. Als we hem onderweg niet inhalen, gaan we rechtstreeks naar zijn loods.'

'Tot bij hem brengen? Ik weet niet waar hij...'

'Cor alsjeblieft, niet flauw doen. Je weet hoe de situatie bij de Rijn is. Je kent de gebruiken van Manfred. Volgens mij ben je er al geweest.'

Cor haalde nukkig zijn schouders op. 'Ach, ik ben...' Hij kwam opnieuw aan het tafeltje zitten. 'Eén keer ben ik met hem meegegaan, tot bij zijn loods aan de Rijn. Hij moest een bijzonder grote bestelling ophalen en ik hielp hem.'

'Breng je me tot bij hem? Ik zal je tijd vergoeden.'

Cor wuifde het aanbod weg. 'Je hoeft niet te betalen. Ik weet niet waar ik zou geëindigd zijn als jij niet was tussenbeide gekomen. Ik ga wel met je mee.'

Of hij één woord van mijn leugens geloofde, wist ik niet. Maar hij leek me wel een geschikte kerel. Voorlopig toch.

25

Maandag 9 september 2052

21.19 uur

De avond was al een eindje gevorderd toen ik klaar was om te vertrekken. Na ons gesprek in de keet was Cor naar zijn boot teruggekeerd om hem helemaal af te sluiten. Ik eigende me de Mercedes van mijn achtervolger toe en reed naar de plek op de heuveltop waar ik de Land Cruiser had achtergelaten.

Ik laadde al mijn persoonlijke spullen en het resterende proviand in de Mercedes over. In de laadruimte bleef nog net genoeg ruimte over om er een vat brandstof bij te proppen. Toen reed ik met de Land Cruiser en de aanhangwagen een eindje de heuveltop over. Bij de afdaling aan de andere zijde vond ik al snel wat ik zocht. Een kloof van zo'n twintig meter diep gaapte bij een van de scherpe bochten. Ik stopte en zette de schakeling van de Land Cruiser in neutrale stand. Ik stak een geïmproviseerde toorts aan en gooide die naar binnen. Het interieur vatte onmiddellijk vuur. De brandende Toyota hobbelde de weg af en verdween over de rand, meteen gevolgd door de aanhangwagen. Met een krakende plof klapte het voertuig tegen de bodem van de kloof en een zwarte rookpluim steeg op. Ik maakte me uit de voeten, nog voor de ontploffing weerklonk.

Cor keek vreemd op toen hij me met de Mercedes zag aankomen. 'Waarom neem je deze?'

'Ik vind hem leuker.'

Cor zei niks. Hij stapte in en we vertrokken. We reden oostwaarts, via een smal weggetje over de andere flank van de heuvel. In de achteruit-kijkspiegel zag ik de rookpluim boven de kloof hangen. Cor had niks in de gaten.

Hij bestudeerde de wegenkaart die ik hem had gegeven. Hij bracht me snel en vakkundig door het heuvelachtige gebied. De wegen waren goed en vrij veilig, zelfs bij de invallende duisternis. Op het ingebouwde kompas zag ik dat we nog steeds pal naar het oosten reden. De Rijn moest ergens voor ons uit liggen. Nergens een spoor van Manfreds vrachtwagen.

'Als we deze richting volgen komen we zo bij de Rijn. Niet?'

Cor hield zijn vinger op de plek waar we ons bevonden en berekende de afstand. 'Niet ongeduldig worden. Dat is nog een hele afstand. We moeten eerst nog over de restanten van de oude E-42.'

Ik keek naar de kaart op zijn knieën. 'Die oude aftakking van de E-40 naar het Duitse Eifelgebergte.'

'Precies. Toen ik die keer met Manfred mee was, lag de weg er helemaal braak bij. Hij was voor de besmetting al niet in prima staat, maar een paar reusachtige verzakkingen hebben hem helemaal onbruikbaar gemaakt. Er zijn echter nog genoeg berijdbare plekjes om hem over te steken.'

We stopten bij een afgebrande fabriek. Het immense terrein rond de geblakerde gebouwen was leeg. Alleen aan de straatkant woonde een ouder paar in een bouwvallig huisje. Ze hadden allebei de ziekte in de derde graad. We bleven veilig in de jeep zitten en schreeuwden onze vragen door een kier van het raampje. De oudjes kenden Manfred, maar ze hadden hem geen van beiden de laatste dagen gezien. Het raampje ging snel weer dicht.

We reden het fabrieksterrein op. Er groeide weinig onkruid tussen de stenen, dus maakten we in alle veiligheid een ommetje om de spieren los te gooien. De oudjes lieten ons gelukkig ongemoeid. Terug in de jeep graaide ik wat etenswaren bij elkaar.

Cor had echter geen trek. Hij had opnieuw de wegenkaart op zijn schoot en liet koortsachtig zijn vinger over het papier glijden.

'Kom me niet vertellen dat je niet meer weet waar de loods van Manfred staat.'

'De Rijn is best lang. En alle plaatsaanduidingen hier in de streek zijn weggehaald of vernield. Ik moet me concentreren op de toestand van het terrein.'

'Niet makkelijk.' Ik keek over zijn schouder mee.

'Er zat een aardige knik in de waterloop, dat herinner ik me nog. En aan de overkant stonden twee puntige rotsen, waartussen een beekje naar beneden stroomde.' Plots tikte hij met zijn vinger op de kaart. 'Hier was het. Ik herken nu ook de weg die erheen leidt. Geen twijfel mogelijk. In de buurt van het oude stadje Königswinter. Als we die vervallen snelweg over zijn, moeten we iets meer naar het zuiden. Het kan niet misgaan.'

Ik deelde Cors enthousiasme niet. 'Wat ik vreemd vind is dat we nog niet het minste spoor van die oude Manfred hebben opgepikt.'

'Ik zei het al, hij maakt soms ommetjes om al zijn klanten te bedienen.'

Het werd nu helemaal duister buiten. We maakten ons op om in de auto te pitten. Veel ruimte was er niet en het vat brandstof in de laadruimte stonk verschrikkelijk. Niettemin viel ik vrij snel in slaap.

26

We waren beiden vroeg wakker, namen een karig ontbijt en vertrokken even later zonder ook maar een woord te wisselen. Er hing wat mist. Niettemin schoten we aardig op. Toen de weg steeg, verdween de mist. In de bochten hadden we een goed zicht op de laatste wolkenplukken in de vallei. We zagen niemand. Zelfs geen vrachtwagen met Manfred aan boord.

Bij een zoveelste bocht maande Cor me aan te stoppen. Hij stapte uit, vermeed de hoge struiken aan de straatkant en klauterde op een rotsblok. Toen hij de verrekijker aan zijn ogen zette, wenkte hij me.

'Daar beneden in de vallei. Er klopt iets niet.'

De heuvel aan de overkant van de vallei was niet zo hoog. Ik zag een strak, wit lint dat van oost naar west het landschap doormidden sneed.

'Is dat die fameuze snelweg?'

Cor knikte. 'Ja. Maar hij ligt er helemaal anders bij dan toen ik hier de vorige keer was. Toen was het hele traject behoorlijk vervallen. Nu is het perfect onderhouden.'

'Ben je zeker dat het hier was?'

'Absoluut. Dit is de weg die ik toen met Manfred heb genomen. Ginds bij dat verlaten dorpje is een tweesprong. Daar namen we een aarden pad dat naar een oversteekplaats leidde. Ik ben er helemaal zeker van.'

Je kon er niet omheen. De snelweg op de andere heuvel verkeerde in prima staat. Het beton glom in het zonlicht en de bermen waren keurig gemaaid. Ook aan de middenberm was gesleuteld. Alle begroeiing was er weggehaald en de ruimte was volgestort met beton. Er was zelfs een nieuwe wegmarkering aangebracht. Voor de rest lag de hele vallei er uitgestorven bij.

We hoorden het allebei tegelijk. Een zacht gezoem. Een hijgende motor die kreunend een heuvel opklom. Maar we vonden de bron van het geluid niet. Plots rukte Cor de verrekijker uit mijn handen en rende een eindje de weg af.

Hij vloekte. 'Ze komen achter ons aan.'

Ik had hem bijgehaald en zag het nu ook. Twee vrachtwagens met voor hen een pick-up. Bij de mitrailleur in de laadbak stond een man die de omgeving afspeurde. 'Er is maar één weg. Ze komen deze kant uit. We moeten maken dat we wegkomen voor ze zo dicht genaderd zijn dat ze onze motor horen.'

We renden naar de jeep en vertrokken halsoverkop. De weg slingerde zich door de vallei. Door de diepe sloten aan beide zijden zagen we geen enkele mogelijkheid om ons te verbergen. We jakkerden verder.

De weg steeg nu. Ik hield een behoorlijke snelheid aan om buiten het schietbereik van het konvooi te blijven. We naderden de snelweg.

Ik hijgde van de spanning. 'We zitten in de val. Als we niet snel een schuilplaats vinden, dan...'

'Daar. Dat vervallen huis.'

Ik begreep meteen wat Cor bedoelde. Een tiental meter van de weg af stond een oud boerderijtje. De zijgevel was ingestort. Ik stuurde de Mercedes door de brokstukken en reed pardoes het huis binnen. Of beter: wat ooit de schuur moet geweest zijn. De ruimte was helemaal open. Ik parkeerde de jeep tegen een scheidingswand. Door een zijraam zagen we de weg die we net verlaten hadden.

Het werd angstig afwachten. De stofwolk die we opgeworpen hadden, verdween maar langzaam. We hoorden de motoren naderen. Ik zag de pick-up om de bocht verschijnen.

De man in de laadbak bekeek de hoeve zelfs niet. Hij hing verveeld over de loop van het wapen en prutste aan de trekker. De twee vrachtwagens volgden in het kielzog van de pick-up. Niemand keek onze kant op. Het geluid stierf langzaam uit.

Cor haalde opgelucht adem. 'Dat was dat. Nu maken dat we wegkomen. Die auto's. Donkerblauwe pick-ups met een mitrailleur in de kofferbak. Zo eentje zat achter ons aan toen ik met mijn maat te dicht bij die andere snelweg verzeild raakte. Het is dezelfde bende. Ik krijg er nog de kriebels van.'

Maar ik maakte geen aanstalten om de motor te starten. Mijn zesde speelde op. 'Ik weet het niet goed. Iets vertelt me dat we nog even moeten wachten.'

'Wat dan?'

'De manier waarop die schildwacht in de laadbak zat. Sloom en absoluut niet op zijn qui-vive. Ze hebben dit reisje al meer gemaakt.'

'Ze kunnen terugkomen?'

'Zoiets, ja.'

Al na tien minuten bleek dat mijn 'zoiets' gerechtvaardigd was. Het konvooi kwam niet terug, maar er kwam een tweede door dat dezelfde richting uit reed. En nog eentje na een kwartier. Toen gebeurde er niks meer. Na een uur van absolute stilte begonnen we plannen te maken.

Ik keek Cor aan. 'Er is maar één mogelijkheid. We moeten naar de snelweg en proberen die ongezien over te steken. We kunnen niet terug. Als er een konvooi aankomt, zijn we verloren.'

Cor antwoordde niet meteen. Hij zuchtte. Toen knikte hij. 'Ik weet het. Maar je kunt niet over het land, het is veel te moerassig. Manfred heeft hier toen ergens in de buurt een ongelukkige uit de drab getrokken. Zelfs een terreinvoertuig komt er niet door.'

'Prachtig. Over de weg dan. Dat wordt een mooie zelfmoordactie.'

27

Dinsdag 10 september 2052
9.45 uur

We reden met een slakkengangetje over de bochtige weg. Cor hing uit de cabine, hoe gevaarlijk het ook was. Maar het zag ernaar uit dat er geen vijandige voertuigen meer rondreden. Alles bleef rustig. Al snel hadden we een ander probleem.

Die rotsnelweg viel niet te benaderen. Meestal zagen we hem in de verte liggen, een doods lint van beton, maar er liep geen enkele weg rechtstreeks naartoe. Alle toegangspaden waren omgewoeld en bijna overal stond het terrein rond de weg onder een flinke laag water. We sakkerden en ploeterden verder, probeerden een zoveelste plek uit. Na amper een paar meter werd de grond zompig als een spons. Geen toegang. De weg steeg geleidelijk en maakte een bocht naar het zuiden, zodat de snelweg nu links van ons lag. Op de verlaten velden zagen we de wateroverlast verminderen. We stopten op een hoogte, verborgen de Mercedes achter een muur van struiken en liepen voorzichtig naar de berm aan de valleikant. De situatie werd er niet rooskleuriger op.

Ongeveer vijftig meter onder ons en zo'n tweehonderd meter van ons verwijderd, lag de lange, rechte strook snelweg. Onmiddellijk naast de weg stond een laag gebouw en we zagen enkele pick-ups met mitrailleur op de stoep geparkeerd staan. Van de vrachtwagens geen spoor. Niks bewoog. Bijna gelijktijdig zagen we de anemometer langs de kant van de weg staan.

Ik had de verrekijker bij me en stelde scherp. 'Nu snap ik de bedoeling van die wegmarkering. Ze hebben er een vliegveld van gemaakt.'

'Een vliegveld? Ik dacht dat er geen vliegtuigen meer bestonden? Alle communicatieapparatuur en alle satellieten zijn uitgevallen.'

'Dat dachten we dan blijkbaar verkeerd. Zei je zelf niet dat die kerels over alle mogelijke verdedigingsmiddelen beschikten?' Ik bekeek opnieuw de pick-ups voor het gebouwtje. 'Die wapens zijn ook niet voor de poes.

Bijzonder zwaar kaliber, allemaal met aangepaste laders. Die kunnen op automatische stand rustig een kwartier kogels spuiten.'

Cor zuchtte. 'Ik weet het. Ik heb ze al aan het werk gezien. Die wapens blazen ons met jeep en al naar de verdoemenis.'

Er naderden voertuigen over de weg. We doken achter onze jeep en hoopten dat het voertuig voldoende afgeschermd werd door de struiken. De plek zat vol teken. Wanhopig klauterden we op de motorkap. De voertuigen waren nu vlakbij.

Het onvoorstelbare gebeurde. Het konvooi stopte vlak voor onze neus. Een pick-up met mitrailleur en twee vrachtwagens. Alle chauffeurs stapten uit. De portieren knalden, iemand liet een wind.

Door de takken van de struiken kon ik de mannen zien staan. Voorlopig schenen ze zich geen zorgen te maken om hun omgeving. De chauffeur van de pick-up stak een sigaret aan voor de man achterop. De bestuurder van de achterste vrachtwagen liet nog een knallende wind.

Opgewonden kneep ik in de arm van Cor, hij had het ook gezien. De roker stak de weg over en kwam onze kant uit. Er volgde wat gemorrel met een ritssluiting, dra stroomde het water.

De man op de pick-up riep zijn maat iets toe. 'Waarom was er deze morgen code rood?'

Het plassen ging onverminderd verder. 'Omdat we moeten uitkijken naar een indringer.'

'Een indringer? Hier?'

'Iemand van het veiligheidspeloton, die de indringer volgde en moest oppakken, heeft zich niet meer gemeld. De opperhoofden werden wat nerveus. Die indringer schijnt een taaie te zijn. In Luik kon hij ook al ontsnappen.'

'Wat is dat voor larie. Niemand kan onopgemerkt door dit gebied sluipen. Zijn ze wel zeker dat hij hier ergens zit?'

'Niet helemaal. Ze vroegen alleen om extra uit te kijken.'

'Ik heb in alle geval niks gezien. Dat ze maar wat meer hun warmtegevoelige bewegingsmelders gebruiken.'

De roker grinnikte. 'Die hebben ze van pure miserie moeten uitschakelen. Het wemelt hier in dit gebied nog van het wild.'

Een vonkende peuk vloog met een boog over de struiken heen en belandde tussen ons in op de motorkap. Het ding gaf een donderende tik op het metaal. Althans in mijn oren. We hielden onze adem in. Nog wat gewriemel aan textiel, toen klapten de portieren en werden motoren gestart. Het konvooi vertrok.

Na tien minuten volledige stilte liet Cor zich langzaam van de motorkap glijden. Hij keek me strak aan. 'Ze maken zich bijzonder veel zorgen om jou. Jij bent hier met een welbepaalde opdracht. Jij bent politieman binnen Tetraville en je hebt een speciale opdracht gekregen.'

Die snelle conclusie van Cor vond ik opzienbarend. Maar het had geen zin verder te ontkennen. 'Zoiets, ja. Het spijt me voor de leugens. Mijn opdracht was zeer geheim, ik kon geen risico's nemen.'

Cor haalde de schouders op. 'Misschien had ik wel hetzelfde gedaan. In elk geval: er is wat mis met je zeer geheime taak.'

'Mijn opdrachtgevers maken zich bijzonder zorgen over het feit dat mijn speurtocht naar dit gebied leidt. Dat komt hen, denk ik, niet zo goed uit. Wat ze hier ook mogen uitvreten, ze willen het gedekt houden.'

'We hebben hulp nodig.'

'Nee. Ik wil dit in mijn eentje uitvlooien. Ik ben nogal koppig op dat gebied. Zij hebben me bedrogen. Dan moeten ze er de gevolgen maar van dragen.'

'Denk je echt dat je hieruit kunt ontsnappen?'

Cor had een punt. Ik dacht niets. Ik hoopte alleen maar. 'We moeten het in elk geval proberen. Ik laat me niet afslachten als een lam.'

Hij stapte de weg op en keek in de vallei. 'Er zijn geen andere mogelijkheden meer om de snelweg te benaderen. Als we nog verder doorrijden, kunnen we opnieuw op konvooien stuiten. '

'Dan is er maar één mogelijkheid meer over.'

'Oh ja? En die is?'

'We doen iets wat ze totaal niet verwachten. We steken hier over, bij het vliegveld, en we doen dat niet met een voertuig, maar te voet. We zorgen voor wat afleiding en in de herrie die ontstaat vluchten we naar de overkant.'

Cor werd wat opstandig. 'Natuurlijk. Zo staat dat in de handboeken van de politieschool, niet?'

'Toch in het mijne? Doe je mee?'

'Hoe wil je dit klaarspelen?' Hij had zijn scepsis laten varen omdat hij wist dat hij geen kant uit kon.

Het duurde ettelijke minuten voor ik alles had uitgelegd. Cor was niet meteen wild van het plan, maar hij kon niks beters verzinnen. We gingen aan het werk. We maakten de koffer van de jeep open en graaiden wat spullen bij elkaar. Cor een blikje brandspiritus dat bij het kookstel hoorde en ik een lang, dun touw en een stevige schroevendraaier.

Ik bleef voorlopig op post bij de jeep. Cor vertrok naar de anemometer aan de oostzijde van de startbaan. Hij verdween langs een aarden pad en daalde in de vallei af. Na twintig minuten hield ik het niet meer en stak de weg over. Ik speurde het terrein af door mijn kijker. Ik vond hem op de afgesproken plaats. Hij had zijn doel zonder ongelukken bereikt en zonder dat er een alarm weerklonk. Hij stak zijn linkerhand op om dat te bevestigen.

Het was mijn beurt nu, naar het lage gebouw aan de westkant van de strook. Ik ging voorzichtig op pad. Het bos wemelde van de teken. Ik vervloekte mezelf dat ik mijn beschermende pak niet had aangetrokken. Ik vorderde langzaam, sloop omzichtig om de blokken puin heen en keek flink uit mijn doppen. Mijn hoge laarzen boden gelukkig voldoende bescherming.

Ik bereikte zonder kleerscheuren de omheining die rond het lage gebouw stond. Door een open kantelraam klonk muziek. Ik zag niemand. Ik trok me wat terug en begon aan een omtrekkende beweging. Ik bereikte het einde van de omheining. De pick-ups stonden zo'n vijftien meter van me verwijderd. Nog steeds niemand te zien.

Ik keek op mijn horloge. Tien minuten tot het afgesproken tijdstip. Ik moest voortmaken. Ik haalde diep adem. De laatste vijftien meter tot de voertuigen zouden de gevaarlijkste worden, dwars over open terrein. Ik liep gebukt naar de eerste pick-up en hurkte bij het reusachtige voorwiel neer.

Totnogtoe geen drama's. Er weerklonk geen alarm. Ik sloop naar de laadbak. Ik kende de mitrailleurs, ze werden ook gebruikt door sommige afdelingen van de Politieraad. Het wapen was geladen, maar het was vergrendeld. Je had een sleutel nodig. Gelukkig wist ik dat je de vergrendeling kon ontlopen door de lader eraf te halen en met een schroevendraaier de grendel van binnenuit te bewerken. Ik wrikte tot ik een klik hoorde, plofte de lader opnieuw in het wapen en hoorde de grendel helemaal openspringen. Snel bond ik een uiteinde van het touw aan de loop vast en sprong van de wagen.

Het zat me mee. Er was nog steeds geen beweging, geen alarm. Nog zeven minuten. Voortmaken! Ik herhaalde de operatie bij de drie andere voertuigen met evenveel succes. Alle grendels waren nu verwijderd en alle lopen waren met het touw verbonden. Ik liep van het gebouw weg, tot zover het touw me toeliet. Hooguit negen meter. Niet echt genoeg, maar ik had geen keus.

De tijd was om. Precies op het afgesproken moment hoorde ik het kabaal. Een alarmbel sloeg aan. In de verte zag ik de anemometer in de fik staan. Cor had waarschijnlijk het hele blik spiritus gebruikt. Ik wist dat hij nu door de droge sloot sprintte die langs de strook liep. Ik schatte dat hij zo'n vijf minuten zou nodig hebben om tot bij mij te geraken.

De paal en de gestreepte zak knetterden als een uitgedroogde den, maar de reactie in het gebouw was bijzonder lauw. Eerst kwam er een man alleen tot op het bordes. Hij zocht het hele terrein af naar de oorzaak van de herrie en toen hij eindelijk de toorts ontwaarde, krabde hij zich in de haren en ging er een collega bijhalen.

Cor kwam hijgend naar me toe. De mannen bij het gebouw stonden met hun rug naar ons. Ik draaide het uiteinde van het touw stevig rond mijn hand en gaf een stevige ruk. Als de mitrailleurs op automatisch staan, zijn ze bijzonder gevoelig voor schokken. De reeks snokken die het touw veroorzaakte, waren genoeg om ze te doen vuren. De ratelende salvo's scheurden door de stilte. Door de terugslagen dansten de lopen alle richtingen uit. Er ontstonden kogelinslagen op de tegels voor het gebouw, in de muren, op het dak. Een deel van de goot werd weggeblazen, ruiten sneuvelden, een antenne knapte af.

We hadden geen seconde te verliezen. We snelden de brede weg over. Achter ons hoorden we mannen roepen en tieren, boven de salvo's uit. Ik gluurde over mijn schouder onder het rennen. De mannen hielden zich schuil in het gebouw. De mitrailleurs bleven vuren, niemand kon door die kogelregen heen. We bereikten binnen de kortste keren de overkant van de snelweg. We lieten ons van de hoge berm glijden, door de sloot – die ook aan deze kant evenwijdig met de weg liep – en renden over het naburige veld. Er groeiden weinig struiken, we vorderden aardig.

Bij de rand van het veld lag een omgevallen boom. We sprongen op de vermolmde stam. Ik schrok me rot. Voor ons gaapte een diepte van wel tien meter. Ik klampte me aan een tak vast, maar Cor had minder geluk. Hij gleed uit en rolde de berm af. De bodem van de kloof lag bezaaid met vuilnis en ik zag grote ratten verschrikt wegspringen toen Cor in de smurrie plofte.

Ik liet me langs de helling glijden en waadde tot bij Cor, die net vloekend recht krabbelde. Nog twee ratten maakten zich waggelend uit de voeten. Hun koppen zaten vol etterende zweren. Ze waren graatmager. Eentje bereikte een volgepropte vuilniszak die uit de smurrie stak, kroop aarzelend over het plastic en zakte halfweg door zijn kromme pootjes. Morsdood. Uit zijn anus stroomde groenige gal.

'Wat een griezels.' Cor klampte zich aan me vast.

Ik had een grote steen in de berm ontdekt en plantte mijn ene voet er stevig achter. Ik had voldoende steun. Het lukte me om Cor naar boven te halen. Hij vloekte en tierde, en scheurde zijn shirt aan flarden. Tientallen teken zaten over zijn huid verspreid.

'Zie je wel? Die kerel op mijn boot had gelijk. Die verdomde beesten overleven nu ook in water.'

Ik wilde er een paar lospeuteren, maar hij duwde mijn hand weg.

'Afblijven. Op die manier blijven hun vergiftigde poten in je huid zitten. Neem de tang in mijn binnenzak. Je moet ze er uit draaien.'

We begonnen langs de berm om de vuilnisbelt heen te lopen. Intussen probeerde ik het ongedierte te verwijderen. Cor had zijn pijpen opgestroopt. Zijn benen zaten ook vol teken. Het was onbegonnen werk.

We bereikten een verhard pad. Ik keek achterom. Er kwam niemand aan. We snelden verder. Onder het lopen stroopte ik mijn eigen broekspijpen op, maar blijkbaar hadden mijn laarzen me voldoende beschermd. Geen indringers te melden.

We hadden niks gehoord. Maar opeens waren er wolken opvliegend stof om ons heen. Ik keek op. Het onheil kwam van uit de hemel. Boven ons hing een helikopter, een echte deze keer. Hij maakte geen enkel geluid. De zijdeur was opengeschoven en twee mannen – met een beschermend pak zoals ik er een had – hielden een wapen op ons gericht.

Toen kwam er een pick-up over het verharde pad aangereden. In de laadbak stond een man – ook al met beschermend pak – bij de mitrailleur. De loop wees dreigend onze richting uit. De pick-up stopte. De helikopter helde even over en verdween. De stilte was beklemmend.

28

Dinsdag 10 september 2052
11.09 uur

De helikopter verdween nu helemaal achter de berm. Ik vond het een heel vreemde tactiek. Die beunhazen moesten wel heel zeker van hun stuk zijn. Ik hield de pick-up scherp in de gaten. De chauffeur droeg geen bescherming en het portier was met stevige repen schuimrubber afgesloten. Misschien hadden we een waterkansje. We moesten het alleszins proberen.

Cor keek me aan – ik zag een woedend vuur in zijn ogen. Ik gaf een kort knikje en was er zeker van dat hij me begreep. We twijfelden geen ogenblik. We staken onze armen in de hoogte en liepen kordaat naar de pick-up. De man in de laadbak schreeuwde iets in zijn masker. Onze actie beviel hem niet. Maar we deden alsof we hem niet gehoord hadden. Nog twee meter. De man schreeuwde opnieuw, luider nu. Zijn vingers gleden over de trekker.

We lieten ons op de grond vallen en rolden om, naar het voertuig. De mitrailleur sproeide kogels om ons heen, maar onze berekening klopte. We waren te dicht bij de auto om nog in het schootsveld te zijn. Grommend richtte Cor zich op en trok aan de mouw van de schutter. Ik rolde om de achterzijde heen en klom in de laadbak. Cor had de man al op de grond getrokken en was in een gevecht verwikkeld.

Ik greep de mitrailleur en richtte de loop op de cabine. Alle ramen gingen aan scherven, de chauffeur liet zich op de bank neervallen, waarbij zijn microfoon uit de handen glipte. Toen had ik hem al bij de kraag. Ik draaide zijn graaiende hand op zijn rug en dwong hem in de laadbak te klauteren. Ik gaf hem een stevige klap in zijn nek. Hij viel op zijn knieën en greep met beide handen de rand van de laadbak vast. Hij was niet buiten westen.

Ik had geen tijd te verliezen, dook door het stukgeschoten raam en gleed achter het stuur. De motor draaide nog. Ik schakelde en gaf wild gas. De chauffeur tuimelde over de rand van de laadbak op de grond. Ik rukte aan het stuurwiel, de pick-up tolde om zijn as.

Cor sprong op de kap en gleed de cabine binnen. 'Weg wezen, ze hebben nog handwapens.' De eerste kogel boorde zich al in het dak. Er was maar één uitweg. De berm op, terug naar de snelweg. De motor loeide, de wielen slipten jankend door. We hotsten over de oneffenheden, maar we bereikten de top. De vier wielen kwamen een paar ogenblikken van de grond los toen we naar beneden doken. Over een afstand van wel dertig meter stonden voertuigen over de pechstrook verspreid. Kogels ketsten af op het koetswerk. Je reinste zelfmoord. Toch trapte ik het gaspedaal in en schoot tussen twee pick-ups door naar het midden van de snelweg. Ik gaf plankgas. Vreemd genoeg kwam geen enkel voertuig in beweging. Er werd zelfs niet meer gevuurd.

Hier klopte iets niet.

Cor was de eerste die het uitschreeuwde. Met een trillende hand wees hij over de motorkap. Ik keek voor me uit. Probleem op komst. Amper honderd meter voor ons, niet meer dan vijftig meter boven de grond, kwam een vliegtuig aan. Het landingsgestel stak al uit. De daling was al zover ingezet dat het niet meer terug kon. Ik begreep nu ook waarom die helikopter zich uit de voeten had gemaakt. Ik gaf een ruk aan het stuur. De pick-up slingerde vervaarlijk, maar bleef op de weg. Het vliegtuig hing op niet meer dan tien meter hoogte. De neus werd opgetrokken als laatste voorbereiding voor de landing.

Ik bleef strak voor me uitkijken, de handen om het stuur geklemd. De vleugel van het toestel hing helemaal over de pechstrook. We reden pal op de grote motor af, maar de sloot naast de weg belette me om verder uit te wijken. Stoppen was zelfmoord. Verder rijden eigenlijk ook.

In een flits ontwaarde ik het aarden pad dat van de snelweg weg liep. Er lag een krakkemikkig bruggetje over de sloot, daar waar het pad begon. Ik trapte het gaspedaal dieper in, althans, dat probeerde ik, want ik reed al plankgas. Ik stuurde de pick-up naar de sloot. Nog vijf meter tot het bruggetje. Het linker voorwiel gleed net naast de brug, het onderstel schuurde over het vermolmde hout. Op dat moment gleed de schaduw van de vleugeltip over ons heen. De pick-up slingerde en schoof verder. Door de snelheid belandden we in de berm. De vleugeltip hing nu helemaal boven ons. Gekraak van metaal bleef gelukkig uit. We hadden het gehaald.

Het pad naast de snelweg was goed berijdbaar en bracht ons in geen tijd diep het bos in. Het verbreedde nog. Ik nam wat gas terug om de bochten feilloos te nemen. Het lukte. We vorderden aardig en voorlopig floten er geen kogels om onze oren.

Cor was de eerste die durfde achterom te kijken. Hij slaakte een kreet.

'Ze volgen ons niet!'

Ik dacht dat hij hallucineerde. Maar hij had gelijk. Onze achtervolgers stonden nog bij de snelwegberm. De lopen van de mitrailleurs wezen werkloos naar de hemel. Een man was uitgestapt en volgde ons door een verrekijker.

'Wat is dit voor een belachelijke kermis? Wat is hier verdomme aan de hand?'

Ik hield mijn blik op de weg voor me.

We reden nog ruim een halfuur. Er was geen glimp van achtervolgers te bespeuren. Niemand legde ons een strobreed in de weg. Mijn hart ging geleidelijk aan kalmer kloppen. Ook Cor bedaarde. Hij staarde de hele weg voor zich uit en sprak geen woord. Tussen de heuvels ontdekte hij een stadje en wees me een weg langs een rivier aan, die naar het centrum leidde. We stopten op het marktplein. Een reusachtige brand had meer dan de helft van het stadje in de as gelegd. Slechts hier en daar stond nog een schilderachtig huisje met houtvakwerk overeind. Een inscriptie op een gevel vertelde ons dat we in Monschau waren, toeristische trekpleister van voor de besmetting.

Cor had geen oog voor de restanten van de pleisterplaats. 'Het klopt niet,' mompelde hij. 'Ze hadden ons zo te grazen. Waarom lieten ze ons gaan? Het heeft met jou en je opdracht te maken, niet?'

Ik haalde mijn schouders op. 'Ik snap er ook niks van. Mijn opdracht is opgeheven, maar blijkbaar is dat niet tot hier doorgedrongen. Slechte communicatie. De chauffeur van het konvooi had het er ook al over. Ze moeten naar me uitkijken. Niet uitschakelen.'

'Met andere woorden, het is allemaal één pot nat, maar de ene kant van de pot weet niet hoe het er aan de andere kant aan toe gaat.'

'Daar lijkt het op, ja.'

'Wat zouden ze met dat vliegtuig moeten? En die vrachtwagens?'

'Hun buit vervoeren?'

Hierover dacht Cor even na, maar toen schudde hij kordaat het hoofd. 'Nee, niet hier in deze streek. Hier is alles al leeggehaald. Het moet iets anders zijn.'

Ik liet me met mijn volle gewicht tegen het portier van de pick-up vallen om het open te wrikken. Het schoot met een knal open. Een metalen koker, die in een houder tegen de binnenbekleding aan had gezeten, viel op de grond. Het ding was zwart, ongeveer dertig centimeter lang. Het deksel zat onwrikbaar vast.

Cor liep om de pick-up heen en bestudeerde de koker. 'Wat is dat nu weer?' Hij draaide het om. Er zat een miniem knopje aan de onderkant. Hij drukte. Het deksel sprong een halve centimeter omhoog, maar bleef verankerd aan de koker. 'Nooit gezien. En onder het dashboard zit er nog zo eentje.' Hij drukte op het deksel. Een bruine, stroperige vloeistof spoot over zijn handen.

Ik dipte een vinger in de smurrie en rook eraan. Vage toetsen van munt, en nog iets onbeduidend wat het midden hield tussen rotte prei en wakke aardappelen. 'Dit is me onbekend. Ik zou niet weten waarvoor het gebruikt wordt.'

Cor liep het pleintje op en liet zich op de restanten van een stenen bank neerzakken. Pas nu viel het me op hoe slecht hij eruitzag. Zijn mond hing open en zijn ogen stonden wazig. Zijn borstkas ging schokkerig op en neer en zijn huid was grauw. Hij veegde het zweet van zijn voorhoofd.

'Het lijkt niet zo goed te gaan.'

Hij antwoordde niet. Hij staarde ontzet naar zijn ontblote armen. Pas na lange tijd keek hij me aan. 'Waar zijn die verdomde beesten naartoe? Heb jij die er allemaal afgehaald?'

'Nee. Dat lukte niet onder het rennen. Ik ben trouwens je tangetje kwijt.'

'Ik heb nog nooit een teek gezien die er zo maar afvalt.'

Maar hij had gelijk. De zwarte teken waren verdwenen. Er bleven alleen nog wat bloedende wondjes over.

'Die rotzakken zijn dan wel verdwenen, maar dit jeukt...' Hij krabde zich, één seconde lang, dan keek hij me weer aan. De angst stond in zijn ogen. 'Ze zitten er nog!'

Ik ging naast hem zitten en betastte zijn arm. Bij elke wonde voelde je een harde knobbel.

'Die beesten vreten zich gewoon naar binnen.' Zijn stem sloeg over van paniek. Hij stroopte zijn broekspijpen op. Ook op zijn benen waren er bloederige wondjes en harde knobbeltjes onder de huid. Hij zag lijkbleek nu. Hij probeerde met een zakmes – bij gebrek aan een tekentang – de indringers te lijf te gaan, maar moest het al snel opgeven. Ze zaten al te diep.

Ik ontkleedde me helemaal en onderzocht secuur mijn huid en kleding. Geen zwarte smeerlapjes op bezoek bij mij. Ik kleedde me opnieuw aan.

'Wat moeten we nu doen?'

Cor hoestte. Hij zwaaide met zijn arm. 'De jeuk verergert. Dit is niet uit te houden. Ik word er knettergek van.' Hij stond op en maakte een paar wankelende stappen.

'Let op. Je gaat vallen.'

Hij strompelde tot bij de pick-up. 'Laten we iets gaan doen. Lanterfanten is de hel voor me.'

'Heb je enig idee?'

'Niet meteen.

In de stilte die volgde hoorden we plots een flard muziek. Een paar maten maar, toen werd het weer stil. Na wat wachten kwam er opnieuw een flard. Omdat we niet meteen iets beters te doen hadden en eigenlijk ook iets te eten wilden vinden, gingen we op weg. We klauterden over de bergen puin in de hoofdstraat. Cor vorderde moeizaam, maar putte moed uit het feit dat de muziek steeds duidelijker klonk.

De scène had iets onwezenlijks. Tussen de afgebrande huizen stond nog één gevel rechtop. Het was een herberg. Het puin voor de deur was geruimd en er stonden drie tafeltjes met stoelen op de stoep. Er hing nog een heus reclamepaneel voor witbier tegen de muur en aan een van de tafeltjes zat een man met witte schort een boek te lezen. Op de tafel maakte zijn draagbare cd-speler kabaal.

Hij keek glimlachend op toen we aankwamen en draaide het toestel uit. Cor liet zich op een stoel vallen en hijgde van de inspanning. Zijn lamentabele toestand scheen de man niet te verwonderen.

'Jij ziet er niet goed uit, maat. Ben je in het bos bij het vliegveld gaan wandelen?'

Ik schoof bij. 'Wat is er daar misschien?'

De man wees naar de knobbels op Cors armen. 'Van die leuke beestjes die je van binnenuit opvreten.'

'Weet jij daarvan? Is het besmettelijk?'

'Niet zolang je je eigen ingewanden ophoest.'

'Zijn ze er al lang?'

De man schudde het hoofd. 'Drie maanden geleden begon de miserie. Een paar kerels hadden zich te ver in het bos gewaagd en kwamen besmet terug. Het is een nieuwe variëteit teken. Vraatzuchtige monsters. De mannen stierven korte tijd later.'

Ik keek Cor aan, die bleef er apathisch bij. 'Wat is dat met die besmetting?'

De waard van de herberg klapte het boek dicht en stond op. 'Binnen de kortste keren heb je de terminale fase bereikt. Vooral uitkijken als de patiënt bloederig speeksel ophoest.' Hij zette een paar stappen van de tafel weg.

Cor stak met een grote krachtinspanning een hand op. 'Zover is het nog niet. Maar ik voel me net een vaatdoek. Kunnen we iets eten?'

'Het spijt me. Gezien je toestand moet ik je vragen om op te krassen. Jullie kunnen voedsel en drank van me kopen, maar daarna reizen jullie door.'

Ik knikte dat ik dat goed vond.

Cor stak opnieuw een hand op. 'We zijn op zoek naar Manfred, de Duitser. Is hij in de buurt?'

De waard aarzelde iets te lang. Daarna sprak hij te snel. 'Ik ken geen Manfred. Ik ken niemand.'

Cor had de man ook door. 'Je kent hem wel. Die cd-speler hier heeft hij je geleverd. Ik kocht net dezelfde van hem.'

'Wat moet je van hem?'

'Met hem praten, dat is alles. Waar is hij?'

'Ik heb hem al maanden niet gezien. Meestal komt hij bij het begin van elke maand, maar de laatste tijd daalt die frequentie.'

Ik had het gevoel dat de waard de waarheid sprak. 'Is hij bij zijn loods aan de Rijn?'

De waard schudde het hoofd. 'Die heeft hij al lang niet meer. Onverlaten hebben zijn inboedel vernield en de loods in brand gestoken tijdens een van zijn afwezigheden. Hij verblijft nu ergens in Keulen. Waar weet ik niet.'

Dit was veruit de belangrijkste tip die ik de afgelopen dagen had gekregen. Eindelijk wist ik welke richting ik uit moest. De waard verdween in de herberg en kwam even later terug met wat ingepakte boterhammen en een kruik bier. Hij vroeg er een astronomisch bedrag voor. Cor betaalde zonder morren.

We liepen naar de pick-up terug. Cor klauterde met een laatste krachtinspanning in de laadbak en ging uitgeput op de vloer liggen. Hij wimpelde alle voedsel en drank af. Zijn ogen stonden dof.

Na het eten reed ik tot valavond verder oostwaarts. Bossen wisselden af met verlaten dorpjes. We kwamen niemand tegen. Geleidelijk aan werd het landschap vlakker en kaler. We stopten bij een vervallen industrieterrein. Bij het einde van een smalle laan vonden we een nagenoeg intacte villa. Ik beukte de deur in en we installeerden ons zo goed mogelijk voor de nacht.

Ik dacht na over wat komen zou. Het ging niet goed met Cor. Die nacht sliep ik slecht. Ik droomde dat er een pruttelend vliegtuig over de villa vloog.

29

De bank in de eetkamer waarop Cor had gelegen, was leeg. Ik doorzocht de villa, maar kon hem nergens vinden. Uiteindelijk trof ik hem buiten bij het terras aan. Hij zat op zijn knieën bij de boordsteen en bestudeerde de struiken. Hij keek niet op toen ik bij hem ging staan.

'We hebben bezoek. Vette, zwarte smeerlappen die ik niet ken. Ik bedoel die teken hier. Een voor mij onbekende soort. Opnieuw een onbekende soort. De hele tuin is er van vergeven.' Hij pauzeerde even om reutelend adem te halen. 'Het is een raadsel waar die vandaan komen. Gisteravond waren ze er niet.'

'Ben je daar zeker van?'

'Ik kon niet slapen van de jeuk en kwam hier een sigaretje roken. Ik had een zaklantaarn. In deze struiken zaten geen teken.'

Ik schrok toen hij zich omdraaide en me aankeek. Zijn armen zaten vol etterende wonden. Het beeld van die afschuwelijke rattenkoppen in de vuilnisbelt langs de snelweg flitste voorbij.

Cor had mijn consternatie opgemerkt. 'Leuk, hé! Die verdomde jeuk is deze morgen wat minder geworden. Nu begint het zaakje te ontsteken.' Hij stond op en spuwde een klodder bloederig speeksel op de stenen. 'Ik heb bijna geen adem meer. In één nacht heb ik de derde fase van de ziekte bereikt.'

Ik deinsde een paar stappen achteruit.

Cor liet me begaan. 'Je moet me hier achterlaten. Als we bij elkaar blijven, zal ik je besmetten.'

Ik slaagde erin om mijn opluchting te maskeren. Ik was inderdaad van plan geweest om Cor noodgedwongen te dumpen. Dit maakte het veel makkelijker. 'Heb je nog iets nodig? Kan ik nog iets voor je doen?'

'Ik heb een mooie villa om in te sterven. Wat wil je nog meer?' Hij begon opnieuw te hoesten. Zijn ogen traanden. 'Maak je om mij maar geen zorgen. Ik ben op onderzoek geweest. Er is nog een prima wijnkelder beneden.

Ik ga een feestje bouwen.' Hij was uitgeput. Hij leunde op de vensterbank en wuifde me weg. 'Ga maar. Geen sentimenteel gedoe. Het ga je goed, wat je ook van plan bent.'

Ik liep snel naar de pick-up en startte de motor. Ik reed weg zonder om te kijken. Ik vond vrij snel een brede weg die oostwaarts liep en reed die af. Het beeld van de verhakkelde Cor bleef me achtervolgen. De uitgeputte ogen, zijn etterende armen en benen.

Het vreemde gevoel werd steeds erger en deed me huiveren. Ik reed door een desolaat landschap. Licht glooiend, met overwoekerde velden, vernielde dorpen. Geen levende ziel meer te bespeuren. Overal een absolute, misselijkmakende stilte.

De angst sloeg pas goed toe toen ik even stopte bij een verlaten tankstation. De pompen waren al jaren buiten gebruik en ook in het aanpalende winkeltje viel niks meer te rapen. Ik maakte een ommetje. In de sloot achter de gebouwen lagen drie lijken. Wolken vliegen zwermden rond. Ik naderde verschrikt, met mijn handen voor de mond en neus.

Een oogopslag was genoeg. Het waren graatmagere sukkels met etterende wonden over hun hele lichaam en bloederig speeksel dat op hun wangen kleefde. Ik kende onderhand de symptomen.

Ik haastte me naar de pick-up en nam mijn tijd om de cabine te inspecteren. Voorlopig waren er geen indringers, maar het zou niet meevallen om met vernielde ramen door deze negorij te reizen. Ik reed voorzichtig weg. Mijn moed daalde naar een dieptepunt. Cor had me veel geluk gewenst met mijn opdracht, maar die deed er feite niet meer toe. Dit werd overleven.

30

De oude stad Keulen was een spookhel geworden. Niets bewoog. Gebouwen die nog overeind stonden waren verlaten. Ook hier straten vol puin. Auto's en bestelwagens stonden kriskras door elkaar, achtergelaten, met de portieren open. In twee voertuigen zag ik lijken liggen in verre staat van ontbinding. De aanval van de alles verslindende teken moest onverwachts en massaal gebeurd zijn. Onbegrijpelijk.

Ik reed de stad binnen vanuit het westen via de *Hahnenstrasse*, een oude verkeersader die me via de *Neumarkt* en nog een boulevard, waarvan het naamplaatje was verdwenen, rechtstreeks tot bij de Rijn bracht. Ik reed met een slakkengangetje door de donkere wijk rond de Dom. Overal stonden lage appartementsgebouwen, waarvan bijna alle ramen aan diggelen lagen. Tegen verschillende gevels zag ik wriemelende, zwarte vlekken zich een weg naar binnen zoeken. De tekeninvasie woedde in volle hevigheid. In een apotheek met kapotte uitstalramen lagen twee lijken op de vloer. Een horde ratten kroop er overheen.

De pick-up gaf het op. De tank was compleet leeggereden. Ik had er niet aan gedacht naar brandstof uit te kijken. Bijna een halfuur bleef ik besluiteloos in de cabine zitten. Wind deed stof opwaaien. Verschrikt hield ik het dashboard in de gaten. Voorlopig drongen er geen teken naar binnen. Maar ik wist dat dit niet lang meer zou duren. Ik kon hier niet blijven zitten.

Mijn beschermend pak was ik kwijt. Gelukkig had ik mijn laarzen nog. Ik greep mijn rugzak – heel voorzichtig en toch maar even alle plooien nakijken – en stapte voorzichtig uit. Ik strompelde tussen het puin en hield het wegdek in de gaten. Deze straat zag er clean uit. Er waggelden een paar ratten langs de riool, maar er waren geen teken. Ik liep de straat uit en kwam op een plein. De struiken op de rotonde leken wel een eigen leven te leiden. Het krioelde er van de teken.

Ik bleef langs de gevels lopen. Heel voorzichtig, goed uitkijkend bij elke pas. Ik hield de gevels angstvallig in de gaten. Het angstzweet brak me uit. Wat dacht ik hier in 's hemelsnaam te vinden? Wat moest ik beginnen?

Abrupt bleef ik staan. Had ik het me verbeeld? Mensenstemmen? Ik zou durven zweren dat ik mensenstemmen had gehoord. Gedempt. Fezelend. Ik keek om me heen. Het plein was leeg. Ik draaide me om. Het gebouw voor me was niet hoger dan al de andere op het plein, maar verkeerde wel in prima staat. De gevelstenen waren blijkbaar nog niet zo lang geleden gezandstraald, alle ruiten zaten nog in de ramen en bij de massieve voordeur brandde een lampje in het belgarnituur. Er stond echter geen naam vermeld.

Ik belde aan. Geen geluid, binnenin bleef het stil. Ik duwde voorzichtig tegen de deur. Die draaide geruisloos open. Zonder nadenken stapte ik de donkere gang in.

31

Woensdag 11 september 2052

16.59 uur

Ik vorderde stapje voor stapje. Mijn ogen wenden aan de duisternis. Ik zag nog een deur aan het einde en duwde die open. De gang kwam uit op een bredere hal, die verlicht was. De plafondlampen, helemaal ingewerkt en met glazen platen afgedekt, verspreidden een diffuus licht. De wanden waren betegeld tot tegen de zoldering. Meerdere deuren gaven op deze hal uit. Over de hele oppervlakte waren metalen platen op het hout geschroefd. Op de spekgladde vloer lag geen stofje.

De stilte werd verbroken. Een metalige stem weerklonk door een luidspreker. *'Hier haben Sie nichts zu suchen. Was machen Sie hier?'*

Ik was te verbluft om te antwoorden en staarde naar de luidspreker. Uiteindelijk wist ik een paar woorden te prevelen. *'Ich... eh... spreche leider kein deutsch.* Ik kom uit... eh... het westen.'

De stem schakelde probleemloos over. 'Wat kom je hier doen?'

'Ik ben op de vlucht voor de teken. De voordeur was open.'

'Doen we meestal voor sukkels als jij. Schrik niet. Wij nemen alleen wat voorzorgen. Wie ben je?'

Ik draalde als een betrapte schooljongen. 'Wie zijn jullie? Wat heeft dat hier allemaal te betekenen?'

'Geen vragen met vragen beantwoorden. Zo komen we er niet uit.'

'Mijn naam is Paul Notteboom. Ik ben verdwaald.'

'Dat kun je wel zeggen. Niemand komt hier voor zijn plezier. Waar wilde je heen?'

Ik had eigenlijk geen zin meer in leugens en mijn opdracht kon me op dit ogenblik gestolen worden. 'Ik ben op zoek naar Manfred, de Duitser. Maar het doet er allemaal niet meer toe.'

'Wat moet je van Manfred?'

Plots was ik op mijn qui-vive. 'Ken jij Manfred?'

'Ik heb al van de man gehoord.'

Er viel een ellenlange stilte. Ik had blijkbaar een gevoelige snaar geraakt, al kon ik me niet voorstellen welke. Er klonk een droge klik door de luidspreker. Ze hadden hem uitgeschakeld om overleg te plegen. Nog een klikje. Ze gooiden het over een andere boeg. 'Wil je je helemaal ontkleden?'

'Is dit een grap?'

'Ja, natuurlijk. Wij hebben het zo naar onze zin dat we graag grappen maken.' Er volgde een geluid dat op een zucht leek. 'Dit is nog een van de laatste niet besmette gebouwen van de stad. En dat willen we een tijdje zo houden. Geef al je kleren en je rugzak af voor inspectie en laat ons je lichaam bekijken. Er zit een camera in de rechtermuur.'

Ik deed wat me werd gevraagd. Ik gooide mijn kleren op een hoopje en maakte in mijn blote reet een rondje voor de lens. Het resultaat was blijkbaar bevredigend, want een van de deuren sprong plots open. Een man in een beschermend pak kwam het vertrek binnen. Hij negeerde me. Hij propte mijn kleren en mijn rugzak in een kleine, metalen container en verdween. De deur liet hij open.

Na een paar seconden was hij er opnieuw. Hij gooide me een handdoek toe en gebaarde hem te volgen. Achter de deur lag nog een steriel vertrek. Twee mannen – volledig beschermd – onderzochten mijn kleren en rugzak. We kwamen in een smalle sluis. De deur klapte achter ons dicht en uit de zoldering sproeide een mistige vloeistof. Het goedje rook naar jasmijn.

De voordeur van de sluis draaide open. Een vrouw van middelbare leeftijd verwelkomde me schichtig. Ze keek me even aan en wendde toen haar blik af, alsof ze verlegen was.

Ze leek wel wat op Rosy. Ze was veel zwaarder gebouwd en had een massa rimpels in het aangezicht, maar ze had diezelfde doordringende blik. Als ze je aankeek tenminste.

Op het tafeltje voor haar lag een stapel kleren. Ze wees ernaar, het hoofd nog steeds afgewend. 'Trek deze maar aan. De jouwe zijn wel niet besmet, maar niet erg fris meer. Maatje tweeënvijftig. Heb ik dat goed gezien?'

Dat had ze. Met de nieuwe kleren en de jasmijndouche voelde ik me als herboren. Ze had nog meer leuke verrassingen. Ze verdween even in een aanpalend vertrek en kwam terug met een bord belegde boterhammen en een fles water. Een godenmaal.

De vrouw verliet snel het vertrek. Ik was net begonnen aan de laatste boterham toen een man de kamer binnenkwam. Hij nam een stoel bij de wand en ging tegenover me zitten. Ik schatte hem ergens in de vijftig, maar met een atletisch lichaam. Gave huid, weinig rimpels en fijne handen. Zijn grijze haar zat onberispelijk en zijn nagels waren duidelijk gemanicuurd.

'Eet rustig verder,' zei hij glimlachend, toen hij zag dat ik aanstalten maakte om op te staan. 'Je zag eruit alsof je al een tijdje rondzwierf.'

'Wat is hier in godsnaam aan de hand? Die beesten gaan verschrikkelijk tekeer.'

'Heb je kennis gemaakt met de *Trojan Horse*?'

'De *Trojan Horse*?'

'Zo zijn we die rotbeesten gaan noemen. Zo'n drie maanden geleden is het begonnen. Het schijnt weer een nieuwe variëteit te zijn, een geëvolueerd monster. Vroeger had je nog een redelijke kans op overleven. Ik bedoel, als je wat voorzichtig was, kon je de meeste van die beesten ontlopen. Zelfs als je de ziekte in de eerste fase had, betekende dat nog niet een onmiddellijke dood.'

Ik knikte, terwijl ik over het afschuwelijke einde van Cor vertelde. 'In één nacht had hij de ziekte in de derde fase te pakken.'

Mijn verhaal over Cor greep de man duidelijk aan. Rimpels verschenen in zijn gave huid. 'Het is erger dan de derde fase. Ze vreten zich een weg naar binnen en gaan dan aan het werk. Ze hebben een duidelijke voorkeur voor de wekere organen. De lever en de nieren worden het eerst aangetast, daarna volgen de longen. Het lijkt wel of het hele lichaam zich ontbindt terwijl het slachtoffer nog leeft.' De man stond op en schudde me de hand. 'Laat ik me voorstellen. Ik ben Oswaldo Kruger. Plastisch chirurg. Ik had hier vroeger een privé-kliniek. Sinds de besmetting, en dan zeker de *Trojan Horse*, is het echter een laatste schuilplaats geworden.'

'Niemand hier is ziek?'

'Bijna iedereen, ook ikzelf, heeft slechts de eerste fase te pakken. Maar zoals je wel zult weten, valt daar mee te leven.'

Stilte. De dame kwam het lege bord afruimen.

Kruger schudde triest het hoofd. 'Ik heb het enge voorgevoel dat dit nog maar een begin is. Het begin van het einde. Die monsters lijken van overal te komen. Onvoorstelbaar.'

'Enig idee waar ze vandaan komen?'

Oswaldo Kruger schudde het hoofd. 'Ik ben natuurlijk geen bioloog, maar mijn gezond verstand zegt me dat hier meer aan de hand is. Nou ja, ze hebben natuurlijk ook alle kansen om zich te ontwikkelen. Er zijn haast geen natuurlijke vijanden meer.'

Ik vroeg me af of ik over de vrachtwagens en het vliegveld moest beginnen toen een man de kamer kwam binnenstormen.

Hij had een wapen in de hand. 'Deze man is een verrader, Oswaldo. We hebben zijn voertuig gevonden. Een pick-up met mitrailleur. Zoals ze op de snelweg hebben.'

Kruger keek me ijskoud aan. 'Behoor jij tot dat gespuis op het vliegveld?'

Dus dat wist hij ook. 'Die pick-up heb ik bemachtigd op de snelweg toen we werden aangehouden. Cor en ik slaagden erin om te ontsnappen. De hele tank is leeggereden, daarom kwam ik hier terecht.'

De man met het wapen was niet te vermurwen. 'Ik geloof hem niet. Hij is een leugenaar.'

Oswaldo stond op. 'We kunnen natuurlijk geen risico nemen.'

'Jullie hebben alles wat ik bij me had onderzocht. Ik heb geen radio bij me, geen wapen. Ook in de pick-up is er geen radioverbinding. Niemand van die kerels zou zich zo in deze hel wagen. Ik ben geen verrader.'

De man keek Oswaldo aan en knikte langzaam. 'Dat is juist. Er is niks te vinden in het voertuig. Maar dat pleit hem niet vrij. We moeten uit onze doppen kijken.'

Oswaldo Kruger hief een hand op en onmiddellijk stormden nog twee gewapende mannen de kamer binnen. Ze trokken me ruw recht. 'Breng hem naar de cel. We moeten dit eerst verder onderzoeken.'

'Ik vind dat we hem moeten liquideren. Hij behoort bij dat uitschot.' De man zwaaide vervaarlijk met het wapen.

Oswaldo schudde krachtig het hoofd. 'Nee. Sluit hem op en stuur een patrouille naar buiten. Als hij niet alleen is gekomen, dan moeten we zijn maatjes snel genoeg vinden. Vraag Raymondo om de leiding op zich te nemen.'

'Raymondo raakte gisteren besmet. Het gaat niet goed met hem. Hij is er in geslaagd drie teken te verwijderen, maar hij vreest dat er toch een paar naar binnen zijn.'

Oswaldo zuchtte. 'Ik zal meteen naar hem gaan kijken. Breng deze kerel intussen weg.'

Mijn cel was vlakbij. Een lange gang, wat reeksen trappen en nog een gang. Ik zette me op de harde brits, het enige meubelstuk in het kale vertrek zonder ramen.

'Wacht even, nog niet sluiten. Ik heb een voorstel.'

De man keek me snoevend aan. 'Niks voor te stellen. Geen onderhandelingen met verraders.'

'Ik ben geen verrader. Dat zal ik jullie bewijzen. In mijn rugzak zit een zwarte metalen koker. Als je op het knopje onderaan duwt, springt hij wat open. Als je dan drukt, komt er een bruine vloeistof uit. Sproei die vloeistof over de tekenbeten die Raymondo heeft opgelopen.'

De man keek me smalend aan. 'En dan?'

'Wacht het resultaat af. En kom het me vertellen. Ik wacht wel. Ik ga intussen nergens heen.'

32

Van pure vermoeidheid was ik op de harde brits in slaap gesukkeld. Toen de deur van mijn cel werd opengegooid, lag ik echter al een hele tijd wakker. Oswaldo stapte kordaat naar binnen en gooide de celdeur achter zich dicht.

Hij keek me lang en gespannen aan. 'Hoe kom jij aan die koker?'

'Heeft het geholpen?' Ik krabbelde onhandig recht.

'Wat zit er verdomd in die kokers?'

'Dat weet ik niet. Dat gespuis op de snelweg beschikt erover. In elk voertuig zijn wel een paar van die kokers te vinden. Zo ook in de pick-up die ik stal. Heeft het spul geholpen?'

Oswaldo Kruger ging zuchtend naast me op de brits zitten. 'De toestand van Raymondo is gestabiliseerd. Dat is al iets. De vloeistof uit de koker is eigenlijk een preventief middel. Het is de bedoeling dat het de teken doodt voor ze in je lichaam terechtkomen. Ik wist niet dat er zo'n middel bestond.'

'Ik ook niet. Ik kwam het door een toeval te weten. Cor had per ongeluk die bruine stof over zijn linkerhand gehad. Daarna kwam hij in die verraderlijke smurrie terecht. Toen ik hem achterliet en afscheid nam, kreeg ik zijn handen in de gaten. Zijn linkerhand bleef van tekenbeten gespaard. Ik veronderstelde dat het met die koker te maken had.'

Oswaldo stond op en keek me indringend aan. 'Niemand hier vertrouwt je. Maar ik ben bereid om dat tot op zekere hoogte toch te doen. Kom mee, ik wil je iets laten zien.'

Mijn zesde speelde op. Iemand die me vertrouwt, wantrouw ik altijd. Ik kreeg geen kans om enige voorbereidingen te treffen. Oswaldo leidde me door een wirwar van gangen en plots stonden we op een overdekte binnenplaats. Angstvallig bekeek Kruger de dichtgestopte dakranden en checkte nauwkeurig de vloer. Geen teken.

De voorzorgsmaatregelen konden me gestolen worden. Ik was als aan de grond genageld. Op de binnenplaats stond een vrachtwagen. Een oud, aftands geval met gestapelde, houten kratten op de laadvloer. De vracht-auto van Manfred!

Oswaldo Kruger tikte tegen het portier. Er kwam beweging in de cabine. Het portier zwiepte open en een oude man met lange haren klauterde onhandig naar buiten. Manfred de Duitser liep naar me toe en keek me onderzoekend aan.

Hij had niet veel tijd nodig om tot een besluit te komen. 'Dit is de man die ik in het baanrestaurant zag en die me sindsdien volgt. Hij is hier dan toch geraakt!'

Ik keek kwaad naar Kruger. 'Hij wist dat ik hem volgde? Hij heeft me naar hier gelokt?'

'Dat was de bedoeling. Maar je speelde hem kwijt. Je ging tegen alle waarschuwingen in via het centrum van Luik, waar je werd opgehouden in die tunnel. Toen je hem uiteindelijk weer oppikte, bij de overzet aan de Maas, hadden we al te veel tijd verloren. Hij had vitale informatie voor me mee. Daarom nam Cor het over. Hij stuurde je opnieuw de goede richting uit.'

Er viel meer dan één stuk van de puzzel op zijn plaats. 'Jullie horen al-lemaal bij elkaar? Ik ben als de eerste de beste amateur naar hier gelokt?' Ik keerde Manfred de rug toe en keek Kruger indringend aan. 'Dus jij bent de Bulldozer?'

Oswaldo Kruger knikte stijfjes. 'Ik heb nooit van die naam gehouden. Klinkt zo barbaars.'

Er waren enkele mensen op de binnenplaats verschenen. Vanuit mijn ooghoeken zag ik dat ze allemaal gewapend waren. 'Je hoeft je troepen niet te alarmeren. Ik ga nergens naartoe.'

'Nee. Maar je bent hier niet voor je plezier. Je zit bij de Politieraad en je hebt een opdracht. Je moet me onderscheppen en naar Tetraville bren-gen voor een schijnproces.' Kruger was voor me komen staan en keek me fijntjes aan.

'Ik weet niets van een proces.'

'Natuurlijk niet. Jij weet nergens van. Het is de hoogste tijd dat wij eens praten.'

33

Oswaldo Kruger had een privé-vertrek op de eerste verdieping van het gebouw. De muren waren verborgen achter immense boekenkasten. Er stonden twee bureaus die vol mappen en documenten lagen. Verder was er slechts plaats voor een piepkleine sofa omdat een groot gedeelte van de ruimte werd ingenomen door drie televisietoestellen. Op de grond stonden enkele videorecorders en dvd-spelers. Overal lagen cassettes en filmbanden.

Ik staarde verstrooid naar de troep. 'Jouw eigen museumpje?'

Kruger keek me kwaad aan en stuurde iedereen weg die ons begeleid had. Ik hoorde de sleutel in het slot knarsen.

'Ga zitten.' Zelf ging hij achter een bureau zitten.

Ik veegde wat rommel uit de sofa. Er gleden twee cassettes op de vloer. Een etiket op de doos verwees naar een oud journaal. Ik raapte de cassette op. Mijn hoofd tolde. 'Jullie inbraak in de kantoren van de regionale televisie. Komt deze videoband daar vandaan?'

Kruger gromde. 'Ik ben blij dat je hersenen het toch nog een beetje doen.'

Ik kreeg langzaam genoeg van zijn arrogante toon. Ik speurde de kamer rond. 'Liggen hier nog trofeeën? Souvenirs van andere inbraken?'

Kruger stond op en gooide enkele diskettes op mijn schoot. 'Deze zijn afkomstig van de inbraak in de kantoren van de verzekeringsmaatschappij. De brandkast die we in de kelders van het koninklijk paleis hebben buitgemaakt, hebben jullie teruggevonden. De inhoud ligt daar.'

Op een bijzettafeltje lag een stapel fotomateriaal. Uitvergrotingen, mappen met kleine kiekjes en hele negatiefrolletjes. Het fotopapier golfde, de randen waren omgekruld.

'Het hele boeltje is in het water terechtgekomen. Gelukkig niet lang. We konden de foto's nog onderzoeken. Lang genoeg om opnieuw te constateren wat we al lang wisten.'

'En dat is?'

Kruger ging zuchtend zitten. 'Dat er niks te vinden is.'

'Over wat? Over wie?'

'Over de president.'

Ik had moeite met de onverwachte wending van het gesprek. 'De president?'

'*Monsieur le Président.* Ken je hem?'

Ik haalde mijn schouders op en ging achterover leunen. 'Niet meer dan elke andere bewoner van Tetraville. Van enkele occasionele verschijningen op televisie.'

Vreemd genoeg scheen dit antwoord Kruger uitermate te bevallen. Hij glimlachte breed. 'Juist ja. De televisie. Tetranet. Het enige staatsnet dat nog in Tetraville te ontvangen is.' Hij leunde voorover en zijn stem daalde angstwekkend. 'Waarom wordt er niks over hem bewaard?'

Ik keek naar de videobanden op de vloer. 'Over de president? Niks?'

'Niks. Ik heb de bewijzen. Die banden bevatten de journaals in chronologische volgorde.' Hij scharrelde enkele bladen bij elkaar en zette zijn leesbril op. 'Hier is een verslag van een uitzending op een dag in mei, vorig jaar. Er zat een kort interview met de president in.' Hij wees naar de band. 'De passage is gewist op de band.'

'Zo?' Ik probeerde het luchtig te laten klinken.

'Ik bespaar je de details, maar ik heb hier de bewijzen van nog vier soortgelijke ingrepen. Het grofste is de eindejaarstoespraak van de president.'

'Wat is daarmee?'

'Geen spoor meer van te vinden. Van geen enkel jaar.'

Ik begreep nog steeds geen snars van zijn betoog. 'Hou jij je met deze zaken bezig? Neem je daarom al die risico's om Tetraville binnen te dringen?'

Hij tikte met zijn vinger op de diskettes. 'Ik weet uit goed ingelichte bron dat de president een levensverzekering heeft bij deze maatschappij. We zijn erin geslaagd in hun interne systeem binnen te dringen. Al hun dossiers, alfabetisch gerangschikt. Het dossier van Monsieur le Président bestaat niet. Gewist.'

'Hij is misschien naar een andere maatschappij gegaan.'

Ik had het eigenlijk niet sarcastisch bedoeld, maar Kruger begon zich vreselijk op te winden. 'Niks van. Daar ben ik absoluut zeker van.' Hij stond op en gooide me de verkreukelde foto's op de schoot. 'Vier jaar geleden overleed het laatste lid van de koninklijke familie in het oude Nederland. Het laatste lid van alle Europese monarchieën trouwens. Het kwam uitgebreid aan bod in de pers. Neem al die foto's maar door.'

Ik kende het antwoord onderhand al. 'De president komt nergens op de foto's voor.'

'En niet in de krantenarchieven, niet in de televisiearchieven, nergens. We dachten dat in de catacomben van het koninklijk paleis wel iets zou te vinden zijn. Maar ook daar is de boel netjes schoongemaakt.'

Het bleef lange tijd stil in het vertrek. Kruger ontspande wat en ging weer aan zijn bureau zitten. Ik stond op uit de krakkemikkige sofa en ijsbeerde door het vertrek.

Ik hield halt voor het bureau. 'Ik snap niks van deze hele onderneming. Je leeft hier temidden van niets ontziende teken. Iedereen vecht voor zijn leven. En het enige waar jij je druk om maakt, zijn de verschijningen van de president. Misschien houdt hij wel niet van herinneringen aan dit moeilijke presidentschap.'

'Lariekoek. Ik wil weten wat er aan de hand is. Ik wil weten waarom de president zich verbergt. Ik heb hier nu voldoende bewijzen om die stelling te staven.'

Ik zuchtte.

Kruger had iets van een koppige steenezel. 'En ik wil het hem zelf vragen. Al is dat het laatste wat ik doe op deze wereld.'

'Maar waarom toch?'

'Omdat de president mijn broer is.'

34

Donderdag 12 september 2052
14.09 uur

'Jouw broer?' Ik wist even niet waar ik het had. 'Ik dacht dat de president van Franse afkomst was?'

We waren intussen de rommel van het kantoor ontvlucht en gebruikten in een belendende kamer een karig maal.

Kruger nam een slok van het koele bronwater. 'Dat zijn wij ook. Kruger is niet mijn echte naam. Wij stammen uit het geslacht van de Rochebrunner. Onze familie komt uit de Elzas. Duits en Frans zijn altijd onze moedertalen geweest. Onze familienaam wordt ook op de meest onmogelijke manieren uitgesproken, afhankelijk van de nationaliteit van de spreker.'

Oswaldo schoof zijn leeg bord wat opzij. 'Mijn broer Pierre week al snel uit naar Parijs. Hij studeerde daar eerst politieke wetenschappen en toen hij zijn diploma op zak had, maakte hij razendsnel carrière in de politiek. Ik vertrok naar Heidelberg voor mijn studies en kwam uiteindelijk hier in Keulen terecht.'

Ik zag het al voor me. 'Maar toen kwam de besmetting. Jullie verloren elkaar uit het oog.'

'Zoiets, ja. Niet dat er meningsverschillen waren. Maar door de hele heisa rond de besmetting hadden we elk aan onze kant de handen vol. Onze ouders bezweken al snel aan de ziekte. Andere familie hebben we niet. Ik werd besmet en ben sindsdien onvruchtbaar. Bij mijn broer kwamen er ook geen nazaten.'

'Dat heb ik altijd vreemd gevonden. Als president moest hij toch het goede voorbeeld geven?'

Ik nam nog een hap van de koude kip.

'Ik zie het vervolg van je verhaal al voor me. De laatste ontmoeting met je broer was op de begrafenis van jullie ouders. Klassiek verhaal, zou ik zo zeggen.'

'Ja. Dat was twee jaar voor de oprichting van Tetraville. Hij was toen nog geen president. Pierre zag er moe en afgetobd uit en hij was weinig spraakzaam. Hij vertelde alleen dat hij in de commissie zat die de haalbaarheid van een omwalde stad onderzocht. Welke functie hij daar vervulde liet hij in het midden. Hij verdween meteen na de dienst opnieuw naar Parijs.'

Ik knikte. 'In 2040 werd de muur gebouwd. Daarna had je zeker geen enkel contact meer met hem.'

'Zo is dat. Mijn telefoontjes bleven onbeantwoord. Je kunt je mijn verbazing voorstellen toen ik later vernam dat hij president van het afgeschermde Tetraville zou worden. Jammer genoeg veranderde dat niets aan de situatie. Als ik hem op zijn vroegere kantoor belde, werd ik van hot naar haar doorverbonden. Nog geen maand later bleken alle nummers plots veranderd. En nu zijn er al helemaal geen verbindingen meer.'

Het hele opzet van de Bulldozer begon me duidelijk te worden. 'Je besloot zelf naar Tetraville te komen.'

'De eerste weken waren er nogal wat mazen in het net. Vooral omdat op enkele plaatsen het bouwwerk nog niet helemaal klaar was. Ik raakte binnen, samen met enkele medewerkers. Maar het lukte ons nooit om tot de Zone P door te dringen, laat staan om in de buurt te komen van de president. Het lijkt daar wel een vesting binnen een vesting. Ben jij daar ooit geweest?'

Ik moest hem teleurstellen. Hij had inderdaad een punt. 'Super afgeschermd. Niemand komt erdoor. Zelfs wij van de Politieraad niet.'

Mijn kip was naar binnen gewerkt. Ik leunde lui achterover. 'Maar terwijl jullie toch binnen waren, ronselden jullie aanhangers.'

Kruger knikte spaarzaam. 'Ik vond het te gevaarlijk om zelf te blijven. We hebben inderdaad een paar mensen die ons willen helpen. Een rechterhand van me is achtergebleven om de zaken te coördineren. Naarmate de bewaking van de muur strenger werd, moesten we overschakelen op andere methoden.'

'De helikopter.'

'Precies.'

'Heeft de laatste lading wat opgebracht?'

Hij schudde meewarig het hoofd. 'Niets wat we al niet wisten.'

'Namelijk dat er niks te vinden is.'

'Zoiets, ja. Mijn haast was nergens goed voor.'

Ik wist niet goed wat ik met dit verhaal aan moest. Kruger leek me uiteindelijk niet zo'n misdadiger. Misschien maakte hij zich wel terecht zorgen over zijn broer. Maar ik kon net zo goed te maken hebben met een bedrieger die me het ene fantasierijke verhaal na het andere op de mouw spelde. Ik gaf het gissen op. Mijn opdracht was: de Bulldozer binnenbrengen, zonder commentaar.

Ik glimlachte. 'Jij wist van bij het begin dat ik naar jou op zoek was en je hebt me naar hier gelokt. Dat kan maar één ding betekenen.'

'Oh ja?' Hij keek me smalend aan.

'Je voelt je nu binnen Tetraville voldoende omringd door medewerkers om zelf het grote werk aan te pakken. Je wilt dat ik mijn opdracht volbreng. Dat ik je oppak. Zo heb jij een vrijgeleide om Tetraville binnen te komen.'

'Ik moet eerlijk toegeven dat ik je wat onderschat heb. Je kunt behoorlijke deducties maken.'

'Maar als we binnen zijn, bepaal jij de gebeurtenissen.'

Hij schoof het bord helemaal van zich af en zakte wat onderuit. 'We verzinnen wel wat. Ik wil je niet in gevaar brengen. We zetten wel een ontsnapping op het getouw, zonder dat iemand jou met de vinger kan wijzen. Het belangrijkste is dat ik Tetraville binnenraak.'

'En waarom zou ik dit allemaal voor je doen?'

Hij grinnikte en stond op. Hij liep rond de tafel en boog zich naar me toe. 'Omdat ik hier met één vingerknip kan beslissen over jouw leven of dood.' Hij strekte zich en ging weer op zijn stoel zitten. 'Maar ik ben tegen nutteloos bloedvergieten en wil je een eerlijke kans geven om dit avontuur heelhuids te overleven. Tenslotte heb je met deze zaak niks te maken.'

Ik staarde voor me uit en leek na te denken. In werkelijkheid had ik mijn eigen agenda allang opgesteld. Het kwam steeds op hetzelfde neer. Ik wilde terug naar mijn veilige leven binnen de muren van Tetraville. Liefst zo snel mogelijk.

'Goed,' zei ik uiteindelijk. 'Ik breng je naar binnen. Wat er daarna gebeurt, beslis je zelf.'

Oswaldo Kruger keek me lang aan. Zijn staalharde ogen verraadden geen enkele emotie.

35

Hoewel de deur van mijn kamertje niet op slot was, was ik de gevangene van Kruger. In de gang hingen camera's tegen het plafond die elke beweging registreerden. Of er permanente controle was, wist ik niet. Ik had ook geen zin om dat uit te vissen. Het raam van het kamertje interesseerde me meer. Het gaf uit op het dak over de binnenplaats. Tegen de muur zat een goot voor het afvoeren van regenwater. Die goot steunde op de muur, dat had ik gisteren, toen we bij Manfreds vrachtwagen stonden, opgemerkt. Ze zou dus zeker mijn gewicht kunnen dragen.

Het raam zelf had ik al meerdere malen geïnspecteerd. Er zat geen alarmsysteem op. Ik opende het voorzichtig. Ik leunde door het raam en inspecteerde de muur. Geen spoor van teken. Ik klom naar buiten. De goot was nauwelijks een meter lager, het werd bijna een avondwandelingetje.

Ik liep naar de achterkant van het gebouw. Daar rees een hoge blinde muur van het aanpalende gebouw op, maar dat kon me niet deren. Het kleine dakraam interesseerde me. Het stond op een kier. Ik verwijderde voorzichtig de geperforeerde folie die bescherming bood tegen teken. Mijn hand raakte net naar binnen. Ik vond de hendel en wist het raam helemaal open te kantelen.

De goden waren me goed gezind. Manfreds vrachtwagen stond nog steeds op dezelfde plek als vanmorgen. Ik glipte naar binnen en liet me voorzichtig zakken. Mijn voeten raakten het dak van de cabine. Ik klauterde verder naar beneden. Het was stikdonker op de binnenplaats, maar ik had geen tijd te verliezen. De kans was bijzonder groot dat een bewaker hier rondjes liep.

Ik sloop naar de achterzijde van de vrachtwagen. Enkele kratten waren gelost, maar het overgrote deel stond er nog. De eenvoudige hangsloten waarmee de deksels vastgemaakt waren, boden geen weerstand tegen de priem die ik had meegebracht. Ik gluurde in een paar kisten.

Mijn onderzoek duurde slechts vijf minuutjes. Bij de vierde krat was het bingo. In het licht van de lucifer die ik had aangestoken, zag ik meteen wat ik al een tijdje vermoedde. Ik raakte niks aan, maar sloot de kratten netjes af. De hangsloten klikten weer dicht. Na wat klauterwerk bereikte ik mijn kamertje. Ik wachtte nog ettelijke minuten vooraleer ik het raam afsloot. Op de binnenplaats beneden bleef alles rustig.

36

Het kostte ons anderhalve dag om alle voorbereidingen voor ons vertrek te treffen. Niets werd aan het toeval overgelaten, Oswaldo Kruger scheen over een goed geoliede ploeg te beschikken. Iedereen kreeg zijn deel van de opdracht.

Vooreerst de camper. Waar die plots vandaan kwam, bleef me een raadsel. Een joekel. Twintig meter lang, dubbele as achteraan, opgevoerde motor, alle mogelijke comfort. De ramen waren zorgvuldig afgedekt, alle sponningen extra beveiligd. Het luchtverversingssysteem was weggehaald en in de plaats was een intern circuit geplaatst. Achteraan was heel wat ruimte opgeofferd om een watertank te installeren. Het ding kon meer dan duizend liter bevatten. De koelinstallatie was aanzienlijk uitgebreid om zoveel mogelijk proviand in te slaan.

Met dit ding konden we een eindje opschieten.

Ik hield me afzijdig bij de voorbereidingen. Kruger deelde de lakens uit en leek helemaal op te gaan in wat komen zou. Toch wist ik dat hij een paar mannetjes opdracht had gegeven om me discreet in de gaten te houden. Ik gedroeg me voorbeeldig.

Oswaldo had me aangeduid als vrijwilliger om het vehikel te besturen. Hij zat op de stoel naast me, vastgeketend aan de ijzeren voet. De hangsloten waren niet dicht geklikt en bij gevaar kon Kruger zichzelf binnen de minuut bevrijden. Dat hadden we verschillende keren uitgeprobeerd. Ik had discreet mijn horloge in de gaten gehouden. Het record was vijftig seconden.

Twee van zijn mannetjes stapten mee in de camper. Ook dat had ik niet anders verwacht. En ik wist dat er minstens drie andere voertuigen ons zouden begeleiden. Kruger speelde op veilig.

De eerste uren verliepen traag en zonder enig incident. We verlieten Keulen aan de noordzijde en draaiden dan langzaam naar het westen. We lieten de oude snelweg helemaal links liggen – letterlijk en figuurlijk – en reden langs bochtige wegjes door het golvende landschap. Af en toe ving ik een glimp op van de andere voertuigen die ons begeleidden. Ik had er totnogtoe twee geteld, maar ik was er zeker van dat er nog een paar in de buurt waren.

Het traject dat we volgden zou ons bij de Maas ten noorden van de oude stad Maastricht brengen. Daar zouden we waarschijnlijk makkelijk een overzet vinden en dan was het de bedoeling om dwars door het oude Nederland af te zakken naar Poort Oost-55 van Tetraville.

Ik had dus niet veel tijd meer om een plan uit te dokteren. Ik wilde namelijk, als we over de Maas waren, naar Luik en van daaruit via de oude E-40 naar Poort Oost-54 doorstomen. Ik kende dit traject beter en het was ook veel korter. Ik vermoedde dat Kruger de weg door Nederland had gekozen omdat hij daar over meer medewerkers beschikte. Dat mocht dus mooi niet doorgaan. Bleef het heikele punt hoe ik onze begeleiders kon afschudden en de lijfwachten in de camper kon uitschakelen.

We bereikten de oever van de Maas zonder moeilijkheden. Kruger kende de streek beter dan hij wilde laten uitschijnen. Hij stuurde me feilloos naar een haventje bij een oud industrieterrein. Een houten staketsel stak een heel eind in het water. Er lagen verschillende overzetboten aangemeerd. We hadden maar uit te kiezen. Dat was een streep door mijn rekening. Ik had nog steeds geen plan.

We maakten de overtocht met de grootste boot. Op het vlakke dek stonden welgeteld veertien voertuigen. Ik zat schijnbaar relaxed achter het stuur en wachtte op de dingen die komen zouden. Maar intussen hield ik de andere voertuigen scherp in de gaten. Welke van deze voertuigen hoorden bij ons?

Twee vrachtwagens met proviand vielen af. De chauffeurs zaten op een bankje en dronken ongeïnteresseerd koffie uit een thermos. Dan waren er nog vier personenwagens die ik ook kon schrappen. Ze hoorden bij twee families met een paar bejaarden aan boord. Niemand keek ook maar één ogenblik naar de camper om. Nog drie andere voertuigen leken me niet tot de Kruger-clan te behoren. Ze stonden te ver. Ze hingen over de reling en staarden naar de grijze Maas.

Bleven vier verdachte auto's over. Twee stonden in de rij naast ons. De andere twee stonden pal voor ons. Alle chauffeurs zaten nog achter het stuur, de begeleiders weken niet meer dan een meter van de auto's af. Mijn primitieve plan rijpte langzaam. Met wat wringen zou ik er in slagen voor de auto's naast me van de overzet te geraken. Dus moest ik iets vinden om de twee voor me uit te schakelen.

Ik wachtte geduldig tot de boot aanmeerde. Ik startte de motor en reed met korte, nerveuze schokjes achter de wagens aan. Ik liet amper een halve meter tussenruimte. Niemand haalde het in zijn hoofd om zich ertussen te wringen.

De kade was een grote, lege vlakte. Achteraan stonden een paar verlaten loodsen. De twee wagens van Kruger reden nog voor me uit. Mijn hart klopte in mijn keel. Ik mocht het niet langer uitstellen. Met een forse uithaal van mijn rechtervoet trapte ik het gaspedaal helemaal in en schakelde meteen de cruise control in. De camper sprong naar voren, de twee lijfwachten in de cabine tuimelden achterover.

Ik hoorde Kruger iets roepen, maar ik was al uit mijn stoel opgesprongen. Ik dook op de lijfwachten af. Ze waren totaal verrast. Ik mepte precies en sloeg hen zonder tegenstand buiten westen. Net toen ik overeind krabbelde, kwam de schok. De camper botste tegen een van de auto's voor ons. Ik viel voorover, tegen Kruger aan. Die gromde en rukte aan de kettingen. Ik zag dat hij al één hand vrij had. De rugleuning van zijn stoel brak mijn val en ik herstelde vliegensvlug mijn evenwicht. Ik gaf Kruger een welgemikte tik in de nek. Hij zakte voorover en protesteerde niet meer.

De motor van de camper brulde nog steeds. Het aangereden voertuig was in een sloot gesukkeld, onze camper donderde vooruit. Ik sprong achter het stuur en rukte eraan. We misten de loodsen op enkele meters na. Naast de loods lag een verharde weg. Ik schakelde de cruise controle uit en stoof langs het pad. Het stof dwarrelde huizenhoog op, maar toch had ik een glimp van een achtervolgend voertuig opgevangen.

Een lange rechte weg doemde voor ons op, van het onverharde pad gescheiden door een nijdige helling. Ik minderde vaart. Door de stofwolken zag ik nu duidelijk het silhouet van de achtervolger. Ik klemde mijn tanden op elkaar en trapte met mijn volle gewicht op de rem. De camper slingerde vervaarlijk. Ik had de grootste moeite met het reusachtige stuurwiel om het gevaarte overeind te houden.

Toen kwam de volgende klap. De achtervolger boorde zich, totaal verrast door mijn manoeuvre, in de camper. Glas versplinterde, metaal plooide krakend. De camper werd achteraan eventjes opgetild, maar bleef gelukkig op een rechte lijn. Toen het achterstel met een smak opnieuw tegen de grond plofte, barstte de watertank in de cabine. Liters water stroomden naar binnen. Het sijpelde tussen de zetels door, overspoelde mijn benen. Het klotste tegen het dashboard aan en hier en daar sprongen vonken op. De motor bleef gelukkig gespaard. Ik gaf opnieuw gas en kroop tegen de helling op. De krachtige motor loeide. Het water klotste naar de achterkant en gutste door de gebroken ruiten naar buiten.

We bereikten de verharde weg. Ik gaf gas. Metaal schraapte over de stenen, maar ik voelde toch hoe de camper versnelde. In mijn achteruit-kijkspiegel zag ik de achtervolger met dampende motor langs de kant van de weg staan.

Ik reed nog een halfuur gespannen verder. Mijn oriëntatievermogen liet me gelukkig niet in de steek. We bereikten de oude snelweg naar Luik en ik bleef voluit gaan. Toen Kruger zachtjes begon te jammeren, stopte ik bij een verlaten parkeerterrein. Niemand te bekennen. Ik sprong uit de camper, vond een sterk touw in de laadbak en bond Kruger stevig vast. Daarna sleepte ik de twee lijfwachten naar buiten. Ze waren nog steeds buiten westen. Ik bond hun handen. Als ze fit genoeg waren om te lopen, konden ze voor mijn part alle hulp van de wereld inroepen. Met wat geluk waren wij dan al in Tetraville.

Ik maakte een rondje rond de camper. Alle banden waren nog intact. Het slepende geluid kwam van een afgebroken spoiler. Ik gaf er een forse ruk aan, het ding begaf het helemaal. Ik klom weer achter het stuur en reed verder.

Kruger hief het hoofd op. Zijn ogen schoten vuur. 'Je misbruikt mijn vertrouwen niet ongestraft, als je dat maar weet.'

Ik hield mijn aandacht bij de weg. 'Als je zo blijft zeuren, mep ik je opnieuw buiten westen.'

Kruger bleef zeuren. Ik mepte hem opnieuw buiten westen.

37

Zaterdag 14 september 2052
13.31 uur

Het moest een behoorlijke klap geweest zijn die ik hem had verkocht, want toen we het ingewikkelde wegennet ten noorden van Luik bereikten, lag Kruger nog steeds uitgeteld tegen het dashboard. Het duurde een tijdje vooraleer ik me kon oriënteren, maar toen ik uiteindelijk de E-40 naar Tetraville had gevonden, stopte ik abrupt langs de kant van de weg.

Ik had een beter idee.

Het was nog dik anderhalf uur tot Poort Oost-54. In die tijd kon er zoveel gebeuren. Kruger had overal mannetjes en het gevaar was niet denkbeeldig dat ze al van onze koersverandering op de hoogte waren en ons onderweg een loer zouden draaien. Het was beter dat ik mijn prooi onmiddellijk afleverde. Ik zou naar het centrum van Luik gaan en de tunnel opzoeken. De mensen die daar rondhingen konden wel eens met de Politieraad in contact staan.

Als dat werkelijk zo was, kon mijn opdracht er binnen het halfuur opzitten.

Ik keerde de camper en hobbelde over de middenberm. Ik had snel de weg naar het centrum te pakken. Het duurde niet lang of ik had de toegang tot de tunnel gevonden. Het was overal akelig stil, maar dat verbaasde me allang niet meer.

Ik stopte bovenaan de tunnelingang. De aardehopen en de delen van de zoldering die naar beneden waren gekomen en waar ik eerder doorheen had geploeterd, waren verdwenen. Het wegdek was schoongespoten en leek wel nagelnieuw.

Ik legde de motor stil en stapte uit. Niks bewoog. Voorzichtig liep ik de tunnel in. Ik speurde de zoldering af naar camera's, maar die waren er niet. Ongeveer dertig meter in de tunnel, waar eerder het water had gestaan, doemde nu een massieve wand op. Nergens was er een deur of een doorgang.

Ik bleef vertwijfeld staan. Was het deze tunnel wel? Natuurlijk. Er was er maar één, herinnerde ik me van de oude wegenkaart. Ik riep mijn naam. Niks. Brulde dat ik een chef wilde spreken. Er kwam geen antwoord. Of er was geen chef.

Meer tijd voor verdere acties kreeg ik niet. Ik voelde een aanwezigheid in mijn nek. Nog voor ik me kon omdraaien, hoorde ik de klik van een veiligheidspal. Daar stond Kruger met een gewapende kerel naast zich die ik nog niet gezien had.

Kruger zag er slapjes uit en wreef over de pijnlijke bult op zijn slaap. Hij keek me giftig aan. 'Nog voor je één stap verzet, ga je naar me luisteren.'

'Waar komt die zo plotseling vandaan?' Ik wees naar de gewapende kerel. De loop was pal op mijn hoofd gericht.

Kruger ging door met wrijven. 'Een reservemannetje die in een afgesloten compartiment van de watertank zat. Door je drieste actie was ook hij een tijdje uitgeteld. Gelukkig kwam hij op tijd bij en was hij niet gewond geraakt.'

Hij keek een ogenblik om zich heen en ging dan gerustgesteld op de grond zitten.

De loop van het wapen bewoog geen millimeter.

'Als je dacht sneller van me af te komen, heb je geen geluk. Je maatjes schijnen verdwenen te zijn. Pech.' Krugers stem won met de seconde aan kracht. 'Ik moet je niet vertellen dat één verdachte beweging je dood betekent.'

'Dat betwijfel ik. Je hebt me nodig om Tetraville binnen te komen.'

Kruger grinnikte. 'Daar heb je een punt. Maar met twee kapotte knieschijven kun je me ook binnenbrengen. Aan jou de keuze.'

Ik haalde onverschillig de schouders op.

Kruger krabbelde overeind. 'Ik heb iets voor je dat je misschien op andere gedachten zal brengen.' Hij scharrelde onhandig in de zak van zijn vest en gromde toen tevreden. 'Hier.'

Hij overhandigde me een strook negatieven. 'Nu heb je hele film.'

Mijn wereld daverde op haar grondvesten. Voor de zoveelste keer in heel korte tijd. Ik staarde naar de negatieven in mijn hand. Ik hoefde ze niet tegen het licht te houden om te weten wat er op stond. 'Dus jij bent die klootzak die me de hele tijd die dingen bezorgde. Wat is hier de bedoeling van?'

'Ik wilde je al een tijdje uit je tent lokken. Ik wilde dat je naar me op zoek ging. Dan zou ik het met jou op een akkoordje gooien om me Tetraville binnen te smokkelen. Maar toen hoorde ik dat je precies dezelfde opdracht had gekregen van je oversten. Dat maakte het natuurlijk nog makkelijker. Ik had me al die moeite kunnen besparen. Ach ja, eigenlijk komt de film nu wel van pas.'

Ik was niet onder de indruk, of tenminste, dat probeerde ik niet te zijn. 'Dat betwijfel ik. Het is allemaal zo lang geleden. Niemand zal je geloven. Mijn woord tegenover dat van een opgespoorde crimineel.'

'Mijn beste Notteboom. Het gaat niet alleen om jouw moord op die drieste soldaat toen die in 2040 die vrouw aanviel. Er is nog zoveel meer.'

Zijn arrogant toontje begon me opnieuw op de zenuwen te werken. 'Dus jij was daar bij de muur? Heb jij dit filmpje geschoten of heb je de negatieven van iemand afhandig gemaakt?'

'Nee, nee. Ik was daar. Ik heb zelf deze foto's gemaakt.'

'Waarom dan? Een bijverdienste?'

'We hadden het allemaal piekfijn uitgekiend. Er zou een afleidingsmanoeuvre komen, terwijl ik met Rosy onmiddellijk naar het riviertje zou trekken. Ik slaagde erin om haar naar binnen te krijgen. Toen liep het mis. Die soldaat daagde op en wat later jij. Bij de eerste schermutselingen maakte ik me snel uit de voeten. Maar ik bleef in de buurt. Ik wilde weten of Rosy het alsnog zou halen. Toen het geharrewar met de soldaat begon, was ik maar wat blij dat ik mijn fototoestel bij me had. We wilden namelijk alles op film vastleggen om aan te tonen dat het kon: Tetraville binnendringen.'

De eerste angst begon me te veroveren. Er zat al een lichte trilling in mijn stem. 'Dus jij bent de man die in de valse patrouillewagen op de muur afstormde en Rosy naar binnen bracht.'

'Precies.'

'Ken je haar?'

Kruger glimlachte fijntjes. 'Natuurlijk ken ik haar.'

Ik wilde dat ik die vraag niet gesteld had. Maar Kruger was op dreef en leek niet meer te stoppen. Ik kreeg de volle lading over me heen.

'Rosy was en is nog steeds mijn vrouw. Jullie huwelijk met valse papieren lijkt me behoorlijk onwettig. Ik ben met haar getrouwd, volledig wettig, dat kan ik bewijzen.'

Ik hapte naar lucht. 'Hou maar op. Het is al goed.'

'Nee, dat doe ik niet. Niet na wat je me hebt aangedaan. Rosy werd mijn contactpersoon binnen Tetraville. Ze hielp me met het plannen van de inbraken en ze was de geschikte persoon om me op de hoogte te houden van jullie vorderingen in het onderzoek. Zij was het zelfs die je het laatste strookje negatief in het metalen kistje bezorgde. Ze ging je achterna toen je in de buurt van die bomaanslag ging snuffelen. Ze slaagde erin om het doosje in die riool te leggen en zich tijdig uit de voeten te maken.'

Het duizelde me voor de ogen. Om een of andere onverklaarbare reden zag ik die nacht opnieuw voor me. Rosy die midden in de nacht opstond om de wasmachine aan te zetten. Ik dacht dat het was om me op stang te jagen. Maar ze waste haar kleren die ze in de tunnel had vuilgemaakt.

Kruger snoof en keek me smalend aan. 'Het werden harde tijden. Gelukkig was er af en toe een glorieus moment. Tenminste, toen ik zelf nog in Tetraville kwam. Het duurde spijtig genoeg nooit lang, maar onze momenten samen waren zeer innig. En zeggen dat jij daar onrechtstreeks mee van profiteerde. Want jij hebt nog meer valse papieren, is het niet, mijnheer Notteboom?'

'Hou op.' Ik voelde de laatste vaste grond onder mijn voeten wegglijden.

'Een valse gezondheidskaart, om maar iets te noemen. Die heb je toch, nietwaar? Want jij bent eigenlijk besmet. Wellicht de eerste fase, maar niettemin besmet. Uiterlijk zie je niks van je ziekte, maar er is één klein probleempje. Je bent onvruchtbaar.'

Het leek alsof ik een klap in het gezicht kreeg. 'Dat ben ik niet. We hebben...'

De zegetocht van Kruger leek eindeloos. 'Ik weet meer van je medische dossier dan jij zelf. Rosy en ik hebben er zelf voor gezorgd dat je niet in de problemen kwam, want we hadden je nodig. Maar je bent honderd procent onvruchtbaar, zoveel is zeker. Het medisch geheim bestaat niet als je aan de juiste touwtjes weet te trekken.'

'Dat is niet waar! Ik ben...'

'Het is wel waar. Laat het maar tot je doordringen. Robin is mijn zoon. Rosy en ik hebben ervoor gezorgd dat je een kind kreeg zodat je bij de politie kon blijven. We hadden de informatie nodig. Rosy speelde me alles door wat ze kon te weten komen. Toen het tijd werd om zelf naar binnen te komen, bezorgden we je die negatieven. Om je onder druk te zetten en me op te zoeken. Dat zou mijn reis naar binnen vergemakkelijken. We konden natuurlijk niet voorzien dat je een officiële opdracht zou krijgen die al onze voorbereidingen overbodig zou maken.'

Kruger wandelde doodgemoedereerd naar de camper terug. Mijn bewaker liet zijn wapen zakken, want dat was nergens meer voor nodig. Ik stond op het punt in elkaar te zakken en was op dit moment even gevaarlijk als een zak aardappelen. Kruger had me in de tang. In een verdraaid grote tang.

De arts draaide zich plots om en kwam opnieuw naar me toe. 'Vooruit, we hebben genoeg tijd verloren. Deze hele geschiedenis hoeft niemand te kennen. Alles wat ik vraag is dat jij me naar binnen brengt, zoals het altijd de bedoeling is geweest. Maar dan wel in Tetraville en niet bij dit uitschot hier in de tunnel. Kan ik er op rekenen dat je geen geintjes meer uithaalt?'

Ik knikte. Mijn keel was helemaal dichtgeschroefd.

'Goed. Dan gaan we meteen op pad. Onze vriend hier neemt het stuur, want je ziet er eerlijk gezegd wat pips uit.'

We hoorden het pas toen het al een tijdje aan de gang was. Vanuit de tunnelkoker klonk een sterk zoemend geluid. We draaiden ons tegelijk om. De wand die dwars in de koker oprees, schoof langzaam open. Er volgde een rommelend kabaal en er priemden sterke koplampen door het duister in de tunnel.

De scène had iets onwezenlijks. Net of we op een filmset waren aanbeland. Grote, zwarte vrachtwagens kwamen uit de tunnelkoker gereden. Ik telde er twaalf. Reusachtige machines met dampende uitlaatpijpen die afgesloten opleggers trokken. Het waren oude Amerikaanse trucks, maar ze waren allemaal in prima staat. Nergens een spatje modder of stof, de verchroomde wieldoppen en dito bumpers glommen vervaarlijk.

Ze kwamen in twee rijen uit de koker en reden aan beide zijden nipt langs onze camper heen. Geen enkele van de chauffeurs scheen zich zorgen te maken om onze aanwezigheid. De cabines van de mastodonten hadden getinte ruiten.

Langzaam daverde de laatste vrachtwagen langs ons heen en eindelijk stierf het geluid uit. We bleven verbouwereerd achter.

Kruger wapperde met zijn hand een wolk uitlaatgassen weg. 'Waar kwamen die vandaan?'

De lijfwacht tikte Kruger op de schouder. 'De poorten staan nog open!'

38

Omzichtig naderden we de openstaande poort. De tunnel was donker en leeg. Helemaal bij het einde brandden enkele lampjes. We zagen hoe de koker daar opnieuw naar beneden dook. Vlakbij de poort stond een oude jeep geparkeerd. Er sijpelde olie uit het motorblok.

We liepen naar de camper terug. Ik voelde me genoeg bij mijn positieven om het stuur te nemen. Kruger maakte geen bezwaar. Zijn mokerslagen hadden een mak lammetje van me gemaakt. Traag reden we de tunnelkoker in. Ik manoeuvreerde de camper naar de defecte jeep en duwde die verder tot pal in de poortopening. Als die ooit weer dicht gleed, zou de jeep het mechanisme ontwrichten en voor ons een vluchtweg openhouden.

Met een snelheid van niet meer dan twintig kilometer per uur hobbelden we verder. Ik knipte de koplampen aan. Alhoewel er net zware vrachtwagens door de koker gedenderd waren, leken alle uitlaatgassen verdwenen. Ik speurde het plafond af. Op geregelde afstanden zat een luchtververser. De dingen maakten een hels kabaal toen we er onderdoor reden.

We bereikten de knik in de koker. Het wegdek daalde, de koker werd plots smaller. Er was nog nauwelijks plaats om er met de camper door te komen. Het duurde niet lang of we raakten vast. De camper schuurde tegen het plafond. We stopten. Een eindje verder zagen we een metalen deur in de zijwand.

Afgezien van het gezoem van de luchtverversing was het onwezenlijk stil in de tunnel. Ik inspecteerde de deur. Het slot zou geen probleem mogen zijn. Ik rommelde wat in de koffer van de camper en vond een stevige schroevendraaier. Het lukte me nog steeds, ik kreeg de deur vrij snel open.

De lijfwacht ging voorop, het wapen in de hand. We kwamen in een lange gang met kleine lampjes tegen de zoldering. Na een korte bocht stonden we opnieuw voor een deur. Ik hoefde de schroevendraaier niet te gebruiken. Kruger duwde de kruk omlaag, de deur sprong open. We deinsden achteruit. Het was stikdonker in het vertrek, maar een stank van verrotting waaide ons tegemoet.

We vonden een lichtschakelaar. Nog een gang lichtte op. Maar nu zaten er reusachtige ramen in een van de zijwanden. We vonden nog meer schakelaars. Achter de glazen wand gingen lange plafondlampen aan. Ik wreef even in mijn ogen om te controleren of ze nog op hun plaats zaten.

De grote ruimte achter het glas was volgestouwd met glazen kooien. Ik zag rijen kooien die vol zaten met muizen en ratten. Ik schatte dat het er honderden waren. Sommige waren nog heel levenslustig en botsten tegen het glas. Andere lagen dood op de vloer van de kooien.

Ik liep langzaam de gang door en hield mijn blik op de kooien gericht. Ze werden groter naargelang we vorderden. Nu waren ze gevuld met vogels. Merels, duiven, kraaien, lijsters, eksters. Ik wist niet dat er nog zoveel soorten bestonden. Ook in deze kooien lagen vele dieren dood.

Bij het einde van de gang stonden de grootste kooien van allemaal, met vossen, grote honden en een paar wolven. De dieren zagen er verwilderd uit. Hun pels vertoonde naakte vlekken en hun ogen stonden dof. Verschillende exemplaren lagen roerloos op de vloer van de kooi. Ik snapte er niks van.

Kruger kwam naast me staan en bromde iets onverstaanbaars.

Het lukte me om mijn andere sores even naar de achtergrond te verdringen. 'Weet jij wat hier de bedoeling van is? Een privé-dierentuin onder de grond?'

'Het heeft niets met een dierentuin te maken. Ik zou zweren...' Hij wees naar een immense kooi met twee grote labradors. De beesten zagen er verwilderd en fel verzwakt uit. 'Zie je die vloer?'

Ik haalde de schouders op. De vloer was gemaakt van fijn traliewerk. Onder de kooi stond een vergaarbak. 'Wat is er mee?'

Plots bonkte Kruger woedend tegen het raam. 'Rotzakken!'

'Snap jij hier dan iets van?'

'Dit is de volledige levenscyclus van de teek.' Hij wees naar de kleine kooien bij het begin. 'Eitjes worden door de vrouwtjes in de vegetatie gelegd. De larven die eruit komen hechten zich vast aan kleine zoogdieren. Muizen, ratten... Als de larven zich volgezogen hebben, laten ze zich opnieuw vallen en vervellen tot nimfen. Dan hebben ze een grotere gastheer nodig. Vogels zijn daar bijzonder geschikt voor. Het proces herhaalt zich. De nimfen laten zich tenslotte opnieuw vallen en vervellen tot volwassen teken…'

Ik wees naar de laatste kooien. 'En ze hebben opnieuw een grotere gastheer nodig. Honden, vossen, wolven. Ze zuigen zich vol en laten zich opnieuw vallen. Ze vallen door de gaatjes in de vloer en komen ginds in die vergaarbakken terecht…'

'Die vergaarbakken worden op vrachtwagens geladen en de teken worden in de vrije natuur uitgezet om hun werk te voltooien.' Krugers gezicht liep rood aan toen de volledige omvang van deze ontdekking tot hem doordrong. 'Om het nog efficiënter te laten verlopen worden vliegtuigen ingeschakeld. De vrachtwagens brengen hun lading naar het vliegveld. Van daaruit kunnen veel grotere gebieden bediend worden.'

Cors woorden kwamen me opeens voor de geest, toen hij uitgeput op het terras van de villa zat. 'Vraag me niet,' had hij gezegd, 'waar die allemaal vandaan komen. Gisteren waren ze er niet.' Met een schok realiseerde ik me nu ook dat ik die bewuste nacht van een vliegtuig had gedroomd. Het was geen droom geweest.

Mijn verbijstering was totaal.

'Met andere woorden…'

'Die tekeninvasie is één groot bedrog. Het is allemaal georchestreerd. Hier wordt een bijzonder vuil spel gespeeld. Er is ooit wel een tekenprobleem geweest, maar dat had allang onder controle moeten zijn.'

Ik knikte. Mijn hoofd werd verbazingwekkend helder. Nog enkele stukken van de puzzel vielen op hun plaats. 'Deze tunnel is niet de enige plek waar teken gekweekt worden. Ik denk dat ik nog een andere locatie ken. Ze moeten ook een kwekerij hebben ergens in Noord-Spanje. Toen ik er was, deden ze alle moeite van de wereld om een oude bergweg in stand te houden. Ik kan me geen andere reden voorstellen dan dat ze die weg nodig hebben om hun teken te transporteren.'

Ik maakte aanstalten om naar de camper terug te keren, maar Kruger was niet te stoppen. Hij onderzocht het hele complex. We dwaalden door ontelbare gangen en vonden nog zeven ruimtes volgestouwd met dieren in kooien.

Het werd me te veel. 'Laten we gaan. We weten genoeg.'

Kruger bleef mokkend bij een gepantserde deur staan. 'Waarom vertrekken ze nu plots en laten ze alles onbeheerd achter? Ze maken zich zelfs geen zorgen over het feit dat wij bij de ingang staan. Ze negeren ons gewoon. Waarom?'

'Dat weet ik niet. Maar ik krijg de kriebels van deze plek. Laten we maken dat we wegkomen.'

'Nee. Ik wil weten wat hier achter zit.'

Kruger bonkte op de gepantserde deur. 'Dit is een van de zwaarste deuren die we gezien hebben. Daar moet een reden voor zijn.'

'Tegen die deur is mijn schroevendraaiertje niet opgewassen.'

Ik schrok me rot toen de schoten weerklonken. De lijfwacht leegde zijn wapen op het slot van de deur. De terugketsende kogels floten ons om de oren. Vonken knetterden. De dieren die nog wat kracht in hun lijf hadden, gingen wild tekeer.

De laatste kogels troffen doel. Het slot werd finaal naar de verdoemenis geschoten. De twee overblijvende grendels kon ik met mijn schroevendraaier aan. Ze begaven het een na een. We trokken uit alle macht: de deur draaide piepend open. Kruger tastte met zijn hand langs de muur, vond een schakelaar en knipte het licht aan.

Op het eerste gezicht was het opnieuw een ruimte met kooien. Maar hier was meer aan de hand, dat voelden we. De kooien stonden dichter bij elkaar en de vrijgekomen ruimte werd ingenomen door tafels met allerhande laboratoriummaterieel. Microscopen, elektronische apparatuur, rekken met proefbuizen en zelfs een paar computers.

Kruger liep schoorvoetend langs de tafels. Ik bleef bij de deur staan. Ik had er genoeg van. Kruger verdween om de hoek van een kooi. Ik hoorde hem nog een paar stappen zetten. Toen bleef hij staan. Stilte. Dan een ruwe kreet.

Ik stormde het vertrek in en liep langs de kooien. Om de hoek zag ik Kruger staan. Zijn aangezicht was krijtwit. Hij wees met een bibberende vinger naar de kooi.

Het duurde even voor ik het vatte. In de kooi lagen twee wolven in verre staat van ontbinding. Er dwarrelde stof in rond. 'Lieve hemel! Wat is dat?'

Kruger deed een stap achteruit. 'Hier deden ze proeven met de teken. Hier moeten knappe koppen aan het werk geweest zijn.'

'Bedoel je...?'

Hij knikte. 'Die stofdeeltjes zijn teken. Hun nieuwste creatie: vliegende teken. Het ultieme wapen om de laatste levende wezens uit te roeien.'

174

Ik hapte naar adem. 'Die zwarte vrachtwagens. Zou het kunnen...?'

'Kan bijna niet anders. Waarom zouden ze anders zo achteloos hun installaties achterlaten?'

'Ze hebben voldoende moordende monsters aangemaakt en zijn onderweg voor de laatste, verpletterende aanval.'

Er viel een loden stilte. We keken elkaar aan en begrepen elkaar. We moesten zo snel mogelijk naar Tetraville terug om dit bedrog ongedaan te maken.

Als het nog niet te laat was...

39

Zaterdag 14 september 2052
20.43 uur

De rit verder westwaarts verliep in doodse stilte. Het was bijna donker toen we de ruïnes van Leuven bereikten. Ik wist dat we nu op minder dan twintig kilometer van Tetraville waren. De snelweg hadden we al een tijdje achter ons, maar nu verlieten we ook de hobbelige weg die we volgden. Ik stopte de camper bij de ringvaart. Mistroostige bouwsels domineerden hier het landschap. Vroeger had hier een grote brouwerij gestaan, maar wat er nu nog van de gebouwen overbleef, lag er verlaten bij. Ik stuurde het voertuig achter een muurtje door naar een binnenplaats. Zo waren we niet te zien voor nieuwsgierige ogen.

Kruger had nog geen woord gezegd sinds we de tunnel verlaten hadden. Ook nu nog staarde hij wezenloos door het raam naar de grijze leegte. Uiteindelijk zuchtte hij diep. 'Ik vertrouw het zaakje niet. Het gaat allemaal te gemakkelijk. Waarom laten die kerels in Luik zomaar de poorten in de tunnel openstaan? Waarom laten ze genoeg materiaal achter om het hele verhaal te begrijpen?'

Ik kon hem geen ongelijk geven. 'Misschien wilden ze wel dat we het te weten kwamen.'

'Daar ziet het er meer en meer naar uit. Dus mogen we er vanuit gaan dat ze ons in Tetraville verwachten. We moeten voorzichtig zijn. Al die moeite om ons tenslotte als makke lammetjes in te laten rekenen, ik mag er niet aan denken.'

Hij had wederom een punt, vond ik. Niet dat ik opeens zo wild was om met hem samen te werken. Maar er was nog iets. Ik keek Kruger aan. 'Ik maak me zorgen om Rosy en Robin. Ik heb zo'n akelig voorgevoel dat hen iets overkomen is terwijl ik weg was.'

Kruger dacht na. Zijn commentaar was ontdaan van elk cynisme. Niettemin boorden zijn woorden als scherpe naalden dwars door mijn hart.

'Maak je om hen maar geen zorgen. Rosy heeft van mij de opdracht gekregen om onmiddellijk na je vertrek met Robin te vluchten. Ze konden op verschillende onderduikadressen terecht. Zij zijn veilig.'

Hij pauzeerde even.

'Wij mogen nu niet halsoverkop te werk gaan. We mogen niet blindelings in hun armen lopen. We moeten eerst meer weten van de huidige toestand in Tetraville voor we in actie komen.'

Ik had zijn laatste woorden maar half gehoord. Mijn hele lichaam trilde van woede. 'Waar zijn Rosy en Robin?'

'Paul, dat zijn zorgen voor later. Neem van mij aan...'

'Ik neem niks van je aan. Ik wil...'

Kruger sprong overeind en priemde met zijn wijsvinger bijna dwars door mijn oogkas heen. 'Jij hebt helemaal niks te willen. Je hele leven is al één aaneenschakeling van leugens en bedrog. Wettelijk gezien ben je zelfs een vulgaire moordenaar. Ik duld je alleen omdat je me naar binnen moet brengen. Maar daarna is het afgelopen. Daarna moet je je eigen boontjes doppen. En je hebt er alle belang bij om me niet meer voor de voeten te lopen!'

Als de lijfwacht zijn wapen niet had getrokken, was ik hem aangevlogen. Ik sprong uit de camper en rende rondjes op de binnenplaats, intussen alles wegschoppend wat me voor de voeten kwam. Het hielp. Heel langzaam ebde de woede weg. Ik ging op het lage muurtje zitten en deed wat ademhalingsoefeningen.

Kruger kwam naast me staan. 'Roepen en schreeuwen helpt ons niet vooruit. We moeten samenwerken. Ik zal zien wat ik kan doen als we binnen zijn.'

Ik keek hem een tijdlang ijskoud aan.

Krugers gezicht was een ijzeren masker. 'Denk maar niet dat ik één woord terugneem van wat ik daarnet zei.'

Ik zou hem later de rekening wel presenteren. 'Ongezien Tetraville binnendringen is onbegonnen werk. Dat weet je zelf wel.' Het lukte me om de woorden op een normale manier uit te spreken.

Kruger ijsbeerde rond de camper. Hij ging tenslotte op de voorbumper zitten. Ik slenterde wat rond. Bezigheidstherapie.

'Misschien moeten we op een oude bekende beroep doen,' zei hij, terwijl hij naar de lucht keek.

'De helikopter?'

Hij knikte. 'Hoe zit het precies met de beveiliging? Hoe zijn jullie ons toestel op het spoor gekomen?'

'Stom toeval. Gefilmd door een bewakingscamera en een bewaker die goed bij de pinken was.'

'Niet met radar?'

'Nee. Het ding is te klein en van onherkenbaar materiaal gemaakt.'

'En als we een metalen helikopter gebruiken?'

'Dan wordt hij een stipje op een scherm.'

'Precies.' Kruger gromde en begon opnieuw rond te lopen. Plots klaarde zijn gezicht op. 'Dan heb ik misschien wel een idee.'

Kruger stuurde de lijfwacht op verkenning uit. Ik maakte geen enkele onnodige beweging, want ik had gezien hoe Kruger het wapen had overgenomen en weggestopt. De lijfwacht kwam na een halfuur terug met de stellige zekerheid dat we helemaal alleen waren op de bedrijfsterreinen. Daarop klommen we op het dak van de loods waarin we de camper nu geparkeerd hadden. De lijfwacht had een draagbare zender mee.

Het duurde lang voor ze contact hadden, maar het lukte. Ik deed niet de minste moeite om te spioneren. Kruger deelde vinnig bevelen uit en ik hoorde dat hij een paar mensen ontbood. Hij gebruikte een cryptische omschrijving voor de helikopter. Ze moesten de sprinkhaan meebrengen.

We liepen naar de camper terug en werkten een karig maal naar binnen. We moesten ook zuinig zijn met het resterende water. De lijfwacht trok een poosje de wacht op, maar toen ik die nacht, midden in een nare droom, wakker schrok, hoorde ik hem gelukzalig snurken.

40

Er kwam een witte bestelwagen de loods ingereden, op de voet gevolgd door een gedeukte personenwagen. Die auto kende ik. De chauffeur had een verband om zijn hoofd en keek me vijandig aan toen hij uitstapte. Onmiddellijk liep Kruger op hem af en fluisterde de man in het oor. Hij beheerste zich, maar zijn vijandigheid week niet.

De deuren van de bestelwagen klapten open. De mannen hadden twee sprinkhanen meegebracht. Ze waren groter dan het toestel dat ze eerder gebruikten en ik zag meteen dat deze van metaal waren gemaakt. Ze werden uitgeladen. Een van de toestelletjes was met een camera uitgerust.

Ik schudde het hoofd. 'Je vergeet de bewakingscamera's. Ze zullen onmiddellijk opmerken dat het om twee toestellen gaat.'

Kruger schudde het hoofd. 'Daar hebben we rekening mee gehouden. We proberen een list uit.'

De mannen gingen geconcentreerd aan het werk. Het bleek om prima materiaal te gaan, want nauwelijks een halfuur later was het hele zaakje operationeel. De helikopters hadden een bevredigende proefvlucht achter de rug en de beelden die de camera doorzond waren kraakhelder.

We verlieten in colonne onze veilige stek en reden verder naar het westen. We ploeterden door kleine wegjes en hobbelige paden, tot we volgens onze berekeningen op minder dan vijf kilometer van de muur rond Tetraville verwijderd waren. We hielden halt bij een open veld in de buurt van Tervuren. Heel de omgeving werd zorgvuldig gecontroleerd, maar we waren alleen.

De kleinste helikopter werd onder aan de grotere opgehangen. Met eenvoudige haken, zodat hij bij een landing meteen zou vrijkomen. Om alle risico's uit te sluiten, werd de motor aangezet in de ruststand. De grote helikopter vertrok wiebelend met zijn vracht.

Ondanks de vijandige blikken kroop ik mee achteraan in de bestelwagen en volgde de vlucht op de monitor. In het begin verliep die vrij eentonig.

Lege velden, lege straten. Ik kreeg een benauwend gevoel. Ik was nauwelijks een week weggeweest, maar ik had het gevoel dat zich daar een totaal andere wereld uitstrekte.

De muur kwam in zicht. Ik tikte Kruger zijn arm en wees naar het scherm. 'Zie je die uitsteeksels boven op de muur? Dat zijn masten. Die met zeildoek omspannen hebben een radar, de andere dragen alleen radioantennes. Daar zie je er eentje.'

Kruger knikte.

'De volgende staat vier kilometer meer naar het zuiden.'

Oswaldo gaf de boodschap door. 'De helikopter moet meer naar het zuiden.'

We zagen het beeld kantelen toen het toestel de bocht nam.

'Veel zal dat niet helpen. Je komt er niet ongezien door. Het bereik van elke mast overlapt dat van de volgende.'

'Het is juist de bedoeling dat we gezien worden.'

Het toestel vloog nu pal boven de muur. Er viel geen levende ziel te bekennen. Nochtans zaten we enkele kilometers ten noorden van Poort Oost-54, steeds een druk gebied. De straten van Tetraville waren leeg. Dat vond ik vreemd. En beangstigend.

De helikopter liet de muur achter zich. Zone B kwam in zicht. Er was nog steeds niemand te zien in de straten. De helikopter vloog boven een oude school. Plots had ik een paar herkenningspunten. Ik kende die wijk. De school stond al jaren leeg. De gebouwen werden soms door de Politieraad gebruikt om gevangenen in onder te brengen vooraleer ze uit de stad werden verwijderd. Er stond een donkere wagen op de speelplaats geparkeerd.

'Ik denk dat we ontdekt zijn. Dat is een politiewagen. Er staat ook een antenne op het schoolgebouw, dus het hoofdkwartier zal al op de hoogte zijn.'

Kruger wreef zich in de handen. 'Prima. Dat is precies wat ik wilde. Ga eens wat hoger vliegen.'

De gebouwen op het scherm werden kleiner. Ik zag twee auto's die rondjes reden in de naburige wijk.

'Daar heb je het voetvolk al. Nog meer politiewagens.'

De man die de helikopter bestuurde nam de proef op de som. Hij ging boven de straat vliegen waarin de auto reed en maakte dan een scherpe bocht. De auto week pardoes van zijn koers af en probeerde de helikopter te volgen. Het toestel ging hoger vliegen en verdween achter een gebouw. Nu volgde een duikvlucht om tenslotte op een verlaten binnenplaats te landen. Het beeld schokte.

Door de groothoeklens zagen we hoe de kleine helikopter zich van de grote had losgehaakt. De tweede chauffeur zette zich aan de bedienings-apparatuur en de rotors van het kleine toestel kwamen in beweging. Opluchting alom. De motor werkte nog.

Slechts luttele seconden later zagen we een van de politiewagens aan-komen. Onmiddellijk vertrok de kleine helikopter. We zagen hem boven uit beeld verdwijnen.

De list werkte. De politiewagen keerde ijlings en snelde achter het tweede toestel aan. De binnenplaats bleef verlaten achter. De man aan het bedieningspaneel wachtte nog vijf volle minuten. Toen zette de grote helikopter met camera zich in beweging en steeg op.

Hoe meer het toestel naar het westen vloog, hoe ongeruster ik me maakte. De omgeving leek helemaal uitgestorven. Er liep geen sterveling over de straat. Dat vreemde beeld klopte niet.

Kruger merkte mijn onrust op. 'Wat vind jij van deze toestand?'

'Het zit me niet lekker. Er is iets aan de hand.'

'Was het een dichtbevolkt gebied?'

Ik schudde het hoofd. 'Veel mensen trokken er weg om meer naar het centrum van Zone B te gaan wonen. Maar er waren toch nog een paar woonkernen.'

Kruger bestudeerde het beeld. 'Daar valt niet veel meer van te mer-ken.'

'Ik vind het vreemd dat er geen rommel in de straten rondslingert.'

'Rommel?'

'Huisvuil, bedoel ik. In deze wijk is allang geen georganiseerde ophaal-dienst meer. Het gebeurt op vrijwillige basis, als de nood het hoogst is. Dat betekent dat er steeds wel iets op straat te vinden is.'

De helikopter maakte een extra rondje, maar de straten waren schoon. Schoon en leeg. Plots viel mijn blik op een huizenrij met aanpalende garages.

'Kom eens terug. Ik wil die garages nog eens bekijken.'

De helikopter gehoorzaamde. De camera zoemde zelfs in.

Kruger kwam naast me staan. 'Is er iets mis?'

'Alle garagepoorten zijn dicht. Dat is niet normaal. Meer dan de helft van de bewoners heeft geen auto meer. Die boxen staan altijd open.'

De helikopter bleef hangen terwijl de camera rustig langs alle poorten streek. Bij sommige zat glas in de panelen. Bij minstens drie poorten zagen we een auto staan.

Mijn vrees werd bewaarheid. 'Dat zijn politiewagens. Maak dat de helikopter weg is voor hij wordt neergehaald.'

Kruger gaf een paar bevelen. Het beeld schokte toen het toestel in beweging kwam. Maar voor de rest bleef het rustig.

Kruger nam me apart. 'Zit de politie in die gebouwen?'

'Daar ziet het er naar uit. De hele buurt werd ontruimd en zij namen de huizen in. Daarom slingert er ook geen huisvuil rond.'

'Wat is hier de bedoeling van?'

'Het is een noodplan. Elke politieafdeling is ervan op de hoogte. Bij mogelijke invallen worden de buitenwijken geëvacueerd en slaan politiebrigades er hun tenten op.'

Kruger zuchtte. 'Dus staan ze ons gewoonweg op te wachten?'

'Ze denken dat we doodleuk naar binnen zullen wandelen. Je helikopters moeten weg, voor ze doorhebben dat we ze gezien hebben.'

'We moeten het op een andere plek proberen.'

'Vergeet het maar. Voor elke poort bestaat zo'n noodscenario. Er is geen doorkomen aan.'

Kruger schoot in actie. Hij spoorde zijn mannen aan om zo snel mogelijk alle materieel in te laden. De helikopters kwamen bijna gelijktijdig aanvliegen. Nauwelijks een kwartier later reden we de loods uit. De bestelwagen en de gedeukte auto verdwenen via een brede betonweg, wij reden met de camper de andere richting uit.

Ik reed, in gedachten verzonken, op automatische piloot en schrok toen Kruger me aanmaande om te stoppen. We hadden slechte, verlaten wegen gevolgd en stonden nu op een mij onbekend dorpsplein. Het kerkje was gedeeltelijk ingestort en ook de huizen rondom waren onbewoond.

Kruger zond de lijfwacht op onderzoek. Hij kwam snel terug en wees ons de oude pastorij aan. Het huis was in redelijke staat, achter in de grote tuin stond een loods waar we de camper kwijt konden. Ik waadde voorzichtig door het gras, maar het bleek nogal mee te vallen met de teken.

Twee uur later arriveerden de anderen. De auto's werden in de loods gepropt en ieder ging op zoek naar een geschikt plaatsje om te overnachten, ver van mij vandaan. De lijfwacht zou in de camper blijven.

We aten wat droge koeken en koude groenten uit blik en verdeelden minutieus het kleine rantsoen water. Kruger kauwde lusteloos.

'Die verdomde muur. Er is geen doorkomen aan.'

Ik knikte somber, terwijl mijn gedachten tolden. De rollen leken omgekeerd. Ik had Kruger nodig om Tetraville binnen te komen. Hij had er meer handlangers dan ik me ooit had kunnen voorstellen. En het was zonneklaar dat ik van mijn collega's weinig heil te verwachten had. Maar plots had ik een plan. Ik keek Oswaldo opgewekt in de ogen. 'Ik ken iemand die ons kan binnenloodsen.'

'Oh ja? Zomaar?' Het klonk niet erg enthousiast.

'Hij behoort bij de politie, maar neemt het niet zo nauw met de reglementen.'

'Iemand zoals jij dus.'

Die opmerking liet ik over me heen gaan. 'Hij heeft... hoe zal ik het zeggen, een bijverdienste. Hij brengt degelijke ambachtelijke producten binnen in Tetraville om ze met een flink winstje te verkopen. Er is een smokkelroute onder de muur door, rechtstreeks naar een illegale nachtkroeg waar de waren verhandeld worden.'

Mijn gedachten dwaalden onwillekeurig af naar het lachende gezicht van Kris Brams, die me met twinkelde oogjes rijkelijk perfecte rode wijn inschonk, temidden van naakte vrouwenlijven.

'Nee maar, die voorbeeldige Politieraad.' Het klonk schamper, maar ik had de interesse van Kruger gewekt.

'Er is maar één probleem. We moeten helemaal naar Zone M om die smokkelroute te kunnen nemen.'

41

Maandag 16 september 2052
10.10 uur

Oswaldo Kruger had me de hele avond op de rooster gelegd. Hij vroeg me uit over mijn ontmoeting met Kris Brams en mijn escapades in de illegale kroeg, inclusief mijn uitstapje onder de muur door naar besmet gebied. Hij dacht lang na, ijsbeerde tot ik er het pleuris van kreeg en nam, uiteindelijk tegen middernacht, het besluit om het erop te wagen.

Hij zonderde zich af met zijn kompanen. Dat bezorgde me nog meer kriebels, maar ik was te lusteloos en te moe om me er druk over te maken. Ik lummelde wat rond, want slapen kon ik toch niet. Plots verscheen Kruger en riep me bij zich.

Toen ik naar de garage liep, zag ik dat de gedeukte personenwagen en de bestelauto aanstalten maakten om te vertrekken. De chauffeurs keurden me naar goede gewoonte geen blik waardig. 'Gaan jullie alleen, misschien?'

Kruger keek me giftig aan. 'Laat je commentaar achterwege. Ik doe het voor jou. Deze kerels worden afgelost. Het komt toch nooit meer goed tussen jullie, we kunnen ons geen interne spanningen veroorloven. Onze missie moet slagen.'

Ik zweeg. Het vooruitzicht niet meer op hun zure gezichten te hoeven kijken, stemde me milder.

'Trouwens, zij hebben een nieuwe opdracht. Zij trekken naar Tetraville. Door hun arrestatie zullen ze daar denken dat zij die helikopters uitstuurden.'

Rond de middag arriveerden de vervangers. Vier kerels in een logge terreinwagen. Ze begroetten Kruger hartelijk en knikten me stijfjes toe. Blijkbaar was mijn reputatie als onbetrouwbaar sujet alom bekend.

De verdere voorbereidingen namen nog meer dan een uur in beslag. Ik raakte onder de indruk van de machtige organisatie van Kruger. Ze hadden nauwkeurige kaarten waarop de actuele toestand van vele wegen precies stond aangegeven. Ook hadden ze de precieze locaties van alle plaatsen waar nog benzine te verkrijgen was. Er werd een efficiënte route uitgestippeld, via een net van nog intacte secundaire Franse wegen. Bij elke tankbeurt zouden we van voertuig wisselen.

We vertrokken in de late namiddag. De camper was helemaal nagekeken en deed het nog uitstekend. De terreinwagen volgde. We hadden geen water of voedsel, maar Kruger maakte zich geen zorgen. Proviandproblemen zouden bij onze eerste halte opgelost worden.

Zo geschiedde. In de buurt van het Noord-Franse Reims – waar van de eens zo beroemde champagnegaarden nog slechts braakliggend terrein overbleef – werden we opgewacht door Krugers kompanen. Ze brachten ons naar een klein dorpje dat op het eerste gezicht uitgestorven leek. De camper werd in een garage gereden. We kregen een bestelwagen in de plaats. In de laadbak stond een gevulde watertank en voldoende voedsel voor de volgende etappe. Alles verliep in nagenoeg volledige stilte. Niemand stelde vragen, niemand deelde bevelen uit. Nog voor ik van mijn verbazing over de goed geoliede aanpak bekomen was, waren al opnieuw op pad.

De volgende dagen draaide de organisatie van Kruger op volle toeren. Onze tocht kreeg de allure van een plezierreisje. Nergens waren er moeilijkheden, overal stonden aflossingsploegen ons op te wachten en konden we aan voldoende brandstof raken. Eén keer was er een probleempje met onzuivere benzine, maar onze begeleiders herstelden het euvel in een oogopslag.

Tussen mij en Kruger ontstond een soort wapenstilstand. Ik liet het onderwerp Rosy en Robin onaangeroerd, hij behandelde me als een volwaardig lid van het team. De storm in mijn hoofd kwam langzaam tot rust. Ik concentreerde op mijn deel van deze onderneming.

42

Het weer sloeg helemaal om toen we in het zuiden van Frankrijk belandden. We waren in een grote boog rond de vervallen stad Lyon gereden – Kruger vertelde me dat hij er, door een soort van ingebakken koppigheid bij de nog resterende bevolking, nooit in geslaagd was om er medewerkers te ronselen – en volgden al een hele tijd een traject ongeveer evenwijdig aan de loop van de Rhône. We naderden Draguignan, eens een drukke stad in de Provence. Van hieruit zouden we onze koers naar het westen verleggen om de muur in de buurt van Zone M te bereiken.

De pittoreske weggetjes door de Provence hadden hun uitstraling van weleer verloren. Water viel met bakken uit de hemel, een hardnekkige mistral joeg de regendruppels voor zich uit. Horden teken ondergingen hetzelfde lot. Het zou in normale omstandigheden al een hele onderneming zijn om de toegang tot het gangenstelsel via de oude schuur terug te vinden, bij dit weer was het zowat onmogelijk.

Kruger raakte nog een heikel punt aan. 'Ben je wel zeker dat die toegang aan de oostzijde van Tetraville ligt?'

Die vraag hield me al een hele tijd bezig, maar ik had me de blinde rit van toen al herhaaldelijk voor de geest gehaald.

'We reden vanuit het centrum over een lange, metalen brug. De enige brug die ik me herinner van vorige bezoeken aan Zone M, was de metalen brug die het rangeerterrein bij het goederenstation en een rivier overspande. Dat station ligt ten oosten van het centrum.'

Kruger was niet overtuigd. 'Je gokt maar.'

'Nee, ik ben er vrij zeker van. Trouwens, historisch gezien liggen er meer wijngaarden langs deze kant. Vermits de hoofdmoot van de smokkelwaar uit wijn bestond, moet de tunnelmonding hier in de buurt geweest zijn.'

'Heb je gezien dat je over het station en de rivier ging?'

'Nee. We zaten in een gesloten bestelwagen. Ze wilden geen risico's nemen.'

'Dan blijf ik erbij dat je maar wat veronderstelt.'

Kruger bestudeerde een van zijn kaarten.

'De Rhône meandert in de buurt van Zone M dat het een lieve lust is. Er liggen zijtakken aan beide kanten van het centrum. Jullie kunnen net zo goed westwaarts gereden zijn. We verliezen kostbare tijd.'

'Heb jij een beter idee?'

Geen antwoord. We reden maar wat rond in het noodweer. Nergens een spoor van bewoning, laat staan dat we een oude schuur in een veld zagen.

Wat mij nog meer verontrustte was dat we niemand op pad zagen. Geen levende ziel.

We daalden een helling af. Beneden bij het riviertje stonden huizen bij een bruggetje. Op de brug stond een wagen met de portieren open. Geen sterveling in de buurt. We naderden omzichtig en stopten bij de laatste bocht voor het bruggetje. We wachtten geduldig en speurden in het rond. De wind was wat afgenomen, geen teken in de omgeving. Voorzichtig stapten we uit.

Toen we bij de eerste boog van het bruggetje kwamen, was de stank van rottend vlees onmiskenbaar en niet te harden. De onfortuinlijke chauffeur zat nog achter het stuur, het hoofd voorover, de armen zwiepten heen en weer in de uitstervende windstoten. Zijn huid zat vol groenige en zwarte vlekken. Hij was minstens een week of twee dood.

Ik wendde de blik af. Twee weken geleden: toen maakte ik mijn nachtelijke uitstap met Kris Brams.

Oswaldo stond nog steeds bij de auto. Ik liep schoorvoetend terug. Tot mijn ontsteltenis zag ik hoe hij het lijk minutieus onderzocht. Hij had lange rubberen handschoenen aangetrokken, een masker opgezet en het lichaam uit de auto gehaald.

Hij stond op en schoof het masker op zijn voorhoofd. 'Mijn vermoedens kloppen. Niemand sterft aan de tekenziekte zomaar pardoes midden op een brug. Hij werd vermoord.'

'Een kogel?'

'Twee. In de hartstreek, van op korte afstand. Meer kan ik zonder materieel niet uitvlooien.'

'Dit zegt toch al genoeg?'

We onderzochten de wagen. We vonden de boordpapieren. Alle attesten waren sinds jaren vervallen. Het was dus wel degelijk een wagen die enkel buiten Tetraville werd gebruikt. Het slachtoffer had geen papieren bij zich, verder was de auto leeg. Ook de koffer. Ik boog voorover en begon de binnenbekleding van de laadruimte los te rukken. De gebruikelijke rommel werd zichtbaar. Een reservewiel, wat moersleutels, een verroeste brandblusser. In de holle ruimte van de velg zat een houten doosje. Ik wrikte het los. Er zaten visitekaartjes in.

Ik gaf er eentje aan Oswaldo. Er stond enkel een logo – een sierlijk vrouwenbeen dat naar boven wees en met een dienblad op de tenen – in rode inkt.

'Dit logo ken ik. Het hing boven de toog in die bewuste kroeg waar ik met Kris was. Dit heerschap moet er ook mee te maken hebben. De toegang moet hier ergens in de buurt zijn. Ik voel het.'

We duwden de wagen van het slachtoffer opzij en reden het bruggetje over. Het dorpje wat verderop vertoonde een macabere aanblik. Op de kerktrappen lag nog een lijk, opnieuw in verre staat van ontbinding. Oswaldo liep er heen en keerde al vrij snel terug.

Hij zuchtte. 'Ze worden krenterig. Eén kogel maar, deze keer.'

Met bonzend hart reed ik verder. Er lagen nog twee lijken bij de oever van het riviertje. Een oude vrouw naast haar omgevallen fiets en een man in maatpak. Oswaldo hoefde zelfs niet uit te stappen. Naast het rijwiel zag ik een rotsblok dat helemaal onder het bloed zat en bij de man in pak ontbrak de helft van de schedel.

Oswaldo zuchtte gelaten. 'Al deze mensen werden koelbloedig vermoord.'

Ik knikte. 'En allemaal rond dezelfde periode. Ik schat dat het hooguit twee weken geleden gebeurde.'

'Zeker niet langer. Het is hier erg warm overdag. Als het niet stormt.'

We zwalpten maar wat over de weg. Plotseling trapte ik de rem hard in. Oswaldo bonkte bijna met zijn hoofd tegen het dashboard.

Ik wees naar de weide naast de weg. 'Daar, dat is de schuur waar we uitkwamen na onze vlucht door de onderaardse gangen.'

'Ben je daar zeker van? Elke weide heeft hier een schuur.'

'Ik wil gaan kijken.'

Oswaldo droeg zijn mannen op om bij de voertuigen te wachten. We liepen omzichtig door het hoge gras, maar nergens waren teken. De poort van de bouwvallige schuur stond open. Op de vloer lagen twee wegge-schoven luiken naast gapende openingen. Ik zag het trapje met de twee kokers en wist dat we de toegang tot Tetraville hadden gevonden. Toch week ik achteruit.

De ruimte beneden aan de trap was bezaaid met lijken. Er lagen er drie op de vloer van aangestampte aarde en twee op de treden. Toen ik voor-zichtig over de reling keek, zag ik beneden bij het begin van de tunnel nog twee mensen liggen.

Oswaldo kwam naast me staan. 'Zelfde scenario. Zelfde tijdstip van overlijden. Geen twijfel mogelijk.'

'Ze zijn allemaal piekfijn uitgedost. Ik…' Mijn hart sloeg over. Het lijk bij de trap herkende ik. Het gezicht van de man vertoonde een paar vlekjes, maar het was goed herkenbaar. Het was de barkeeper die mij en Kris rijkelijk van drank had voorzien. Hij droeg nog hetzelfde vestje.

Oswaldo begreep de walging op mijn gezicht. 'Dit zijn allemaal mensen die in de kroeg zaten waarover jij sprak?'

Ik knikte. 'Blijkbaar werden ze opgejaagd en namen ze de vluchtroute via de tunnels.'

'En hier stonden ze hen op te wachten om hen af te maken als beesten. De lijken die hier op de trappen liggen hebben schotwonden in de buik. De schutters stonden hier in de schuur.' Oswaldo kwam voor me staan. 'Iemand heeft de locatie van de vluchtweg verraden.'

Ik was nog te zeer bevangen door de vreselijke beelden om ons heen om het volle gewicht van zijn woorden meteen te snappen. Toen ze door-drongen, schudde ik heftig het hoofd. 'Ik heb dit niet gedaan. Ik heb met niemand over die uitstap gepraat en de dag nadien zat ik al op de trein naar huis.'

Oswaldo gaf geen antwoord, stapte naar buiten. Even later hoorde ik hem vloeken. Ik liep hem achterna. Hij stond bij onze verlaten auto. Van onze begeleiders was geen spoor meer.

'Blijkbaar zijn je mannen niet zo loyaal als je zou willen.'

Kruger keek me ijskoud aan. 'We nemen onze spullen. Laten we die gangen maar eens uitproberen. Zien waar jouw loyaliteit ons heen voert.'

43

Donderdag 19 september 2052

11.57 uur

We begonnen aan onze tocht door de donkere, onderaardse gangen. Onderaan het trapje stonden we al meteen voor een splitsing. Ik zag spoorstaven door de ene gang verdwijnen – de weg waarlangs de goederen vervoerd werden – en herinnerde me dat we die bewuste nacht via de andere gang waren gekomen. Ik liep voorop.

De wandlichten werkten niet meer. De stralen van onze zaklantaarns zwiepten door de duisternis. De bodem van de gang was drassig, soms moesten we door kniehoog water waden. Ratten sprongen verschrikt weg. Er waren gelukkig geen teken, maar bij elke stap werd de stank van verrotting ondraaglijker.

'Hun gangenstelsel wordt niet meer onderhouden. Toen ik hier was stroomde er frisse lucht door en stond er geen water in.'

Oswaldo antwoordde niet. We ploeterden verder. Plots maakte de gang een scherpe bocht. De vloer helde, het water verdween. Even verderop was een deel van de zoldering ingestort. We moesten op handen en voeten verder.

Kruger had zijn handschoenen opnieuw aan en onderzocht de aarde. 'Er zitten geen teken in. Laten we maar verder gaan, ik krijg het hier benauwd.'

We vorderden langzaam. De opening werd steeds kleiner. Verschillende malen stootte ik mijn hoofd aan een hard uitsteeksel en had ik moeite om mijn lichaam door het gat te wringen. Plots viel de grond onder me weg en ik plofte naar beneden, het koude water in. Ik voelde ratten langs mijn benen wegvluchten. Een deel van de aarde schoof achter me aan en Oswaldo volgde vloekend mijn duik.

We krabbelden overeind en beschenen de wanden. We waren over de hindernis heen. We beschenen elkaar, maar konden geen teken ontdekken. Gelukkig. Moeizaam sjokten we verder. De gang werd breder en droger. Na nog een scherpe bocht stonden we voor een houten deur. Die herinnerde ik me. Ik was hier met Kris langs gekomen.

De deur was niet op slot. We vonden de trap en klauterden voorzichtig naar boven. De deur die onmiddellijk naar de ondergrondse kroeg leidde, stond eveneens open. Ik stak mijn hoofd om de hoek. Ik aanschouwde de hel.

De ruimte was herschapen in een ruïne. Er was een ontploffing geweest die een gedeelte van het plafond had doen instorten. Nadien was er blijkbaar brand uitgebroken, want alle meubilair lag zwartgeblakerd als een ordeloze troep door elkaar. Nu sijpelde er water naar binnen dat tegen de vloer kletterde.

Er lagen minstens dertig lijken in de ruimte. Mannen, vrouwen. Bij het ingestorte podium in de hoek lag een meisjeslichaam zonder hoofd. Het was duidelijk een verrassingsaanval geweest. Eerst een brandbom naar binnen, onmiddellijk gevolgd door schietende woestelingen. Dat verklaarde de vele slachtoffers op deze plek. De weinigen die de eerste klap hadden overleefd, werden opgejaagd door de gangen en in het schuurtje buiten Tetraville genadeloos afgemaakt.

Ik liep doelloos rond tussen de slachtoffers. Mijn ergste vrees werd plots realiteit. Ik vond het lijk van Kris Brams. Het lag op de grond, achter de vernielde toog. Hij lag op zijn rug en miste een hand. De ontploffing had een deel van zijn huid verschroeid, maar zijn hoofd was nog intact.

Oswaldo kwam naast me staan. 'Was dat je contactpersoon?'

Ik knikte.

Oswaldo knielde naast het lijk en onderzocht het hoofd. Hij zuchtte gelaten. 'Hij is niet gestorven door de ontploffing.'

'Hoe weet je dat zo precies?'

Oswaldo draaide het lijk bruusk om. Kris was met twee kogels in het achterhoofd afgemaakt. 'Van op korte afstand geëxecuteerd. En nadien werd zijn hand afgesneden.'

Een koude rilling omklemde mijn hart. 'Wat zeg je?'

'Afgesneden. De rechterhand. Het gruwelijke lot dat smokkelaars ondergaan. Een oude traditie.'

'Daar heb ik nog nooit van gehoord.' Ik huiverde. 'Laten we maken dat we hier wegkomen.'

De trap naar buiten was nog intact. We vorderden voetje voor voetje. Het lukte ons om niet al te veel lawaai te maken. We vonden onze weg door het leegstaande huis naar de straat.

Aan de overkant stond de bestelwagen waarmee de passagiers voor de kroeg werden vervoerd. De chauffeur lag dood achter het stuur. Ik wierp een blik door het stukgeschoten raampje. De sleutels zaten nog in het contact.

Ik keek Oswaldo aan, hij knikte. We trokken het lijk naar buiten en sleepten het naar een portiek. In de laadruimte vonden we wat dekens en een zeil, waarmee we de met bloed doordrenkte zetels afdekten. Ik kroop achter het stuur en draaide de sleutels om. De startmotor reutelde even en gaf het toen op.

'Die verdomde batterij is leeg. De oude, beproefde methode dan maar.'

We duwden de bestelwagen de lichte helling af tot hij een behoorlijk vaartje kreeg. Ik hield de koppeling in, schakelde naar tweede versnelling en draaide toen aan de contactsleutel. Bruusk liet ik de koppeling los. De bestelwagen minderde plots vaart, maakte een vreemde bokkensprong maar toen sloeg de motor aan. Vlug trapte ik de koppeling weer in. De motor bleef draaien.

Kruger kwam aangelopen en hijgde nog na van de inspanningen. 'Enig idee waar we heen gaan?'

'Ik wil hier weg. Ik wil naar Zone B. Ik wil weten hoe het met Rosy en Robin gaat en daar ga jij me niet van afhouden. Ik ben mijn deel van de overeenkomst nagekomen. Zoek het nu verder maar uit.'

'Vergeet het. De kaarten liggen anders nu. Ik ga met je mee. Rosy en Robin zijn veilig. Hou me maar te vriend. Je vindt ze nooit zonder mij. Hoe wil je het aanpakken om in Zone B te geraken?'

'We moeten naar het station. Kris had het ooit over verborgen ruimtes in hogesnelheidstreinen. Dat is de enige manier om incognito te reizen.'

Kruger verzonk in eindeloos staren, terwijl ik de bestelwagen voorzichtig door de lege straten stuurde. Uiteindelijk keek hij me aan. 'Deze hele toestand zit me niet lekker. Wat is hier aan de hand? Je legt toch geen mensen koelbloedig neer omdat ze een illegale kroeg runnen?'

'Blijkbaar wel.'

Kruger snoof. 'Verrekt nee. Hier is heel wat meer gaande. Dit zit me absoluut niet lekker. Auw...'

'Wat heb je?'

'Niks. Ik stootte mijn knie. Hier ligt een tas op de vloer.' Hij wriemelde wat en trok de tas te voorschijn. Zwart leer, met vergulde sloten, alles van prima kwaliteit. In het naamlabel stak een kaartje met het logo van de kroeg. Bij het handvat stonden initialen. K.B.

Ik slikte. 'Dat zou de tas van Kris Brams kunnen zijn.' Ik parkeerde en morrelde wat aan de sloten. Ze klikten een na een open. De tas stak boordevol paperassen. Mappen met cijfers. Bestellingen. Opbrengsten. En de verdeling van die opbrengsten aan personen met een gecodeerde naam. 'Dit was de boekhouding van de kroeg. Waarschijnlijk heeft de chauffeur van de bestelwagen nog geprobeerd ze in veiligheid te brengen.'

Kruger bonkte kwaad op het dashboard. 'Dan heb ik het zeker bij het rechte eind. Het was hen absoluut niet om het oprollen van die kroeg te doen, anders hadden ze die boekhouding wel in beslag genomen. Maar nee, die laten ze doodgewoon rondslingeren.'

'Het kan ook een rivaliserende bende geweest zijn.'

We bleven een tijdje zwijgend door het raam staren. Ik schakelde en liet de bestelwagen opnieuw de weg op hobbelen. De straten waren uitgestorven, de huizen leeg. Vele ruiten lagen aan diggelen. Het duurde een tijdje voor ik me kon oriënteren, tot we bij de rivier kwamen. Ik volgde het pad langs het water. In de verte doemde een metalen brug over een rangeerterrein op.

We vorderden langzaam, want er zaten grote kuilen in het pad. Aan deze oever stonden vervallen loodsen en hier en daar dobberde een bootwrak op het water. Door de aanhoudende mistral ontstonden er kleine golfjes op het wateroppervlak.

Plots schreeuwde Kruger het uit. 'Blijf staan! Verdomme nog aan toe!' Hij was de bestelwagen uit nog voor we helemaal stilstonden.

Ik liep achter hem aan, ik zag hem nog net in een van de vervallen loodsen verdwijnen. Ik versnelde mijn pas. Daar stond Kruger, midden op een ommuurde binnenplaats. Ik hoefde niks te vragen, ik begreep zijn verbijstering.

In het midden van de binnenplaats stond een majestueuze zwarte vrachtwagen met een gigantische oplegger. Een zwarte vrachtwagen zoals we er een tiental uit de tunnel in Luik hadden zien rijden. De deuren van de laadbak stonden wagenwijd open. We naderden omzichtig.

Op de oplegger stonden wel twintig metalen containers. De klep van elke container stond ook open. Ik klauterde voorzichtig in de laadruimte.

Ik zag wat ik al vermoedde. Ook de containers waren leeg.

Ik sprong opnieuw op de grond. 'Alles is leeg.'

'Ze hebben de lading vliegende teken binnen Tetraville gebracht. De rotzakken.'

Verschrikt keek ik om me heen. Ik zag een grote poort die openstond en liep de loods binnen. Alles was er leeg, op wat rommel na. 'Geen andere vrachtwagens. Waar zouden die heen zijn?'

Ook Kruger had rondgekeken en liep nu naar me toe. 'Nergens sporen van de rest van de lading. Maar ook geen teken meer. Dat vind ik bijzonder vreemd.'

'Waarschijnlijk heeft de sterke mistral ze landinwaarts geblazen.'

'Nee, daar geloof ik niks van. Ze komen niet met een vrachtwagen helemaal vanuit het noorden hier naartoe, om dan hun moordende lading domweg te lozen. Er moet meer achter zitten.'

We liepen naar onze bestelwagen terug. Net toen we wilden instappen, zagen we het, bijna gelijktijdig. De zwarte vrachtwagen had een modderspoor over de binnenplaats getrokken. De modder plakte aan elke band van de rechterflank. Het spoor was makkelijk te volgen.

We namen de bestelwagen en gingen op pad. Ver hoefden we niet te rijden. Het spoor bracht ons naar een klein weggetje achter de loods. Het weggetje was smal en de berm aan de rechterkant was helemaal omgewoeld. Halfweg stopte het spoor abrupt.

'De vrachtwagen is hier in gereden, tot halfweg, en is dan door plaatsgebrek terug achteruit gereden.'

'Dan heeft hij hier in dit steegje zijn lading gelost.'

Kruger zuchtte. 'Waarom toch? Dat houdt geen steek.'

Ik stopte ongeveer op de plek waar het spoor ophield. Rechts van ons was er de blinde muur die de achterkant van de loods vormde. Links was er ook een muur, met een solide ijzeren deur. We stapten uit en naderden. Alles was stil. Ik wilde controleren of de deur op slot zat, maar Kruger hield me tegen.

'Kijk daar. Dat zit daar niet voor niks.'

Onderaan de deur was een reeks vodden tussen de smalle spleet gepropt. Ook bij de zijkant, tussen de deur en de muur, zaten vodden. Ik kreeg een vieze smaak in de mond. We deinsden achteruit. Een tijdlang bleven we elkaar aankijken.

Toen kwam Kruger tot een besluit. Hij rommelde wat in de laadbak van de bestelwagen, vond een eindje touw en knoopte dat aan de voorbumper vast. Het andere eind ging om de deurknop. Voorzichtig duwde hij de kruk naar beneden. De deur knarste en zat op een kier. We spurtten weg en kropen in de cabine. Voorzichtig zette ik de versnelling in achteruit. Het touw kwam strak te staan. Nog een dot gas en toen floepte de deur helemaal open.

De eerste momenten gebeurde er niks. We hadden geen zicht op het achterliggende vertrek omdat de deur naar onze kant openging, maar net toen we wilden uitstappen, walmde een zwarte wolk naar buiten. We hielden onze adem in. De wolk bolde op, honderden zwarte puntjes in een ritmische dans. De punt van de wolk wees naar boven, aarzelde een moment en dan kantelde de zuil onze kant op.

Kruger greep grommend de aktetas, scheurde bladen uit de mappen en propte die in de luchtgaten in het dashboard. Ik volgde zijn voorbeeld. Geen moment te vroeg. De tekenwolk sloeg rikketikkend tegen de carrosserie en de ruiten en gleed verder over het dak. We hielden angstvallig onze primitieve bescherming in de gaten.

De wolk verdween achter ons, loste op in het diffuse middaglicht. Het werd weer akelig stil buiten. De deur zwaaide heen en weer in de wind, maar uit het gat kwam gelukkig niks meer te voorschijn. Zo bleven we nog meer dan een kwartier zitten. Uiteindelijk won onze nieuwsgierigheid het van de angst.

We naderden omzichtig, stapje voor stapje. Het vertrek achter de openstaande deur was klein en donker. Er waren een paar trapjes die naar een volgende deur leidden, maar die was vergrendeld met zware, ijzeren dwarsbalken. Tegen de deur lag een rioolbuis van wel een meter doorsnee. Achteraan, tegen de deur, was ook deze buis afgesloten.

'Begrijp jij hier iets van?'

Kruger knikte. 'Ze hebben van op de vrachtwagen hun lading door deze buis geloodst, naar de ruimte hiernaast. Toen hebben ze alles zorgvuldig vergrendeld. De teken die wij naar buiten zagen vliegen was het restje dat nog in dit eindje buis zat.'

'Wat zou er hier achter zijn?'

Het antwoord liet nog even op zich wachten. De vergrendelde deur openmaken vonden we geen goed idee, dus gingen we op zoek naar een raam. In de hoek van het vertrek zat een trap die naar een metalen platform leidde. Van daaruit kwamen we op een overloop, die naar een gang leidde. We gluurden om de hoek. Alles bleek rustig.

'Waar komt dat licht vandaan?'

Ik schuifelde voorzichtig door de gang. Het licht viel uit een groot raam naar binnen. Maar het was geen daglicht, daarvoor was het te fel. Ik naderde voorzichtig. Er lag een enorme ruimte achter de afgesloten deuren. Hoog, achteraan oplopend, met een groot podium net onder het raam. Een theaterzaal. De vele spots brandden nog op volle kracht.

Omdat ik niet op zijn vragen reageerde, kwam Kruger naar me toegelopen. Zodra hij door het raam keek, was ook hij sprakeloos. We keken naar de hel. De wansmakelijkheden bij de illegale nachtkroeg waren maar een onbenullig voorspel geweest.

De theaterzaal lag vol lijken. Over de rijen stoelen, in de middengangen, de zijgangen. Achteraan bij de vergrendelde toegangsdeuren was de concentratie hoger. Mensen lagen er door elkaar, soms over elkaar heen. Alle lijken zagen er verschrikkelijk uit. Met opengereten huid, etterende wonden. Nagenoeg alle gezichten vertoonden de krampachtige grimas, eigen aan personen die een bijzonder pijnlijke dood stierven. In de lichtbundels van de zaalverlichting dwarrelden zwarte puntjes.

Kruger liet zich ontzet op de vloer zakken. 'Ze hebben alle deuren vergrendeld en dan hun moorddadige monsters op de menigte los gelaten. Hier zijn geen woorden voor.'

'Daarbinnen liggen zeker vijfhonderd onschuldige slachtoffers. Dit is je reinste genocide.'

We sleepten ons naar buiten. De verschrikkelijke beelden waren op ons netvlies gebrand. We klauterden in de bestelwagen. Gelukkig was de batterij voldoende opgeladen. De motor sloeg meteen aan. Ik reed zonder eigenlijk goed te weten wat we nu konden doen.

44

Hoelang we doelloos rondreden, herinnerde ik me niet meer, maar we stopten pas toen Kruger brullend mijn trance verbrak. Ik trapte hard op de rem en zag hoe hij paniekerig zijn mouw losscheurde en hevig ging krabben. De huid op zijn onderarm was dieprood, het bloed stroomde uit verschillende kleine wondjes.

'Ik ben gebeten door die loeders. Dit doet verrekt veel pijn.' Zijn gezicht vertrok tot een grimas en hij ging driftig door met krabben. Het bloed vloeide over zijn knieën.

'Ik denk niet dat het zo'n goed idee is om te krabben. Probeer die rotzakken naar buiten te halen.'

'Waarom denk je dat ik dit doe?' Krugers stem sloeg over van angst. 'Help me. Een mes. Ik wil een mes. Of een puntig voorwerp.'

Ik zocht koortsachtig, maar er was niks te vinden. Ik stortte me op de aktetas die nog tussen ons in stond. Ik rukte het bovendeel weg en de scharnieren kraakten tot ze tenslotte afbraken. Het was niet veel, maar het was tenminste een puntig voorwerp.

Kruger nam het stuk metaal en boorde dat in zijn vlees. Hij verbeet de pijn. De huid op zijn arm knapte verder open. De metalen punt drong dieper naar binnen. Ik zag dat hij helemaal bleek om de neus werd. Zijn ogen maakten rare sprongen. Ik overwon mijn walging en probeerde het van hem over te nemen. Ik draaide de metalen punt om en voelde het vlees scheuren. Het bloed vloeide over mijn handen.

Net toen ik op het punt stond om het op te geven, zag ik de zwarte teek bij het uiteinde van de punt. Ik stootte nog dieper en wist het beest naar buiten te krijgen. Het viel in Krugers schoot. Toen zag ik hoe het zijn minuscule vleugels open spreidde. Maar vluchten kon het niet. Het bloed belette het. Ik nam een strook papier en vermorzelde het beest. Het kraakte.

Kruger lag tegen het zijraampje en hijgde als een renpaard. 'Ik weet niet of er nog meer in zitten, maar we moeten stoppen. Ik denk dat er een slagader is doorgesneden. Je moet mijn arm afbinden.'

Nu pas zag ik hoe het bloed gutsend in het rond sproeide. Een verband-doos was er niet te vinden in de gammele bestelwagen. Ten einde raad rukte ik de binnenbekleding van de aktetas los en scheurde de stof in lange repen. Ik knoopte de repen zo strak mogelijk rond Krugers arm en gebruikte de afgebroken scharnier om de stof verder aan te spannen. Het gutsen verminderde, tot het uiteindelijk helemaal stopte.

'Dank je,' hijgde Oswaldo. Hij hief zijn gewonde arm op en inspecteerde de wonde. 'De jeuk is nog draaglijk. Met wat geluk was het die ene smeerlap maar. Nog eens bedankt.'

'Die wond moet dringend verzorgd worden. En die knelband zal het ook niet lang uithouden. We moeten een apotheek vinden.'

'Laat ons eerst de wagen nakijken op teken.'

We inspecteerden de cabine, maar vonden niets alarmerends. Toen viel, bijna gelijktijdig, ons oog op de vernielde aktetas. Onder de weggerukte binnenbekleding was een dubbele bodem zichtbaar geworden. De kleine ruimte zat volgepropt met krantenknipsels. Iemand had in een warrig handschrift de datum op elk knipsel vermeld. Het waren allemaal recente artikels, nauwelijks anderhalve week oud.

En ze gingen allemaal over mij.

Het duurde lang voor de verschrikkelijke waarheid tot me doordrong. Ik las alle artikels meerdere keren, mijn hersenen hadden het moeilijk om het hele plaatje te vatten. Iemand had een duivels spel met me gespeeld.

Kruger, al wat op zijn positieven nu, greep de paperassen en begon op zijn beurt te lezen. Een na een gaf hij de knipsels weer door. Uit pure consternatie begon ik ook opnieuw te lezen.

Het eerste artikel, uit de krant van dinsdag 3 september, had het over een slachtpartij bij de Spaanse grens, bij Poort S-1, aan de *Punto de Ares*. Dat was net de plaats en de periode waarop ik daar was voor de inspectie van de muur. De begeleidende foto liet niets aan de verbeelding over. Ik stond temidden van een verzameling bloederige lijken. De schreeuwerige kop boven het artikel maakte gewag van mijn zoveelste terreurdaad als losgeslagen psychopaat.

Kruger nam het knipsel van me over. 'Als ik er zelf niet was geweest, zou je zweren dat het allemaal echt is.'

Het duurde een tijdje tot zijn woorden ten volle tot me doordrongen.

'Was jij daar?'

Hij knikte. 'Je uitstapje aan de verkeerde kant van de grens, toen ze je stevig op de vingers tikten.'

Plots kwam het allemaal terug. Het strookje negatieven dat ik er vond. Natuurlijk. Kruger was er geweest om me nog wat te pesten. Toen viel er nog een stuk van de puzzel op zijn plaats. Het vreemde geluid dat ik gehoord had. 'Ze lieten me naar de grens komen omdat ze wat foto's van me nodig hadden op die plek.'

Kruger knikte. 'Ik stond wat verderop. Ik wilde je eindelijk vertellen wat mijn bedoeling was. Maar toen zag ik die kerel met zijn fotoapparaat. Ik liet de negatieven achter bij een rotsblok en maakte me uit de voeten.'

'Nog diezelfde avond vertelde die klier van een Thomas Welkenraedt me dat ik naar huis kon, dat de man die ik verving was teruggekeerd. Terwijl de Manty daar met geen woord over had gerept. Ik ben er mooi ingetuind.'

Ik begreep nu ook wat Welkenraedt in Zone B in de kantoren van de Manty te zoeken had, toen ik hem hoorde kuchen in het aanpalende vertrek. Ze werkten samen aan dit bedrog.

We ploeterden verder door het web van leugens. Het ene spectaculaire artikel volgde na het andere. Zo pleegde ik een bomaanslag – ook de bomaanslag op het metrostation in Zone B werd me in de schoenen geschoven – en vermoordde ik lukraak onschuldige mensen. Allemaal verzonnen leugens, allemaal voorzien van pijnlijk gemanipuleerde foto's. Het beeld van de nietsontziende psychopaat groeide gestaag.

In de krant van drie dagen later gingen ze opnieuw voor het volle pond. Er stond een lang artikel in over de aanhouding van mijn twee luitenanten. Twee boeventronies prijkten onder de tekst. Ik kende die mannen niet eens. Of toch wel?

Ik keek Kruger bezorgd aan. 'De namen van die mannen zeggen me totaal niks, maar eigenlijk kan ik me niet van de indruk ontdoen dat ik ze al ooit heb ontmoet.'

'Misschien tijdens een of andere opdracht?'

'Nee, in Zone B werk ik met een vaste ploeg. Ik heb meer het gevoel dat...'

'Op een feestje?'

'Zoiets. Hoewel ik bitter weinig naar feestjes ging. De enige keer dat...'

Er schoot een flits door mijn geteisterde hersenpan.

'Verdomd, ik weet het. Vijf maanden geleden werd ik in Zone A ontboden om een sullige ceremonie bij te wonen. Ik kreeg een ereteken overhandigd door de president zelve. Terwijl ik er geen flauw vermoeden van had waaraan ik die eer had verdiend. Samen met mij werden nog twee mannen geëerd.' Ik hield Kruger de foto voor en tikte met mijn vinger op de beeltenis van de twee mannen. 'Het waren mannen die ik nog nooit ontmoet had. Twee boerenpummels. Een compleet raadsel wat die daar kwamen doen.'

Kruger keek me onderzoekend aan. 'Jullie werden ontboden door de mensen achter dit bedrog om aan de president voorgesteld te worden. Hij moest waarschijnlijk zijn goedkeuring geven aan dit hele project.'

'Ja, en ze hadden waarschijnlijk nog wat fotootjes nodig.'

Er waren nog artikels. Een kleintje met een foto waarop ik in een gevecht verwikkeld was op de overzetboot bij de Maas. In een uitsnijding onderaan stond een wazige opname van het lijk dat kilometers zuidelijker uit het water wordt gehaald.

De stukjes van de puzzel bleven op hun plaats vallen. Waarom had ik dit niet allemaal eerder ingezien? 'Ze volgden me van bij het begin van mijn opdracht. Ik wist het en toch heb ik me er verder geen zorgen over gemaakt. Wat een oen ben ik toch!' Ik nam het artikel opnieuw door. 'Op de overzet liep het compleet uit de hand. Cor doodde de kerel, maar hier in het artikel ben ik natuurlijk de schuldige. Hadden zij eventjes mazzel. Wat een prachtige plaatjes leverde dat op. Ze hebben het dankbaar aangegrepen om een compleet gestoorde gek van me te maken.'

Ik gooide de knipsels woedend weg. 'Dit is allemaal te gek voor woorden. Niemand zou dit geloven. Ik denk dat Kris Brams zich enorm geamuseerd heeft toen hij deze shit verzamelde. Hij...' Het beeld van de vermoorde Kris op de vloer van de kroeg benam me alle lust om verder te gaan. 'De smeerlappen.'

Kruger antwoordde niet. Hij keek uit het raam. 'Laten we naar het stationsgebouw gaan. Ik heb honger. Misschien vinden we nog iets te eten. En wat verband voor mijn arm zou ook geen slecht idee zijn.'

Hij hief zijn arm op. Het geïmproviseerde verband was al aardig met bloed doordrenkt. Hij stapte uit en strompelde het pleintje over waar we halt hadden gehouden. Hij had duidelijk meer bloed verloren dan hij wilde laten merken. Ik volgde Kruger wat onwennig naar de immense hal. Een misdadiger op de vlucht. Ze hadden een prima zondebok geschapen voor hun duistere spelletjes.

Er was niemand te zien in het stationsgebouw. In de centrale hal vonden we wat flets snoepgoed bij een winkeltje waarvan de rolluiken geforceerd waren. Over de vloer lagen verkreukelde kranten. Kruger raapte er eentje op en toonde me het frontartikel.

Het kon dus nog erger. De leugens werden nog grover. In het recent artikel werd ik verantwoordelijk gesteld voor de slachtpartij in de illegale kroeg in Zone M. Een afdruk van een bewakingscamera toonde me terwijl ik een paar klanten neermaaide met een machinepistool. Het verslag stond bol van saillante details. Riooljournalistiek van de bovenste plank.

Kwaad gooide ik de krant weg. 'Laten we maar wat aan die arm van jou gaan doen.'

Een eindje verderop, in een kantoor waarvan de deur openstond, vonden we een nagenoeg intacte verbandtrommel. We strompelden met onze karige buit naar de perrons. Er stonden twee hogesnelheidstreinen op de sporen, leeg en immobiel. Er liep niemand rond, nergens brandde licht, de elektronische borden zwegen in alle talen.

Ik ontsmette de wond op Krugers arm en knoopte een nieuw verband om. Het bloeden was eindelijk gestopt en het zag er naar uit dat hij slechts door één teek gebeten was. Hij had geluk gehad.

Maar hoe zat het met mijn geluk?

Ik kon geen kant meer op. Het was de hoogste tijd dat ik mijn noodplan in werking stelde.

Ik stond op. 'Vind je het erg als ik in mijn eentje wat rondkuier? Ik moet...'

Kruger knikte. 'Doe maar. We kunnen toch nergens heen.' Hij ging languit op de bank liggen en sloot zijn ogen.

Een vreemd voorgevoel vertelde me dat Kruger iets in zijn schild voerde. Zoals hij daar op de bank lag. Onder het dunne velletje onverschilligheid leek hij best nerveus.

Maar ik had geen tijd om me daar nu zorgen over te maken. Ik liep traag het hele perron af. Waar de overkapping ophield, stond een groot inlichtingenbord. Ik leunde er tegenaan en staarde naar de sporen. Vanuit mijn ooghoek kon ik nog net de bank zien waarop Kruger lag. Hij had nog geen vin bewogen. Ik liep langzaam langs het bord heen en stapte het stationsgebouw weer binnen. Naast de toiletruimte stonden een paar stoelen rond een geïmproviseerde asbak. Ik ging zitten.

Tien minuten bleef ik zitten, maar Kruger kwam niet achter me aan. Ik stond op en liep langzaam naar het centrale gedeelte van het gebouw. Aan de muur naast de loketten hing een reeks telefoons. Er waren er een paar vernield, maar ik vond er eentje die nog werkte. Ik sloot mijn ogen en haalde me de geheime cijfercode, die ik uit het hoofd had geleerd, voor de ogen. Ik toetste het nummer in.

Er klonk slechts één belsignaal. Een vriendelijke stem nam op. 'Bureau van de heer gouverneur, Zone B.'

Ik stak meteen van wal. 'Firma Hudson en Co. Het dak is niet meer te repareren.'

'Oh!' De stem klonk oprecht verbaasd. 'Dan verbind ik je door met de betreffende dienst.'

De lijn kraakte en toen de scrambler in werking trad, zat er een ruis op de verbinding. 'Wat is er, Paul? Waar zit je ergens?'

'Ik ben in Zone M. Het is hier verschrikkelijk. Vele mensen zijn vermoord. Hier loopt niemand meer over straat.'

'Dat weten we. Velen zijn gevlucht, anderen verschansen zich in hun huizen. We waren te laat om dit debacle te verhinderen. We konden niet vermoeden dat ze het op deze schaal zouden uitproberen.'

'En ik krijg overal de schuld van.'

'Dat weten we.'

'Ik kan nergens meer heen. Ik stop ermee. Ik heb het gehad.'

'Nee. Dat kun je niet maken. Je moet doorgaan. We hebben ze bijna. Het zal lukken.'

'Ik wil mijn vrouw en mijn zoon terugzien. Kruger heeft me in de tang. Hij alleen weet waar ze zijn.'

De stem aarzelde. 'Ze zijn inderdaad... verdwenen.' Er viel een pauze. 'Nog even volhouden. Kom naar Zone B met je lading. We garanderen je dat alles in orde komt.'

'En Rosy en Robin?'

'We zitten al veel te lang op deze lijn. Het wordt gevaarlijk.' Zonder verdere poespas werd de verbinding verbroken.

Ik hing op en liep naar het perron terug. De bank waar ik Kruger had achtergelaten was leeg.

45

Ik vond Kruger een eindje verderop, bij een groot bord dat volgekliederd was met affiches. Hij wenkte me en wees me een tamelijk recent exemplaar in de bovenhoek aan.

Hij gromde. 'Moet je dat zien. Gratis concert naar aanleiding van de herdenking van veertig jaar Tetraville. Drank à volonté. Wees op tijd. Théatre Rossignol.' Hij liep kwaad van het bord weg. 'Mijn kop eraf als dat niet het theater was dat we gezien hebben. Al die onschuldige mensen zijn zomaar in de val getrapt.'

'Waarschijnlijk zijn ze nu al druk doende om een artikeltje in elkaar te boksen waarin ik de schuld krijg van deze aanslag.'

'Nou, bereid je dan maar voor op het ergste.'

'Wat bedoel je daarmee?'

Hij stapte naar een klein kantoortje, waarvan de deur openstond. Op het gekraste bureau lag een krant. Hij greep ze en toonde me een paginagrote advertentie op de achterkant. 'Dit is de krant van gisteren. Opnieuw een aankondiging voor een groots evenement. Deze keer in Zone B. Een gratis concert, gratis drank en een speciale attentie voor elke deelnemer. Zelfs de president zal aanwezig zijn.'

Ik bestudeerde de tekst onderaan. 'Het heeft plaats in Vorst Nationaal. Dat is een oude zaal waar vroeger megaconcerten werden georganiseerd. Er kunnen zowat zesduizend mensen in.'

'Dan was dit hier in Zone M een test. Daarom hebben we maar één vrachtwagen gevonden. Het grote werk gebeurt in Zone B. Het is een heel speciale herdenking. Je kunt alleen naar binnen met een uitnodiging. Dat is een meesterzet. Ze nodigen alleen de mensen uit die hen in de weg lopen. Eenvoudige eliminatie.' Kruger rukte me de krant uit de handen. 'En het gebeurt morgen.'

Een man stapte het kantoortje binnen en gooide de deur dicht. Hij was veeleer klein, een flink eind in de vijftig en hij droeg een gekreukt uniform.

Een of andere stationsbeambte, dacht ik. Hij knikte bijna onopgemerkt en haalde een hand door zijn warrige haar.

Kruger stapte naar de man toe. '*Tu as pris ton temps!* Dat heeft ook lang geduurd. Ik heb nochtans de code voor de hoogste nood gebruikt.'

'*On a autre chose en tête qu'un bête code!* Neem het me niet kwalijk, maar iedereen houdt zich verschanst. Die rotbeesten ontzien niemand. Ik ben de dans mooi ontsprongen en dat wil ik nog een tijdje zo houden. Trouwens, er rijden voorlopig toch geen treinen meer.'

'Dan komt daar nu verandering in. Wij moeten zo snel mogelijk naar Zone B.'

'Ik ben maar een eenvoudige perronverantwoordelijke. Ik kan geen treinen laten rijden. *Je ne suis pas Dieu.*'

Kruger haalde geërgerd de schouders op. 'Dat weet ik ook wel. Breng me naar een kantoor waar een telefoon staat die het nog doet.'

De man knikte onderdanig. We volgden hem langs het perron naar het hoofdgebouw. Via een brede trap kwamen we in een groot kantoor terecht.

Er waren nog vier mensen aanwezig. Allen in het uniform van de Franse spoorwegen. Allemaal volgden ze de bevelen van Kruger zonder morren op.

Er werd eten gebracht. We deden ons tegoed aan brood en kaas. Alleen de rode wijn ontbrak. We hielden het op water. Intussen werd er druk getelefoneerd. Bijna altijd werden er vreemde codes gebruikt. Langzaam aan kwam een hele machinerie op gang. Mensen meldden zich in het kantoor, mensen brachten rapport uit, mensen dropen af met nieuwe bevelen. En telkens werd Kruger met de grootste egards behandeld. Het beeld werd me beetje bij beetje duidelijk. Hij stond aan de top van een immense piramide en had nu heel zijn organisatie in een verhoogd tempo in staat van paraatheid gebracht.

Hun grote moment, waar ze jarenlang naartoe hadden gewerkt, was aangebroken. Krugers definitieve bezoek aan de president was ingeleid.

Na nauwelijks een uur stond er een locomotief op de sporen. Hij trok twee personenrijtuigen en een afgesloten vrachtwagon. De twee perso-nenwagons werden door een hele ploeg in gereedheid gebracht. Proviand werd aangevoerd terwijl de machinisten de koppelingen controleerden.

Heel die tijd week ik geen meter van mijn plaats. Dat kon ook moeilijk anders. Ik zag duidelijk dat een van de mannen de speciale opdracht had gekregen om me te bewaken. Zijn ogen lieten me geen moment los. Hij kon op zijn beide oren slapen. Ik gedroeg me voorbeeldig.

Na nog een uur was alles klaar. Kruger gaf de laatste bevelen. Door de drieste tekenaanval was er een algemene staking uitgebroken bij het spoorwegpersoneel. Daarom gaf Kruger opdracht om, een kwartier nadat we zouden vertrekken, het bericht te verspreiden dat er toch een werkwillige machinist was opgedaagd en dat uitgerekend één trein volgens het boekje reed. Het ging erom niet al te veel vragen op te roepen over een eenzaam treinstel dat over de sporen raasde naar het noorden.

We vertrokken stipt op het in het spoorboekje aangeduide tijdstip. Zeker vijftien mensen stapten mee in het rijtuig en ik vermoedde dat er in het tweede, achter de verduisterde ramen, nog eens evenveel zaten. We lieten Zone M achter ons.

De reis was lang en eentonig. Het vrachtrijtuig achteraan behoorde niet tot de standaarduitrusting van de hogesnelheidstrein en belemmerde onze vaart. Niemand bekommerde zich om me. Kruger zat als een veldheer aan een grote tafel en besprak met een aantal ondergeschikten de komende acties. Ik staarde uit het raam. De twee mij toegewezen lijfwachten zaten op minder dan twee meter van me vandaan en registreerden zelfs de bewegingen van mijn wenkbrauwen. Ik hield me aan mijn rol van voorbeeldige gevangene.

Er werd eten gebracht. Nog meer brood en kaas, maar nu kon er ook wat wijn af. Flets namaakspul. Mijn gedachten dwaalden af naar de memorabele nacht in de kroeg met Kris Brams. Ik geeuwde. Het wiegen van de wagons maakte me doezelig. Ik dommelde in.

Ik schrok wakker en knipperde met mijn ogen. De trein stond stil, midden op een braakliggend terrein. De lichten in de wagon waren aan en Kruger stond met vijf van zijn vazallen bij mijn stoel.

Kruger scheen een groot blik met energie te hebben opengemaakt, want hij blaakte van zelfvertrouwen. Zijn ogen boorden zich dwars door me heen. 'Goed. We hebben een klein oponthoud, maar dat deert niet. Vooraleer we verder rijden moet jij me eens vertellen naar wie je telefoneerde daar in het station in Zone M.'

46

Donderdag 19 september 2052

20.36 uur

'Ik weet niet waarover je het hebt.'

Kruger bleef opgewekt. 'De firma Hudson en Co. Je belde naar het bureau van de gouverneur.'

'Als je dat toch al weet.'

'Er bestaat geen gouverneur in Zone B. En al evenmin een firma Hudson en Co. Wie was het?'

Ik zweeg. Kruger richtte zich op en stuurde iedereen weg. Toen ging hij in de stoel naast me zitten. Er was iets veranderd in zijn gedrag. Het leek alsof ik naast een ijsberg zat.

'Een van mijn mannetjes heeft Rosy en Robin overgebracht naar een veilig adres.'

'Blijf met je vuile poten...'

'Ben je gek? Wie denk je wel dat ik ben?' Er verscheen het begin van een glimlach op de ijsberg. 'Maar ik kan er wel voor zorgen dat je nooit te weten komt waar ze zich precies bevinden.'

Ik balde mijn vuisten in mijn broekzakken. Angst kneep mijn keel dicht. Dit ging de verkeerde kant op. 'Als je hen één haar krenkt, vermoord ik je eigenhandig.'

'Geen stoere taal, alsjeblieft. Dat staat je helemaal niet. Je bent geen held, je bent een onderkruiper. Eentje van de meest laffe soort.'

'Ik herhaal het, als...'

'Ik heb het begrepen. Ik sta nu al te trillen op mijn benen.' Hij stond op. Er zat een kwaadaardige grijns op zijn gezicht die er totnogtoe niet was geweest. Het beest in Kruger was losgekomen. 'Vertel me alles over de firma Hudson en wat de bedoeling van jouw telefoontje was.'

Ik zuchtte. Het had geen zin. Van Rosy en Robin moesten ze afblijven.

'De firma Hudson is een dekmantel. Van Gerard de Manty, mijn rechtstreekse overste en de man die me deze opdracht gaf. Het was een nummer dat ik alleen in de hoogste nood mocht gebruiken, of als mijn opdracht volbracht was. Ik dacht dat dat het geval was toen we daar in het station waren.'

'En waarom dan wel?'

'Omdat jouw machinerie op gang kwam. En dat was precies de bedoeling van deze hele actie. Niet alleen jou binnenbrengen, maar ook al je medemerkers binnen de muren ontmaskeren.'

Kruger ijsbeerde door de treinwagon. Hij dacht na, tuitte zijn lippen, klakte met zijn tong. Plots draaide hij zich abrupt om. 'Mooie uitleg. Maar ik geloof je niet.'

Ik zweeg. De stilte woog tonnen. Kruger keek me gespannen aan. Ik voelde zijn lichaam trillen, alsof hij een overdosis pep naar binnen had. Plots wandelde hij weg. Ik hoorde hem in de gang zijn vazallen verzamelen. Voetstappen verwijderden zich.

We bleven nog een hele tijd staan, midden op het braakliggend terrein. Ik hoorde opgewonden stemmen in het tweede rijtuig. Ik probeerde de deur die naar het verbindingsstuk leidde, maar twee potige kerels doemden op en brachten me meteen op andere gedachten. Ik ging weer zitten. Het had geen zin om de andere kant te proberen. Er zouden overal wel mannetjes staan.

Ik was bijna opnieuw ingedommeld, toen er plots beweging kwam. Niet in het treinstel, maar enkele mannen kwamen het rijtuig binnen en namen alles mee wat er ook maar rondslingerde. Jassen, hoeden, proviand. Ook ik moest mee naar buiten.

Kruger stond naast de wagon en brulde orders. Toen hij me zag, grijnsde hij. 'Wijziging in de plannen. Jij gaat met ons mee. Ik vertrouw je niet meer als je meer dan twee meter van me vandaan bent.'

De vrachtwagon werd opengemaakt. Behoedzaam werd er een grote zwarte vrachtwagen uitgereden. Het was de vrachtwagen die we in Zone M bij het theater hadden gezien. De modder plakte nog aan de banden. De deuren van de laadruimte klapten open. Alle lading was weggehaald, alles was netjes schoongemaakt. Er waren banken aangebracht en ik zag ook met een glimp het controlepaneel, eentje zoals gebruikt werd toen de helikopters werden uitgestuurd.

We klommen naar binnen. Het werd behoorlijk druk in de kleine ruimte.

Ik kreeg een plaatsje helemaal voorin, waar de kans op ontsnapping klein was. Onbestaand eigenlijk. De deuren gingen dicht en in het totale duister reden we weg. Niemand sprak een woord.

De rit duurde eindeloos. Het was waarschijnlijk nog een behoorlijk eind tot Zone B. Herhaaldelijk hoorde ik aan de zwoegende motor dat de chauffeur het niet makkelijk had met hindernissen op de weg. Opeens werden de omgevingsgeluiden anders. Het gedaas van de motor klonk veel helderder. We waren een tunnel in gereden. De vrachtwagen stopte. Een zijdeur van het gevaarte ging open. Er viel geen licht naar binnen. Een tunnel dus. Iedereen sprak op gedempte toon. Kruger gaf zijn bevelen. 'Twee mannen posten bij de tunnelingang en twee moeten naar buiten. De andere vier blijven in de buurt van de vrachtwagen.'

Mij vroeg niemand wat. Toen ik zag dat de overige aanwezigen een gemakkelijke slaaphouding zochten, deed ik hetzelfde. Dat viel niet mee op de harde bank.

47

Over de laatste twintig kilometer naar het centrum van Zone B hadden we meer dan vijf uren gedaan. De vrachtwagen stopte regelmatig. Dan hoorde ik opgewonden stemmen die bevelen schreeuwden en het gehijg van mannen die hindernissen wegsleepten. Hoe dichter we het centrum naderden, hoe intenser de wegcontroles werden. Maar de zet met de zwarte vrachtwagen bleek meesterlijk. Iedereen van de Politieraad kende de mastodonten. Niemand legde ons een strobreed in de weg.

Toen ik uiteindelijk uit de laadruimte mocht, zag ik dat de vrachtwagen op een hoogte stond. Van hieruit had je een uitzicht op wat eens een volgebouwde vallei was geweest. Nu waren er vele daken ingestort en enkele straten waren ontoegankelijk geworden door de rommel die er rondslingerde. Maar pal voor ons, aan de voet van de heuvel, was de infrastructuur in veel betere staat. Er was een enorm ovalen dak zichtbaar, netjes onderhouden. Rond het gebouw stonden huisjes die nog bewoond waren en op de parkeerplaats voor het grote gebouw stonden verschillende voertuigen. Ik herkende de plek. Daar beneden lag de grote concertzaal, Vorst Nationaal, waar het allemaal zou gaan gebeuren.

Ik stond vol bewondering te kijken. Het was bijna niet te geloven dat Kruger met zijn mannetjes zo dicht bij de spektakelzaal was genaderd zonder in een of andere valstrik te trappen. Ik hoorde opgewonden stemmen en liep om de vrachtwagen heen.

Nauwelijks twintig meter van ons verwijderd stond nog een zwarte vrachtwagen. Kruger deelde driftig bevelen uit. Hij had dus meer aanhangers binnen de muren dan ik zelf ooit voor mogelijk had gehouden.

Ik naderde schoorvoetend. Niemand legde me iets in de weg. Dat was ook niet nodig. Ik begon langzaam te begrijpen dat mijn situatie uitzichtloos was. Kruger onderhield zich net met de chauffeur van het gevaarte. Die kende ik maar al te goed.

'Hallo Paul. Welkom thuis. Ik zie dat je je opdracht tot een goed einde hebt gebracht.' Roland Lacroix, bijgenaamd La Planche, keek me smalend aan, terwijl hij Kruger broederlijk omarmde. 'Je hebt mijn toeverlaat veilig naar binnen geloodst.'

Tot in mijn eigen ploeg was Kruger doorgedrongen. Nu begreep ik hoe het mogelijk was geweest dat Kruger op de hoogte was van mijn opdracht. Ik had zelf mijn mond voorbijgepraat tegen mijn mannen toen ik net gebrieft was door Gerard de Manty.

Veel kon ik hier niet op zeggen. 'Hoe kon je dit nu doen?' hoorde ik mezelf stompzinnig mompelen.

La Planche grinnikte. 'Het wordt veel beter betaald. Dat kun jij toch wel begrijpen? Je was in je glorieperiode toch ook niet vies van een of ander handeltje?'

Kruger maakte een eind aan Lacroix' omarming. 'Denk maar niet dat ik één euro aan hem zou gespendeerd hebben. Hij is het niet waard. En nu aan het werk.'

Lacroix klom in de cabine van zijn vrachtwagen. 'Wij zijn klaar. We kunnen vertrekken zodra jij het sein geeft.'

'Is er een precieze planning voor de aankomst van de vrachtwagens voorzien?' vroeg Kruger.

Lacroix nam een klembord en bladerde door papieren. Hij was de perfecte dubbelspion. La Planche was steeds een toonbeeld geweest van vastberadenheid. Een rots waarop je kon bouwen. Die gave had hem waarschijnlijk naar de hoogste regionen van het bedrog geleid. En met dezelfde vastberadenheid bood hij nu zijn diensten aan zijn andere meester aan. 'Eerst komt de inspectieploeg aan.' Hij keek even op zijn polshorloge. 'Die moeten er al zijn. Zij zullen vooral nakijken of niemand met de buizen heeft geknoeid waar de teken door moeten. Zij krijgen tot zestien uur tijd. Dan komen de vrachtwagens. Officieel hebben zij de klankapparatuur en de muziekinstallatie aan boord. Pas daarna komen de genodigden.'

Kruger knikte. 'Van zeventien tot achttien uur is de ontvangst, dacht ik.'

'Precies. Om achttien uur komt de president aan. Hij neemt plaats in de ereloge, zwaait uitvoerig en houdt een nietszeggende speech. Daarna begint het concert. Nou ja, ons concert.'

Kruger controleerde zijn polshorloge. 'Dan hebben we nog even tijd om de helikopter uit te sturen. Ik wil nagaan of ze te elfder ure geen veranderingen in de beveiliging hebben doorgevoerd.' Hij beende weg.

Ik bleef verdwaasd achter. 'Waarom, Roland? Waarom?'

Hij keek me spottend aan. 'Oh, is het nu opeens Roland? Toen ik vroeger opmerkingen maakte over het denigrerende La Planche, stemde dat iedereen nog vrolijker.'

'Probeer niet over iets anders te beginnen. Het is al misdadig genoeg, wat die rotzakken van de Politieraad van plan zijn, maar jullie gaan daar niks aan doen. Jullie gaan er voor zorgen dat de moord op zovele onschuldige slachtoffers gewoon doorgaat. Kruger is al net zo misdadig als de president en zijn aanhangers.'

'Is het niet geniaal van Kruger? Dankzij mij en nog een paar anderen is hij volledig op de hoogte van het plan. En hij zal het volledig laten uitvoeren, zonder dat hij er zelf enige moeite moet voor doen of een enkel risico loopt. Geniaal.'

'Waarom loopt hij geen risico?'

'Omdat we valse rapporten naar de top van de Politieraad hebben gestuurd. Kruger is omgekomen bij een schietpartij in de illegale kroeg in Zone M, toen jullie Tetraville binnendrongen. Niemand verwacht hem hier.'

Ik kon mijn woede nauwelijks bedwingen. 'Heb jij met die moordpartij in Zone M te maken?'

'Ga maar een toontje lager zingen. Iedereen is ervan overtuigd dat jij dat op je geweten hebt.'

'Maar waarom? Waarom doen jullie dit allemaal?'

'Ruimte, vrijheid en een onbekommerd bestaan. Mooie idealen toch? Daar kun je al eens een risicootje voor nemen, niet?'

'Een onbekommerd bestaan? Hebben jullie daarom die strooptochten opgezet?' Opeens viel er nog een stuk van de puzzel op zijn plaats. Ik begreep waarom Kruger er zo hardnekkig op aanstuurde zijn broertje te ontmoeten. 'Kruger wil helemaal niks van zijn broertje. Hij wil alleen de buit, nee toch?'

Lacroix trok verrast een wenkbrauw op.

Dat deed me deugd.

'Oh, dat wist je niet? Dat Kruger de broer van de president was? Ze kregen ruzie toen de muur werd opgetrokken en Kruger belandde in besmet gebied. Hij viel buiten de prijzen. Nu wil hij zijn deel van de buit.'

La Planche kwakte kwaad het portier dicht.

48

Het drama dat zich voor mijn ogen afspeelde, nam langzaamaan desastreuze vormen aan en ik kon niks beginnen. De mannen van Kruger hielden me in de gaten. Kon ik die verschalken, dan waren er mijn dierbare collega's van de Politieraad, en kon ik die omzeilen, dan was er de hele bevolking voor wie ik de grootste terrorist uit de geschiedenis was. Braafjes op mijn stoeltje blijven zitten was dus de enige optie.

We zaten in de laadruimte van onze vrachtwagen. Alle luiken waren dicht en Kruger en zijn mannen richtten hun aandacht op het beeldscherm. De minihelikopter was een tijdje geleden de lucht in gestuurd. De man die het ding bestuurde was uiterst behendig met de knoppen. Hij had het toestel via een enorme omweg naar het dak van een huis gestuurd dat nog op voldoende afstand van de concertzaal lag. Een deel van het dak was ingestort, maar hij had de kans gezien om het toestel te laten landen op een stuk dat nog stevig overeind stond. De camera was nu uitgerust met een krachtige zoomlens en stuurde nagenoeg perfecte beelden door.

De parkeerplaats voor Vorst Nationaal raakte langzaam vol. Gewichtige en minder gewichtige personen, meestal mannen in vol ornaat, liepen over de rode loper naar de vipvertrekken die voor hen waren gereserveerd. Ik herkende Gerard de Manty als een van de eersten. Zijn galakostuum leek nagelnieuw. Ik was niet eens verbaasd toen ik ook Thomas Welkenraedt tussen de meute opmerkte. Hij maakte een nerveuze indruk. Je zou natuurlijk voor minder als er zoveel op het spel stond.

Zes zwarte vrachtwagens waren volgens plan tot tegen de laadperrons van de concertzaal gereden. Ik zag dat de grote buizen – die bij de achterdeuren van de zaal klaarlagen en waardoor straks de teken hun vernietigende werk zouden beginnen – in gereedheid werden gebracht. Een na een werden ze aangesloten op de grote reservoirs in de vrachtwagens.

Onze vrachtwagen was braafjes die van La Planche gevolgd, toen die in beweging kwam. Bij het hek rond de concertzaal was er een oponthoud geweest. Via de beelden vanuit de helikopter konden we alles volgen, de klank hadden we rechtstreeks.

Twee wachten hadden kwaad gereageerd. La Planche was onmiddellijk uit de cabine gesprongen.

'Wat moet die tweede vrachtwagen hier? Dat was niet voorzien.'

Lacroix gebruikte zijn gekende flair. 'Heb jij dan de laatste orders niet ontvangen?'

'Welke laatste orders? Wat is er nu weer veranderd?'

Hij zwaaide met een bundel paperassen. 'Er zijn problemen met de ventilator in deze vrachtwagen.'

'Welke ventilator?'

La Planche begon zich op te winden. 'De ventilator die de figuranten de zaal in moet blazen. Nu goed, wijsneus? Die tweede vrachtwagen staat hier als reserve. Onder mijn persoonlijke verantwoordelijkheid. Hier is mijn pas. Geef me je rapporteringsbord, dan teken ik persoonlijk voor deze zaak.'

De wacht keek aandachtig toe terwijl La Planche het document ondertekende. Hij zuchtte opgelucht. Zijn verantwoordelijkheid was opgeheven.

De wachters namen hun plaatsen bij de poort weer in. Wij kwamen in beweging.

Nu stond onze vrachtwagen netjes naast die van La Planche, met de cabine van de zaal weg, zodat hij bij het minste onraad onmiddellijk door de poort kon verdwijnen.

De minuten tikten weg. De veiligheidsmaatregelen leken indrukwekkend. Alle straten in de buurt werden bewaakt. Op het dak van de concertzaal liepen scherpschutters, op de grond controleerde een aanzienlijke politiemacht elke toeschouwer. Het nieuws over de strenge beveiliging deed snel de ronde want steeds meer toeschouwers stroomden toe. De vrees voor een eventuele aanslag ebde weg.

Over de rode loper naar de vipruimten liep voornaam volk. Officieren die verveeld hun uitnodiging toonden, vrouwen die hautaine blikken wierpen op de zaalwachters. Het gewone volk moest de andere ingangen nemen. Maar het kwam nu massaal opdagen. Velen waren te voet, opgewonden, luid taterend. Eindelijk nog eens een heerlijk avondje uit. En helemaal gratis! De verwachtingen waren hooggespannen.

Ik had helemaal geen verwachtingen meer. Ik volgde de gebeurtenissen over de schouder van Kruger op het beeldscherm. Alles verliep volgens het plan. Ik zag hoe er heel discreet steeds meer volk op de parkeerplaats bleef rondhangen. Mannetjes van Kruger die hun plaatsen innamen. Ze schoven in onopvallende groepjes naar de ingangen. Ik zag hoe ze stuk voor stuk lange jassen droegen en er angstvallig voor zorgden dat de wind de panden niet opensloeg. Anders had je waarschijnlijk de wapens gezien die ze bij zich droegen.

Kruger gaf een paar opmerkingen, ik zag hoe de man aan het bord de camera-instelling veranderde. De camera op de helikopter draaide langzaam en het beeld gleed naar de zij-ingang van de zaal. Het was de ingang met de rode loper. Ik vermoedde dat de lounge met de eregenodigden zich vlakbij moest bevinden. Straks zou ook de president hier arriveren.

Krugers mannetjes waren al op post. Ze slenterden rond op de speciale parkeerplaats. Sommigen droegen het uniform van chauffeur, anderen hadden overalls aan en hadden de plaats van het gewone onderhoudspersoneel al ingenomen.

Ik keek voor de zoveelste keer op de klok. Nog een uur voor de president zou arriveren. Ik had niet het minste begin van een plan om me hier uit te werken. Er bleef maar één optie. De waarheid en niks dan de waarheid. En hopen dat Kruger mij opnieuw als een bondgenoot zou beschouwen.

Ik schraapte mijn keel. 'Het spelletje is uit, Kruger. Ik denk dat wij eens een hartig woordje met elkaar moeten praten.'

Als dreigende inleiding kon het tellen. Kruger draaide zich niet eens om. 'Ik zou niet weten waarover. Trouwens, ik heb geen tijd. Dat zie je toch wel?'

'Het eerste uur gebeurt er toch niks. Je kent niet de helft van de ware toedracht van dit hele gedoe. Ik kan je een hoop miserie besparen.'

'Geen interesse.'

'Die heb je wel. Trouwens, je zult in de toekomst nog alle tijd van de wereld krijgen om over mijn woorden na te denken.'

Geen reactie.

Ik liet mijn stem dalen tot gefluister. 'Ik heb je niet de hele waarheid verteld. Over de firma Hudson, en nog een paar van die zaken.'

Nu scheen ik wel beet te hebben. Kruger draaide zich naar me toe, de ogen half dichtgeknepen. 'Dat weet ik.'

'Nee, dat weet je niet. Je veronderstelt het. Maar de waarheid, de enige echte waarheid is nog niet de helft van wat jij vermoedt.'

Zijn gezicht was een masker. Hij bleef me strak aankijken. 'Nou vooruit, kom op dan.'

Ik wees met een hoofdknik de twee mannen bij het paneel aan. Kruger stond op en duwde me voor zich uit naar de achterzijde van de laadruimte. Rond de concertzaal schalde nu vrolijke muziek uit luidsprekers. Hier kon niemand ons horen.

'Wat heb jij mij te vertellen?'

'De waarheid. De waarheid in ruil voor het leven van Rosy en Robin.'

'Jij bent helemaal niet in een positie om te onderhandelen. Je hebt niks aan te bieden behalve een zoveelste leugen.'

'Toch wel. Ik heb wel iets aan te bieden. Je eigen leven.'

Kruger lachte spottend. 'Doe niet zo melig.'

'Je kunt hier nog onderuit. Als jij me zegt waar Rosy en Robin zich bevinden, geef ik je de kans om aan dit debacle te ontsnappen.'

'Vertel je verhaal. En snel een beetje.'

Het had geen zin om verder te onderhandelen. Ik moest mijn kaarten op tafel leggen en er het beste van hopen. Ik ging op een houten koffer zitten en probeerde het in mijn hoofd op een rijtje te krijgen. 'Ik weet dat velen, jij incluis, me een sul vinden, omdat ik tijdens mijn opdracht zo met me heb laten sollen. Dat zou je voor minder. Het begon al meteen na mijn vertrek uit Tetraville. Bij mijn eerste stop maakte ik een ommetje en vond verdachte voetsporen in mijn onmiddellijke omgeving. Even later ontdekte ik dat iemand in mijn jeep had gesnuffeld en aan de zender had geprutst. Bij het wegrestaurant was ik getuige van een gesprek tussen een oude man die me volgde en zijn opdrachtgever. Ze wilden me van de opdracht afhalen. Dezelfde opdrachtgever zag ik terug toen ik de oversteek van de Maas wilde maken. Opnieuw wilden ze me van mijn opdracht afhalen omdat ze bang waren dat ik te veel van hun geheimen zou ontdekken.

En toch ging ik door. Dacht jij nu echt dat ik dat deed uit plichtsbesef? Of uit koppigheid? Dat de opdracht die ik van Gerard de Manty gekregen had me heilig was en dat ik daar alles voor zou opofferen, inclusief mijn eigen gemoedsrust?'

Kruger keek me lachend aan. 'Natuurlijk. En dat is precies wat je hebt gedaan. Plichtsbewust zoals je zelf zei. Plichtsbewust trapte je in elke val die werd opgezet. Zelfs in elke valstrik die ik voor je heb versierd.'

Ik veroorloofde mezelf om even van het verhaal af te wijken. 'Ik moet bekennen dat het behoorlijk schrikken was toen je me vertelde dat Manfred en Cor je medewerkers waren en zij me naar jou hadden gestuurd. Maar eigenlijk was dat een enorme opsteker. Het paste allemaal perfect in mijn plan, een soort van nieuwe opdracht, als je wil. Wat ik niet kon vermoeden was dat Rosy hier tot over haar oren in verwikkeld was.'

'En Robin.'

Ik antwoordde niet. Kruger wist mijn zwakke plek behoorlijk te bespelen. Gelukkig vloeide mijn woede snel weg en had ik me opnieuw onder controle. De stilte die viel deed wonderen. Krugers nieuwsgierigheid was gewekt.

'Over welke nieuwe opdracht heb je het?'

Ik wikte mijn woorden zorgvuldig om het maximale effect te veroorzaken. 'Ik heb al van bij de aanvang van deze missie nieuwe opdrachtgevers. Ik doe dit allemaal dus niet voor de Politieraad. Ik heb je gisteren in de treinwagon wel degelijk belogen. Gerard de Manty is niet de man achter de firma Hudson. Die dekmantel is precies opgericht om hem en zijn kompanen uit te schakelen.'

'Wie zijn die nieuwe opdrachtgevers?' Kruger probeerde om het onverschillig te laten klinken, maar dat lukte niet helemaal.

'Mensen die het goed met onze toekomst voorhebben.'

'Notteboom, je raaskalt. Ik geloof hier geen woord van.'

Ik liet me wat onderuit zakken en leunde tegen de wand aan. 'Ik zal wat specifieker worden. Die donderdagmiddag, de dag voor ik op zending vertrok, baalde ik zo van mezelf en de hele situatie, dat ik mijn dienstauto nam en een ritje maakte. Ik reed naar Temse, naar de plek waar de muur de Schelde afsnijdt. Daar kun je heerlijk uitwaaien. Ik stootte er op mannen die kennelijk een verjaardagsfeestje bouwden. Ze nodigden me uit om iets te drinken. Veel te laat begreep ik dat het een valstrik was.'

Kruger grijnsde spottend, maar ik liet me niet afleiden. 'Ik werd overmeesterd en ze brachten me naar Zone B terug. Ergens in een buitenwijk deden ze me een blinddoek om. Die ging er pas weer af toen we in een onderaardse parkeergarage waren gearriveerd. Daar had ik een van de vreemdste ontmoetingen uit mijn hele leven. Ik ontmoette er de president.'

Krugers zelfvertrouwen brokkelde steen na steen af. 'De president?'

De trilling in zijn stem was abnormaal sterk.

'*Monsieur le président.*'

'Ik geloof er geen bal van.'

'En toch is het zo. Daar, in die ondergrondse garage, ontmoette ik voor de eerste keer in mijn leven de president. Zelfs nadat hij me eerder, in maart van dit jaar, in Zone A een medaille voor bewezen diensten had overhandigd.'

Kruger knipperde met zijn ogen. 'Je zei net dat het de eerste keer was dat je hem ontmoette in die kelder.'

'Het was de eerste keer dat ik de echte president ontmoette. De man die me in Zone A die medaille overhandigde, was niet de echte president. Het was een rebel die de plaats van de echte president had ingenomen. Een kerel die zware plastische chirurgie had ondergaan om op de echte president te lijken. Ik vond al dat de man toen een onzekere indruk maakte en dat zijn gezicht nogal gezwollen leek. Nog naweeën van de zware operaties die hij ondergaan had. Dat is ook de reden waarom alle publieke verschijningen van de president sindsdien tot een minimum worden herleid en waarom alle opnames hierover vernietigd zijn. Ik vertel je niks nieuws, dat heb je immers zelf ontdekt.'

'Je kraamt een heleboel onzin uit.'

'Je moet me de tijd geven om het verhaal helemaal af te maken. De mensen die het mij vertelden hadden er, daar in die ondergrondse ruimte, een hele nacht voor nodig.

Ik zal je wat geschiedenis geven. We weten allemaal dat de beslissing om Tetraville te stichten, over de grenzen van het oude Europa heen, dateert van ergens midden de jaren dertig. Uiteindelijk werd de knoop doorgehakt in het jaar 2038, maar het duurde nog tot 2039 voor president Rochebrunner, de leider van Tetraville, geïnstalleerd raakte. De klassieke politieke strubbelingen bemoeilijkten zoals gewoonlijk het proces. Er gingen stemmen op dat de verkiezingen niet fair verlopen waren, de oppositie verweet Rochebrunner dat hij geen man met ballen was, en dat we zo iemand nu hard nodig hadden, enfin, het klassieke zootje.

In het voorjaar 2039 zag het ernaar uit dat de oppositie gelijk zou krijgen. President Rochebrunner leidde weliswaar Tetraville, maar veel beslissingen werden er niet genomen. De toestand werd nog dramatischer, de besmetting schopte wild om zich heen, de mensen stierven bij bosjes.

De economie lag helemaal in puin, een heropleving was niet in zicht. Van enig herstel van informatiekanalen naar andere continenten – een verkiezingsbelofte – was er al helemaal geen sprake. Er was een meer krachtdadig beleid nodig. Het hete hangijzer was de bouw van de muur. De president en zijn entourage beseften maar al te goed dat de bouw een heel ingrijpende verandering in de maatschappij zou teweegbrengen en – gematigd en democraat als hij was – stelde hij de beslissing keer op keer uit omdat hij nog meer advies van specialisten wilde inwinnen. Dit alles tot groot ongenoegen van de oppositie, en hun aantal aanhangers groeide nog elke dag aan.

Toen gebeurde iets heel vreemds.

Opeens werd het roer omgegooid en de ene ingrijpende beslissing na de andere werd genomen. Er werd zonder verdere omhaal beslist tot de bouw van de muur rond Tetraville en er werd meteen flink aan de kar getrokken. Mensonterend was het. Nooit geziene drama's speelden zich af. Dat hoef ik je niet te vertellen. Je was er zelf bij. De president volgde alles op de voet en ontpopte zich tot een ware despoot. Waar was die vredelievende democraat gebleven?'

Er viel opnieuw een stilte.

Kruger haalde zijn schouders op. 'Je hebt me nog niks opzienbarends verteld.'

'Dat komt nog. Ik wil je alleen aantonen dat ik hier niet uit mijn nek sta te kletsen.'

Buiten klonk applaus. Kruger stond op en ging naar het controlepaneel. Blijkbaar waren de artiesten die 's avonds zouden optreden aangekomen, want het gejoel van de menigte werd steeds sterker.

Kruger kwam terug bij me. 'Probeer me nou eens echt te verbazen.'

'Ik keer een stukje terug in het verhaal. Naar de eerste maanden van de aarzelende regeerperiode van de president. Onder de oppervlakte rommelde het. Er ontstond een ondergrondse beweging die de zaken veel drastischer wilde aanpakken. Kopstukken uit de Politieraad vormden de basis van deze beweging. Heel discreet werden de trouwste medewerkers van de president uitgeschakeld. Er verongelukte al eens iemand met zijn auto, een ander pleegde om een onverklaarbare reden zelfmoord, nog iemand viel uit het raam en brak zijn nek. Heel origineel was het allemaal niet, maar het werkte wel. Na luttele tijd waren alle pionnen in de onmiddellijke omgeving van de president vervangen door mannetjes van de ondergrondse.

En toen kwam de apotheose van het plan. Op korte tijd werd een aantal bomaanslagen gepleegd. Steeds in de buurt van de president. Die kreeg extra bescherming, maar natuurlijk net van die mensen die hem uit de weg wilden. Tijdens een crisisvergadering, na een zoveelste aanslag, werd de wissel doorgevoerd. Een man, door de bende bedriegers zorgvuldig geselecteerd en omgebouwd, nam de plaats van de echte president in. De opstandelingen maakten één grote fout. Ze hadden de president moeten doden. Dat deden ze niet. Ze sloten hem op, maar na een aantal jaar liep het mis met de bewaking. Door toedoen van enkele oudgedienden kon de echte president ontsnappen en onderduiken. Het duurde nog lange tijd voor hij een sterke beweging op poten kon zetten om een tegenaanval te wagen.

Maar die is er nu gekomen.'

Kruger schudde moedwillig het hoofd. 'Hier geloof ik geen woord van. Alsof niemand de wissel zou hebben opgemerkt.'

'Vergeet niet dat heel Europa in volle paniek leefde. De besmetting woedde in volle hevigheid. De medische wereld stond voor een raadsel en liet het door de massale sterfte, ook onder de medische wetenschappers, afweten. Het was ieder voor zich. Het laatste waar de mensen zich zorgen om maakten, waren de capriolen van een president. Daar hebben de bedriegers ten volle van geprofiteerd.'

'Geprofiteerd? Om wat te doen?'

'Waar het de hele tijd om draaide. Voor zichzelf een zorgeloos bestaan opbouwen, veilig binnen de muren van Tetraville, dat alleen nog bevolkt zou zijn door gelijkgestemde zielen. Rustig Europa leegroven was nog zo'n programmapunt. Ik heb schilderijen in het kantoor van de Manty zien hangen die vast miljoenen waard zijn.'

Kruger begon zowaar te lachen. 'Je verhaal raakt kant noch wal. Dat ze die kostbaarheden roofden, tot daar aan toe. Dat heb ik zelf gezien. Maar waarom zou dit groepje opstandelingen zich de bouw van de muur op de hals halen? Waarom al dit werk verrichten als de bevolking toch langzaam uitsterft? Om nog maar te zwijgen van de muur die ze langs de Pyreneeën bouwden. Waarom getroosten ze zich al die moeite? De schatten liggen toch voor het rapen.'

Ik begon me goed te voelen in mijn rol. De woorden kwamen als vanzelf. 'Ieder normaal denkend mens zou op deze manier redeneren. Ook ik maakte die bewuste nacht deze opmerking. Maar die bende ongeregeld ageert nu eenmaal niet normaal. Het is de grootste verzameling schoften die Europa ooit heeft gekend. Hitler en Stalin zijn hierbij vergeleken brave schooljongetjes.'

'En waarom dan? Wat kan er zo erg zijn? Toch niet het roven van schatten? Iedereen rooft.'

'Daar heeft het helemaal niks mee te maken. De mensen achter dit bedrog zijn regelrechte massamoordenaars. Uitroeiers op grote schaal.'

'Omdat ze die dodelijke teken moedwillig kweken en steeds moorddadiger varianten ontwikkelen?'

'Dat is al erg. Maar er is nog iets erger. Dit had allemaal allang achter de rug kunnen zijn.'

Kruger fronste het voorhoofd. Plots vlamden zijn ogen op. 'Die koker die je bij je had? De vloeistof die beschermt tegen tekenbeten?'

'Precies. Dat product bestaat al meer dan vijftien jaar. Het bevat bijnierschorshormoon en het is eenvoudig afgeleid van oude en niet langer gebruikte oordruppels.'

'Oordruppels? Niet meer dan dat?'

'Precies. Het werd per toeval ontdekt in een laboratorium, waar een bijdehante medemerker zijn oorsteking behandelde met dit medicament uit de oertijd. De naam ervan is Bacicoline-B. Het bleek dat de teken niet bestand waren tegen de combinatie van colistimethaatnatrium, chlooramfenicol en hydrocortison, precies de drie bestanddelen van het middel.'

Kruger trok bleek weg. 'Heb jij een cursus farmaceutische wetenschappen gevolgd?'

'Ik heb een tiental cursussen gevolgd, die nacht in de ondergrondse parkeergarage. Om het verhaal kort te maken: de professor maakte zijn ontdekking bekend, jammer genoeg bij de verkeerde mensen. Binnen de kortste keren kreeg de Politieraad er lucht van. De professor en zijn medewerkers werden koelbloedig vermoord en het middel werd ingepikt.

In plaats van de bevolking te helpen deden ze precies het tegenovergestelde. Het Bacicoline-B werd alleen aan de bedriegers verstrekt. De gehele bevolking werd aan zijn lot overgelaten. Snel werd beslist tot de bouw van de muur, zodat een deel van de bewoners onder de knoet werd gehouden door de schijn van bescherming hoog te houden, én de nieuwsgierigen van buiten Tetraville, die misschien iets zouden weten over het middel, op afstand werden gehouden. Ook de muur door de Pyreneeën paste in die strategie. Die was niet zozeer voor bescherming bedoeld, dan wel om het geheim van het middel veilig te stellen.'

Kruger had een rode kleur gekregen. Er zat een trilling in zijn stem. 'Je raaskalt. Een hele muur bouwen, alleen om mogelijke indringers die wisten van het bedrog te weren? Onzin.'

'Geen onzin, maar realiteit. De muur bewees zijn nut.'

'Hoe dan?'

'Je raakte toch niet meer binnen?'

'Ik ben... Mijn geval is apart. Ik weet niks van alles wat je me vertelt. Ik wilde alleen...'

Ik sprong overeind en balde mijn vuisten. Mijn stem donderde door de laadruimte. 'Oswaldo Kruger, hou je onnozele bek. Deze maskerade heeft lang genoeg geduurd. Voor wie zie je me aan? Ik weet alles.'

Kruger was overdonderd door mijn reactie en bleef braafjes zitten. 'Jij weet niks.'

Ik voelde me net een gelanceerde torpedo. 'Ik weet alles. En jij weet verdomd ook alles. Dus hou nu eens eindelijk op met de martelaar uit te hangen en net te doen alsof ik je hier een ongelooflijk verhaal sta te vertellen. Je hebt het verdomd zelf meegeschreven.'

Hij reageerde niet, maar ik was niet meer te stoppen. 'Kruger is wel degelijk je echte naam en jij bent helemaal niet de broer van president Rochebrunner. Jij bent de broer van de man die zich als president Rochebrunner voordoet. Jij wil zo graag naar hem toe omdat je je oorspronkelijke positie weer wil innemen.'

'En welke positie mag dat dan wel zijn?' Zijn stem klonk iel.

'Jij maakte ook deel uit van het bedrog. Jij bent verdorie de man die hem ombouwde. Maar toen die klus was geklaard, werd je bedankt voor bewezen diensten. Je werd zelfs een tijd ontvoerd en vastgehouden. Toen de muur klaar was werd je met een paar metgezellen in besmet gebied gedropt. Je probeerde nog uit alle macht om Tetraville weer binnen te raken, maar ik liep jammer genoeg op die bepaalde dag op die bepaalde plek in de weg.

Toen het besmet gebied definitief werd afgegrendeld, dachten de bedriegers hierbinnen dat alle heisa achter de rug was. Jij zat met je laatste kompanen in gevaarlijk gebied. Niemand zou aan de ziekte ontkomen, dus zou het probleem zich vanzelf oplossen. De tweede fase trad in werking. De rooftochten begonnen. En binnen de muren van Tetraville werd een sterke politiemacht uitgebouwd om de situatie stevig onder controle te houden. Hun plannetje scheen wonderwel te lukken. Maar toen kwam er een groot probleem aan het licht. Iets wat hun hele toekomst aan het wankelen zou brengen. Het zag er naar uit dat je moest uitgeschakeld worden. Met alle middelen.'

'En waarom dan?'

'Professor Bernstein.'

'Wie is...'

Opnieuw schreeuwde ik het uit. 'Hou daar alsjeblief mee op. Professor Bernstein is de man van het Bacicoline-B. Jij kende hem ook. Jij wist ook van het middel af. Een van je medewerkers binnen de muren kwam dit nieuws toevallig te weten en speelde het je door.'

'Dat is niet waar. Ik weet niks af van dit middel.'

Ik nam wat gas terug. 'Mijn huwelijk is nooit een toonbeeld van degelijkheid geweest. Ik vermoedde al een hele tijd dat Rosy een minnaar had. Alleen kon ik haar nooit betrappen. Dat hadden anderen wel gedaan. In de onderaardse garage die nacht vertelden ze me dat haar minnaar Otto Bernstein was. Professor Bernstein. Rosy speelde je alles door. Toen hij door de Politieraad uit de weg werd geruimd, pakten ze ook zijn gezin aan. Alleen vergaten ze zijn minnares.'

Kruger begon hevig te zweten. Zijn huid was vaal geworden. 'Dit is kletskoek. Hier kun je niks van bewijzen.'

'Vraag het aan Rosy.'

Daar ging Kruger niet op in. Ik ging weer zitten en maakte me klaar om mijn laatste troeven uit te spelen. 'Goed, dan niet. Ik heb Rosy niet nodig om mijn gelijk te halen. Ik heb zelf de bewijzen. Toen ik bij je was in Keulen, ben ik 's nachts op onderzoek uitgegaan. Via het dak over de binnenplaats raakte ik ongezien tot bij de vrachtwagen van Manfred. Mooie dekmantel, die Manfred. Alsof hij een oude baas is die wat tweedehandse rommel verkoopt. Lariekoek. In een van de kratten op zijn vrachtwagen vond ik een paar kokers met Bacicoline-B. Daarom was hij zo gehaast en moest hij zijn opdracht om mij naar jou te brengen opgeven. Waarschijnlijk zaten jullie door de voorraad heen. Dat is volgens mij ook de reden waarom Cor er geen bij zich had en aan de teken ten onder is gegaan.'

'Je hebt het helemaal verkeerd voor.'

'Ik moet je ook nog zeggen dat ik heerlijk heb genoten van je toneelstukje in Zone M, toen je zogezegd door een teek was gebeten. Onzin. Je had meer dan genoeg product bij je om dat te voorkomen. Het beest dat ik uit je arm haalde, was al dood toen jij het erin stopte. Maar je wilde graag de schijn van onschuld hoog houden, nietwaar?'

Kruger antwoordde niet. Hij draaide een haarlok om zijn vinger.

Ik ging onverdroten verder. 'In ieder geval was het feit dat je het middel bezat, een streep door de rekening van de complotteurs. Je zou een heel gevaarlijke tegenstander worden. En dat werd je. Je werd zo machtig dat je broertje zich ongerust begon te maken. Wat als je eens zo machtig werd en Tetraville gewoon binnenviel om hem te ontmaskeren en je deel van de buit op te eisen?

Hier kom ik dus op de proppen. Een niet al te snuggere politieman die ze lekker in de zeik kunnen nemen. Niet alleen zal ik hen hun aartsvijand op een schoteltje brengen, maar meteen zal ik ook de pispaal zijn voor hun verdere moorddadige acties.

Ik was de perfecte lokvogel, al besefte ik dat zelf niet. Ik werd als een onnozele hans het veld ingestuurd, op de voet gevolgd door een paar van hun mannetjes. Ze wisten dat Rosy bij je hoorde. Als je zou vernemen dat uitgerekend ik naar jou op zoek was, zou je toehappen. Net wat zij nodig hadden.

Het werd al snel duidelijk dat de zaken anders uitpakten dan ze hadden gewild. Jij hield je uitgerekend schuil in een streek waar de heren van de Politieraad nogal wat geheimpjes te verbergen hadden. Dat was dus een misrekening. Zoals we weten wilden ze me zelfs terughalen. Ik moest die man op de boot wel uitschakelen, want ik had een andere opdrachtgever. Ik moest doorgaan.'

Kruger ijsbeerde door de ruimte.

Ik verschoot mijn laatste kruit.

'Mijn taak zit er bijna op. Ik moest je binnen brengen en aan hen overleveren. Ik geef je een kans om te vluchten.'

'Vluchten? Waar zou dat nodig voor zijn?'

'Je komt hier niet uit. De echte president heeft meer medewerkers dan je zou verwachten. Een heuse ondergrondse beweging die jarenlang gestaag groeide. Ze zijn gemotiveerd.'

'Motivatie alleen zal niet genoeg zijn.'

'Natuurlijk niet. Maar ze hebben ook wapens.'

'Waar zouden ze die vandaan halen?'

'Nog een fout van de rebellen. Bij de overname van de macht hebben ze alle geheime wapenopslagplaatsen bezet. Allemaal, behalve eentje. Supergeheim, volgestouwd met hoogtechnologisch materiaal in alle maten en gewichten. Diep verborgen in de ondergrond van Zone P. Alleen de president en twee naaste medewerkers hadden de toegangscodes van deze opslagplaats. Maar die medewerkers waren uitgeschakeld.

Het zal een harde confrontatie worden. Je hoeft dit niet mee te maken, maar je moet nu meteen beslissen.

'Ik vertrouw je niet.'

'Waar zijn Rosy en Robin?'

'Wat kan jou het lot van Rosy schelen? Je hebt nooit naar haar omgekeken. Je hebt haar alleen gebruikt om je eigen zaakjes veilig te stellen.'

'Rosy heeft...' Ik verbeet mijn woede. 'Ik wil Robin. Hij verdient een eerlijke kans om op te groeien in een gezonde omgeving.'

'Jij bent wel de laatste om het woord eerlijk te mogen gebruiken. Je bent een aartsleugenaar.'

Voor ik het besefte, keerde de situatie zich helemaal om. Ik had niet opgemerkt dat de twee mannen bij het controlepaneel weg waren gegaan. Ze stonden op minder dan twee meter en schoten na het teken van Kruger onmiddellijk in actie. Ik had geen schijn van kans. Ze overmeesterden me en knevelden me.

Kruger boog zich voldaan voorover om de knopen te checken. 'Mooi geprobeerd, Notteboom, maar ik trap er niet in. Het feest gaat door zoals het voorzien is. En wees blij dat ik je een dienst bewijs door je hier te houden en niet aan de gieren daarbuiten te voeren.'

49

Vanuit mijn geknevelde positie kon ik net het beeldscherm zien. De camera op de helikopter leverde nog steeds prima kwaliteit. Stipt op tijd verscheen de limousine van de president. In de concertzaal was het evenement al gestart. De muziek overstemde nauwelijks het gejoel van de uitgelaten bendes. De limousine reed tot tegen de zijgevel en stopte net naast de rode loper. Zeker tien bodyguards daagden op en posteerden zich rond de auto. Het portier klapte open. De president, voorovergebogen, liep haastig het gebouw binnen. De bodyguards schermden hem volledig af.

Kruger had een koptelefoon op en gaf fluisterend aanwijzingen in het kleine microfoontje. Op het scherm zag ik dat zijn medewerkers in actie schoten. De verrassing was compleet. Eerst werd de chauffeur van de limousine uitgeschakeld, bijna gelijktijdig de twee bodyguards die bij de toegangsdeur waren achtergebleven. Je hoorde geen enkel geluid. Hun wapens waren voorzien van geluidsdempers. Alles verliep in volledige stilte.

De mannen van Kruger drongen de vipruimte binnen. Het was de bedoeling geweest dat de president eerst een korte rede zou houden voor het eigenlijke concert begon. Maar Kruger was blijkbaar gehaast. Het zag ernaar uit dat hij de president onmiddellijk wilde ontvoeren.

Ik zuchtte en staarde gebiologeerd naar het beeldscherm. Er bleef mij weinig meer over dan naar mijn totale mislukking te kijken. Ik zat hier vast en Kruger was niet van plan me te vertellen waar Rosy en Robin waren.

Ik had gegokt door hem voor te stellen te vluchten in ruil voor Robin en Rosy. Hij was er niet ingetrapt. Ik had verloren. Op elk vlak.

Het wachten duurde tergend lang. Op het beeldscherm viel niet veel beweging meer te bespeuren. Iedereen die iets met de viering te maken had, was al naar binnen. De muziek hield abrupt op en een stormachtig applaus barstte los. Toen schreeuwde een stem door een microfoon en de menigte bedaarde. De stem kondigde een groots spektakel aan. De stem kondigde de president aan. De stem kondigde vooral een boel narigheid aan, maar dat wisten die sukkels binnen nog niet.

De rest van de woorden hoorde ik niet meer. Mijn aandacht werd naar het scherm gezogen. Daar was opeens een hoop te zien. De chaos was compleet. Eerst stormden Krugers mannen naar buiten. De achterhoede hield de wapens naar de zaal gericht en vuurde in het wilde weg. In hun midden hielden ze de tegenspartelende president gevangen. De voorpost rukte het portier van de limousine open. Alles liep als een pas geoliede machine.

Maar toen was het plots uit.

Tussen de zwarte vrachtwagens doemden vanuit het niets gewapende mannen op. Ze waren met velen en ze waren goed geoefend. Allemaal droegen ze een witte armband over hun uniform. Een witte armband met de letter H. De H van firma Hudson, het codewoord voor deze operatie. Eindelijk! Geen moment te vroeg.

Er ontstond een vuurgevecht, maar het was een ongelijke strijd. Ik zag hoe twee van Krugers mannen tegen de limousine aan knalden in een wolk van bloedspetters. Eentje wilde vluchten, maar werd lafhartig in de rug geschoten. Twee anderen gooiden hun wapens op de grond en staken hun armen in de hoogte.

Kruger sprong vloekend op en greep een gordel die over een rugleuning had gehangen. Ik zag twee pistolen en een groot mes zitten. Hij stormde naar de achterzijde van de laadruimte.

'Kruger, je haalt het niet. Je maakt geen enkele kans. Ze zitten overal. Hier hebben ze maanden op geoefend, het is niet zomaar een ondoordachte aanval.'

Kruger antwoordde niet, maar rukte de deur van de vrachtruimte open. Hij tuurde door de kier.

Het was nu of nooit. 'Ik weet een uitweg, Kruger. Neem me mee en ik haal je hier uit.'

'Je zoveelste leugen natuurlijk.'

'Ik weet hoe we hier uit kunnen.' Mijn stem sloeg over.

Buiten was het tumult compleet. Er werd gebruld, gehuild, geschreeuwd, gestorven. Maar de rebellen gaven niet op. Ze zouden hun snode plannen alsnog uitvoeren. Plots klonk er een fluitsignaal, lang en doordringend. Er ontstond een gezoem en toen sloeg in de concertzaal de chaos toe. We hoorden duizenden mensen paniekerig schreeuwen.

Kruger kwakte het portier dicht. 'Ze hebben de ventilatoren aangezet. De teken worden de zaal ingeblazen.'

Kruger twijfelde nog, beet op zijn onderlip. Toen boog hij zich voorover en maakte hij de touwen rond mijn armen los.

'Jij komt met me mee. Eén verkeerde beweging en je bent er geweest. Hoe dacht je hier weg te komen?'

Ik masseerde mijn handen om de bloedsomloop te stimuleren. 'Eerst twee gevechtspakken zien te bemachtigen. En twee armbanden met een H erop. Dan vallen we minder op.'

We sprongen uit de vrachtwagen en doken onder de oplegger weg. Ik zag geen enkele politieman met armband meer. Ze waren waarschijnlijk even geschrokken door de drieste tekenaanval als wijzelf en hadden zich teruggetrokken. In hun plaats renden tientallen bedriegers over de parkeerplaats. De ventilatoren in de vrachtwagens maakten een oorverdovend kabaal. Maar bovenal was er het gekrijs van de uitzinnige menigte in de concertzaal. Ik zag dat zware overvalwagens van de Politieraad alle uitgangen hadden geblokkeerd. Bij elk voertuig stonden gewapende posten. Wie zich toch naar buiten wist te wringen, werd ongenadig afgemaakt.

Nog geen tien meter van ons vandaan stond de presidentiële limousine. Vier van Krugers mannen lagen doorzeefd op de grond naast de auto, en ook twee politiemensen.

'Die pakken hebben we nodig,' schreeuwde ik naar Kruger, terwijl ik op mijn buik naar hen toe kroop.

Kruger volgde me. Samen sleepten we de twee politiemensen onder de vrachtwagen en begonnen hun aanvalskledij uit te trekken.

'Ik zie geen mannen met armband meer. Deze overalls moeten volstaan. Zorg vooral dat je deze kentekens op het borstzakje draagt. Dat is het belangrijkste kenmerk.'

Het omkleden duurde eindeloos, maar de chaos rondom ons nam nog toe. Er werd geschoten, nog meer pantservoertuigen kwamen het parkeerterrein opgereden. De Politieraad kwam nu tot volledige ontplooiing. Ik hoopte dat het leger van de echte president over voldoende manschappen zou beschikken om de boel over te nemen.

'Vooruit,' zei Kruger. 'Wat is je fameuze plan?'

'We moeten ginder over die muur geraken.' Ik wees naar een brokkelige tuinmuur bij het einde van de laadperrons.

'Wat is er daar?'

'Ik was het bijna helemaal vergeten, maar daar woont een collega, John Denis. Denis zat in mijn ploeg.'

'Wie zegt je dat je dierbare collega hier niet ergens rondloopt om je uit te schakelen?'

'Denis niet. Ik kan me niet voorstellen dat hij bij die bende behoort.'

'Ik stel weinig vertrouwen in jouw mensenkennis.'

'Ik heb mijn redenen om aan te nemen dat hij aan mijn kant staat.'

Een kogel sloeg in bij de achteras en de band van de vrachtwagen liep sissend leeg. We trokken ons dieper terug. Ik tuurde om me heen. Er stond slechts één vrachtwagen tussen ons en de tuinmuur, maar er stonden wel tien mannen met wapens bij de laadkade. Onze pakken gaven ons geen vrijgeleide, ze zouden mijn gezicht herkennen. We raakten nooit ongezien bij de tuinmuur.

'We hebben een afleidingsmanoeuvre nodig.'

Ik had het in Krugers oor geschreeuwd, maar hij reageerde niet. Gespannen hield hij de presidentiële limousine in de gaten. Ik draaide me om. Ik had het ook gezien. Beweging binnenin. De president zat er in en in de chaos scheen niemand zich om hem te bekommeren.

Kruger vloekte, kroop helemaal naar het uiteinde van de oplegger en rende dan rond de cabine. Voor ik er erg in had was hij de limousine vanuit de andere richting genaderd. Kogels floten hem om de oren, maar hij rukte het portier open en stak grabbelend een hand naar binnen. Vrijwel meteen had hij zijn broer te pakken. Hij rukte hem naar buiten en begon aan de terugweg.

Hijgend liet Kruger zich naast me vallen. Wat er nog overbleef van het omgebouwde broertje zakte als een pudding in elkaar. Hij was in de hele heisa met zijn hoofd ergens tegenaan gebotst en had een diepe wonde aan zijn slaap. Zijn hele gezicht zat onder het bloed.

'Maak je geen zorgen, hij is maar buiten bewustzijn. Mijn broertje kan wel tegen een stootje.'

'We moeten maken dat we hier wegkomen. Zo meteen worden we ontdekt.'

'Wacht even. Ik heb misschien iets.'

Voor ik kon reageren was Kruger al verdwenen. Hij klauterde in de laadbak van de vrachtwagen en was na een paar seconden al terug. Hij had de afstandsbediening van de helikopter bij zich. Hij prutste wat met de schakelaars en knorde tevreden. Het ding werkte nog prima. Luttele seconden later zweefde de helikopter boven het parkeerterrein. Kruger stuurde hem met vaste hand naar de plek boven het laadvlak waar de vrachtwagen onze vluchtweg versperde. Het duurde niet lang of het ratelende ding werd opgemerkt. Kruger liet de helikopter stijgen en rondjes maken.

Nagenoeg alle mannen bij het laadperron richtten hun wapens op het stuk speelgoed en begonnen te schieten. We hadden geen seconde te verliezen. Kruger greep zijn broer stevig vast en sleurde hem over het beton. Ik volgde en hield de achterhoede in het oog. Nog twintig meter en de vrachtwagen zou ons aan het zicht van de bewakers onttrekken.

De helikopter was aan flarden geschoten. De mannen stonden verbijsterd naar de brokstukken te staren. Twee van hen keken boos om zich heen. Nog vijf meter tot de vrachtwagen. We zouden het niet halen.

Nog drie meter. Ik hoorde iemand schreeuwen, boven het kabaal van de ventilatoren uit. Ik keek om. We waren ontdekt. Drie wapens wezen in onze richting. Zo meteen zou de eerste kogel vertrekken.

Anderhalve meter. De wachtposten kwamen met zijn allen onze richting uitgelopen. Er was geen ontkomen meer aan. Ik kende niemand van hen, maar hun grimmige gezichten spraken boekdelen. Ik trok Kruger aan zijn mouw. Hij bleef staan. Ik hield zijn arm vast om zijn hand bij zijn wapens weg te houden. Dat gaf ons nog een seconde uitstel.

De eerste wachtpost was nu tot op onze hoogte genaderd en keek verwonderd naar de gewonde president op de grond. Even nog dacht ik van de verwarring gebruik te maken, maar de anderen naderden met rasse schreden. Alle wapens wezen onze richting uit. Twee grijnzende gezichten keken me aan, ik was herkend.

Opeens werd het geluid van de ventilatoren overstemd door een nog harder kabaal. Drie grote, levensechte helikopters zweefden boven de parking en joegen het stof hoog op. Er werden schoten gelost. Twee wachtposten stortten neer. Ik zag de reusachtige letters op de buik van de machines. Een H.

Ik greep Kruger bij de arm. 'Het is nu of nooit. De firma Hudson is gearriveerd.'

Nog meer helikopters kwamen aangevlogen. Oude legervoertuigen – buitgemaakt in verlaten legerdepots – kwamen hobbelend vanuit de zijstraten aangereden en omsingelden het concertgebouw. Een vrachtwagen werd vanuit de lucht onder vuur genomen. De wanden van de laadruimte werden aan flarden geschoten, de ventilator viel ratelend stil. De mannen die ons omsingeld hadden, stormden schietend weg. Kruger had zijn broer gegrepen en stormde verder. Ik volgde. Kogels vlogen om ons heen. Twee inslagen, vlak bij onze voeten. We bereikten de muur. Ik sprong er op, nam de president van Kruger over en liet hem in de braakliggende tuin vallen. Ik sprong hem achterna. Kruger volgde. We snelden naar de veranda bij het huis. Ik probeerde de deur, maar die was gesloten. Kruger keilde een steen door de ruit. We drongen het huis binnen. Het was er akelig stil. Nog net op tijd kon ik Kruger vastgrijpen en hem op de grond trekken.

De vrouw die in het kleine keukentje stond, vuurde onmiddellijk en zonder waarschuwing. De kogel sloeg niet meer dan twintig centimeter boven onze hoofden in en verbrijzelde nog een verandaraam.

50

'Solange, ben je gek geworden? Laat dat wapen vallen. Ik ben het, Paul Notteboom. Denis is een collega van me.'

Het wapen bleef waar het was, namelijk strak op mij gericht. 'Ik weet verdomd wel wie je bent! Hoe durf je hier binnen te dringen, vuile moordenaar!'

Ik sloot de ogen. Ook dat nog. 'Solange, het is één grote leugen die over me verteld wordt. Ik heb helemaal niks met die aanslagen te maken. Ik ben er zelf ingeluisd.'

'Dat is wat zwakjes als excuus, vind je niet?'

Ze had haar stem weer onder controle. Het wapen bewoog geen millimeter. Gevaarlijke vrouw.

'En toch is het waar. Waar is Denis? Ik kan het allemaal bewijzen. Haal hem erbij. Hij zal het begrijpen.'

'Er is geen Denis...'

Ik kreeg de kriebels van haar koelbloedigheid. 'Solange, we hebben geen tijd te verliezen. Ik weet ook wel dat hij zo niet wil aangesproken worden. Waar is John?'

'John is dood.'

Ik hapte naar adem. 'Dood... Wanneer...?'

'Een maand geleden. Ze zeiden dat het een ongeluk was.'

'Maar dat geloof jij niet?'

De eerste sporen van vertwijfeling, maar het wapen bleef op zijn plaats. 'Ik weet niet meer wat ik moet geloven. Wie weet nog wat er allemaal gebeurt? Wat is daar buiten aan de hand?'

'Eén grote leugen, Solange. Er is een monsterlijk bedrog aan de gang. Het zou me te veel tijd kosten om alles nu uit de doeken te doen. Wij moeten hier zo snel mogelijk vandaan. Help ons, alsjeblieft. We moeten hier weg.'

Niets bewoog. Ook het wapen niet.

'Ik wil je wel geloven, Paul, maar ik kan het niet. Niet na alles wat er voorgevallen is. Na alles wat er in de krant is verschenen.'

'Solange, er is geen woord van waar. Kijk naar deze gewonde man hier. Het is de president. We moeten hem in veiligheid brengen.'

'Er wordt gefluisterd dat hij niet helemaal koosjer is. Dat hij een bedrieger is.'

Ik haalde opgelucht adem. Deze wending in het gesprek was een enorme meevaller. 'Solange, die geruchten kloppen. Deze president is inderdaad een bedrieger. Alles is één groot bedrog. Ze wilden... Ik kan je dit nu niet allemaal uitleggen. Ze hebben me gebruikt. Ik moet...'

Solanges ogen kleurden rood. Het wapen trilde lichtjes in haar hand. 'Het is één grote warboel. Mijn hoofd staat op barsten. Ik... Was John nog maar hier!'

We verloren kostbare minuten. Het kabaal buiten nam nog toe. Er was ondertussen een heuse veldslag aan de gang. Over hooguit nog een paar minuten zou een patrouille dit huis binnendringen en was alles verloren.

Plots ging de arm naar beneden en Solange zakte snikkend neer op een keukenstoeltje. Kruger sprong als een panter op haar af om haar het wapen te ontfutselen, maar ze verweerde zich niet.

Ik ging op mijn knieën voor haar zitten. 'Solange, hebben jullie... heb je nog steeds Johns dienstwagen?'

Ze knikte snikkend. 'Na zijn dood kon er zelfs geen bezoekje af. Ze lieten me telefonisch ijskoud weten dat hij verongelukt was op een of andere zending. Geen rouwbeklag, geen verdere uitleg. Ze eisten zelfs zijn wapen of de dienstwagen niet terug. Ik begrijp er nog steeds niks van.'

'Hun hoofden zaten vol andere beslommeringen. Waar zijn...?'

Maar ze was al opgestaan en naar de woonkamer gelopen. Een helikopter vloog laag over. De ramen trilden in de sponningen.

'Hier zijn de sleutels. Hij staat nog steeds op dezelfde plaats.' Ze draaide zich abrupt om en verdween in de eetkamer. Ze draaide de deur op slot.

Kruger was de gang in gelopen en kwam met een bedrukt gezicht terug. 'De straten zijn één grote chaos. Overal staan overvalwagens, allemaal van de firma H. Er worden massaal aanhoudingen verricht. Daar raken wij nooit doorheen.'

'Dat hoeven we ook niet. Kom mee naar de kelder.' Kruger keek me kwaad aan toen ik geen aanstalten maakte om hem te helpen met zijn nog steeds bewusteloze broer. 'Jij wil hem erbij hebben, jij draagt hem. Mij kan die kerel gestolen worden.'

We sjokten de trap af naar de kelder. Ik knipte het licht aan. De ruimte was volgestouwd met rommel. Kartonnen dozen, wijnkratten, eetwaren in blik.

Kruger liet de president puffend op de grond zakken. Hij liep langs de kratten en dozen, trok een fles of een blik tevoorschijn en bestudeerde de etiketten. 'Allemaal prima kwaliteit. En allemaal een beetje illegaal. Vind je niet, Paul?'

'Leg alles terug en bemoei je er niet mee.'

'Oh, nu begrijp ik het. Onze twee vrienden hielden er een handeltje op na. Je blijft me verbazen, Paul Notteboom.'

'Het was niets vergeleken bij wat Kris Brams me voorstelde. We modderden wat aan, maar het hielp aan het einde van de maand de eindjes aan elkaar te knopen. John had speciaal dit huis naast de concertzaal gezocht. Een goede plek om wat handel te drijven. Veel volk.'

Ik trok wat dozen opzij en rukte aan een houten paneel dat tegen de muur aan een rail vastzat. Het paneel klapte iets naar voren en schoof dan knarsend opzij. Er verscheen een donkere tunnel. Bij de eerste steunpilaar hing een zaklantaarn aan een haakje. Die knipte ik aan. Hij deed het nog.

Tussen de kratten vond ik een steekwagentje en wat touw. We bonden de president stevig vast op zijn geïmproviseerde brits en trokken de tunnel in. De wanden waren ruw en onregelmatig, maar ze hadden alle druk weerstaan. Onze tunnel zag er nog steeds zo uit als toen we hem vijf jaar geleden in gebruik hadden genomen.

Ik kende het traject nog uit mijn hoofd. Links bij een eerste splitsing – rechts was een doodlopend afleidingsmanoeuvre – en bij de volgende splitsing het stijgende gedeelte nemen. We kwamen zonder moeilijkheden bij een volgende houten paneel. Ook dat schoof knarsend open. We stonden in een kleine garage. Johns dienstauto zat onder een beschermende hoes.

'We zitten in een kalm achterafstraatje van een ander woonblok, zo'n tweehonderd meter van de concertzaal vandaan. Als we opschieten komen we ongemerkt weg.' Ik begon de hoes los te knopen.

'Jullie hadden jullie zaakjes prima voor elkaar.'

'Voor de business was het niet zo'n goede zaak als de politiewagen voor de deur zou staan. En de tunnel was ook een vluchtweg, voor als het mis

zou lopen. Gelukkig hebben we hem nooit hoeven te gebruiken.'
We knoopten de president los en kieperden hem op de achterbank.
Toen Kruger wilde instappen, hield ik hem tegen. Ik hield de autosleutels
ostentatief voor zijn gezicht.

'Ik heb mijn deel van het werk gedaan. Nu is het jouw beurt.'

Kruger snoof. 'Stap in. Ik toon je onderweg wel hoe je moet rijden.'

'Kruger, belazer me niet.'

Plots greep hij naar zijn holster en trok een wapen. Ik was te verbouwereerd om snel te reageren. Maar Kruger hield het wapen bij de loop
en overhandigde het me. 'Ik toon je de weg. Als je vindt dat ik je belazer,
dan gebruik je dit maar. Rosy en Robin zijn in veiligheid, én nog steeds
in Zone B. We kunnen er over een kwartier zijn.'

51

We ontkwamen heelhuids aan de heisa. Slechts eenmaal kruisten we een patrouille – ik kon niet zien van welke partij, en dat interesseerde me op dit ogenblik geen reet – maar die lieten ons ongemoeid. De politiewagen was een prima dekmantel. Ik volgde trouw de aanwijzingen van Kruger op. Tot ik doorkreeg dat we in de richting van Justitiepaleis reden. Ik zag de koepel in de verte opdoemen.

'Wat moeten we in deze buurt? Kom me niet vertellen dat jij een schuilplaats hebt in deze buurt, onder onze ogen.'

'Je bent niet de enige die van tunneltjes houdt. Stop maar bij het metrostation.'

Er was weinig volk op straat. Ik parkeerde de wagen onopvallend en stapte uit. Het duurde een tijdje voordat Kruger hetzelfde deed. Ik zag dat zijn broer weer was bijgekomen. Hij hield zijn pijnlijke hoofd in zijn twee handen, terwijl Kruger het aangekoekte bloed probeerde te verwijderen. Ik ving flarden van een woordenwisseling op.

Uiteindelijk stapte Kruger uit. Zijn broer volgde zijn voorbeeld, maar hij stond nog heel wankel op zijn benen.

'Horst heeft beloofd om geen problemen te veroorzaken. Je hebt nu ook een wapen. Knal hem in zijn benen als hij lastig wordt.'

Horst. Was de situatie niet zo desastreus geweest, ik zou in lachen uitgebarsten zijn. Horst, een naam als moeilijke stoelgang. We liepen naar de trappen. Net op het moment dat we wilden afdalen, kwam een groepje mensen naar boven. We schrokken, zij nog meer. Onderdanig schoven ze opzij en lieten ons door. Niemand had me herkend. De gevechtspakken die we droegen maakten de nodige indruk. Daar moesten we van profiteren nu het nog kon.

We liepen naar beneden. De bediende bij het loket liet ons zonder omhaal door. We stevenden op het perron af. Het station was nog maar pas open na de bomaanslag van verleden maand. De sporen waren hersteld, maar het krantenstalletje, waar de bom gelokaliseerd was, lag er nog even verwrongen bij.

Kruger liep voorop, wandelde voorbij de resten en dook het smalle pad naast de sporen in. Al snel stonden we in het duister van de tunnel, bij het gat waar ik eerder doorheen gekropen was, en waar ik die akelige negatieven had ontdekt. Kruger duwde Horst voor zich uit het gat in. We kwamen bij de riool uit.

'Kruger, ik hoop dat je weet wat je doet. Dit riolenstelsel is immens.'

'Weet ik. Daarom is het zo interessant.' Hij vorderde moeizaam langs het smalle richeltje.

Ik volgde hen op een afstandje. Het water in de buis stonk verschrikkelijk. Na nauwelijks vijftig meter werd het riool – en de richel – breder. Het lukte ons zelfs om rechtop te lopen.

'Hebben jullie deze weg gebruikt om de bomaanslag te plegen?'

Kruger keek over zijn schouder. 'De mislukte bomaanslag.'

'Oh, wat was het doel dan?'

'Niet het krantenstalletje, maar de nis in de muur een eindje verder. Mijn medewerker hoorde iemand aankomen en dropte de bom in het krantenluik. Hij kon er nadien niet meer bij om het tijdmechanisme uit te schakelen.'

'Was je zo boos op die nis dat je ze wilde vernielen?' Ik gleed een eind uit, mijn voet plofte in de stinkende smurrie.

'Achter die muur ligt het gerechtelijk archief. Wist je dat niet?'

'Wilde je weer wat informatie opdoen?'

'Spaar je adem maar. We hebben nog een heel eind voor de boeg.'

Ik had niet overdreven. Het riolenstelsel was immens: een ware doolhof. Kruger kende de weg blijkbaar op zijn duimpje. Toch hield hij vol dat het de eerste keer was dat hij dit traject volgde. Het had niet al te veel geregend de laatste tijd. Er stond weinig water in de riolen zodat de richels overal goed begaanbaar waren.

We kwamen bij een splitsing. Kruger twijfelde even, maar ging dan naar links. Tegen het plafond, in het beton gekrast, zaten kleine merktekens. Een met een pijl doorboord hartje, zoals verliefden ze wel eens krassen. De pijl gaf de weg aan. Krugers medewerkers in Tetraville hadden dagen in deze stinkende catacomben doorgebracht om alles uit te stippelen.

Na bijna een uur stappen had ik er mijn buik meer dan vol van. Horst blijkbaar ook. Hij zakte door zijn benen en bleef zitten waar hij zat. Maar Kruger was niet te vermurwen. Hij grabbelde Horst onder de oksels vast en duwde hem voor zich uit.

We kwamen uit bij een trap. De treden in beton zagen er nog nieuw uit. Deze trap was maar onlangs gebouwd. Toen er boven een deur opendraaide, zagen we de open lucht. We waren bij een licht hellende vlakte aanbeland waar de wind vrij spel had. Op de achtergrond zag ik een loods met een enorme trapgevel. Ik kende de plek. Het was het enige overblijfsel van wat ooit een enorm tentoonstellingspark was geweest.

'Wat staan we hier op de Heizelvlakte te doen? Dit is verboden gebied.' Ik draaide me om. Op nog geen vijftig meter van ons vandaan stond het Atomium, ooit Brussels grootste trots.

Er bleef niet zo heel veel van de trots over. De constructie zag er lamentabel uit. Door gebrek aan onderhoud was een van de zijbollen naar beneden gestort. In zijn val had het de loopgangen, die de verschillende bollen met elkaar verbonden, meegesleurd. Aan de andere zijde was een enorme scheur ontstaan bij de vasthechting van de bol. Binnen afzienbare tijd zou die dus ook tegen de vlakte gaan. Er was inderhaast een stelling aangebracht, maar ook die had haar beste tijd gehad.

Alleen de middelste kolom van het bouwwerk, de drie bollen die boven elkaar waren geplaatst, had het overleefd. Niettemin was uit veiligheidsoverwegingen een gebied van tweehonderd meter rond de bouwval tot verboden zone uitgeroepen en door een hoog hek volledig afgesloten voor nieuwsgierige indringers.

'Is dit een schuilplaats van jouw medewerkers?'

Kruger glunderde. 'Waar kun je beter zitten? Alles is netjes afgesloten en bijna niemand is op de hoogte van het riolenstelsel in de ondergrond. Trouwens, het was de plek bij uitstek voor ons doel. Daar boven heb je een prima ontvangst voor de zender van de helikopter.' Hij liep naar de onderste bol en stapte naar binnen.

Ik volgde. De oude lokettenzaal binnenin de bol was verdwenen. De vloer lag vol met afbraakmateriaal, de ramen waren met karton verduisterd. Ook de lift in de centrale schacht deed het niet meer. We moesten met de trap.

Het werd een hele klim tot de middelste bol. Er stonden alleen wat versleten meubeltjes. Een tafel met wat krakkemikkige stoelen en een veldbed. Er lagen nog etensresten op de tafel. Plots ging een piepklein deurtje in de zijwand open. Een ongeschoren man kwam binnen. Hij knoopte ongegeneerd zijn broek verder dicht. Ik hoorde water lopen. 'Oh, daar zijn jullie al?' Hij glunderde toen hij zag dat Kruger ongedeerd was. 'Gelukkig kon je ontsnappen. Het schijnt een nooit eerder gezien debacle te zijn.

Ik kende de man. Ik had hem op de beelden gezien die de Manty me in zijn kantoor had getoond. Hij was de man die de helikopter onderschepte en mee in zijn huis nam.

Kruger duwde Horst op een stoel. 'Goed. Hier kunnen we rustig praten. Haal het materiaal.'

Voor het eerst deed Horst zijn mond open. Hij had een piepend stemmetje dat totaal niet bij zijn uiterlijk paste. 'Oswaldo, schurk, wat ben je van plan? Ik kan jou rijk maken... *Reichtum erwerben, ein Traum ist in Erfülling gegangen.'*

'*Tais-toi. Tu ne sais pas de quoi tu parles. Tu n'as pas de rêves.'* Kruger haalde diep adem. 'Wat die rijkdom betreft, dat is precies wat ik wil. Maar ik wil niet de helft, zoals we eerst hadden afgesproken. Je hebt me immers belazerd. Nu wil ik alles. Kom op, vertel maar.'

De handlanger was achter het deurtje verdwenen en verscheen nu met een dokterstas. Hij plofte ze op de tafel neer en haalde scalpels, tangetjes en scharen te voorschijn.

Horst werd zo mogelijk nog bleker. 'Ga je me martelen? Oswaldo, dat kun je mij niet aandoen. Ik ben je broer. *Ton petit frère.'*

'Dacht jij daar soms aan toen je me uit Tetraville verjoeg? Trouwens, ik ga je niet martelen. Ik heb ook nog mijn trots. Ik ga je bijwerken. Zoals ik nog al heb gedaan. Alleen verbouw ik je gezicht nu tot een puinhoop.'

Krugers handlanger stormde op Horst af en greep zijn armen. Met één vloeiende beweging rukte hij die naar achter en sloeg ze in de handboeien. Met een tweede paar boeien klikte hij de ketting van het eerste paar aan de stoel vast.

Kruger nam een scalpel en liet het voor de ogen van Horst dansen. 'Ik breng wat incisies aan zodat de vullingen uit je wangen vallen. Ik haal wat valse tanden weg. Enkele bijgevoegde plukjes haar. Ik weet alles nog precies zitten. In minder dan geen tijd ben je weer een gewone sterveling, *Monsieur*

le Président. Klein detail: we werken zonder verdoving deze keer.'
Horst kermde.

Ik had meer dan genoeg van de voorstelling. 'Kruger, je had me mijn
vrouw en kind beloofd. Waar zijn ze?'

Kruger keek me spottend aan. 'Jouw vrouw en kind? Het is maar hoe
je het bekijkt.'

'Ik heb je hier uitgehaald. Nu is het jouw beurt om...'

Kruger rechtte zijn rug en wees met het scalpel naar het plafond. Ik
knikte. Net iets voor hem. De bovenste bol! De trap ernaartoe leek nog
langer dan de vorige. Er was weinig licht. Ik hoorde de wind buiten om
de constructie gieren. Af en toe gleed een stroom koude lucht over me
heen. Er zaten overal kieren.

Eindelijk boven. Hier was het geluid van de wind tot een geraas aange-
wakkerd. Hijgend bereikte ik het platform. Een massieve deur versperde
me de weg. Ik rammelde aan de kruk. Op slot.

'Rosy, Robin, zijn jullie daar?'

Ik hoorde niks. Het geraas buiten overstemde alles. Ik nam een aanloop
en beukte tegen de deur. Ze kraakte, maar gaf niet mee. Ik masseerde mijn
pijnlijke schouder. Door het huilen van de wind hoorde ik onder me een
luide schreeuw. Horsts behandeling was blijkbaar begonnen.

Ik deed een nieuwe aanval op de deur. Het hout kraakte nog meer. Het
middenpaneel boog, maar gaf niet mee. Nog meer geschreeuw beneden.
Nu was het Oswaldo die riep en tierde. Het familieonderonsje liep uit de
hand.

Terwijl ik koortsachtig naar een voorwerp zocht om als stormram te
gebruiken, hoorde ik het slot knarsen. De deur vloog open.

'Wat een gedoe. Kun je niet gewoon vragen om open te maken?' Rosy
schrok toen ze me zag. 'Paul, wat doe jij hier?'

Ik had nog even tijd nodig om van de schok te bekomen. Rosy was helemaal
niet opgesloten. Ze had hier gewacht om samen met Kruger te ontsnappen.
Ik was te goedgelovig. Je kon werkelijk niemand meer vertrouwen.

'Waar is Robin?'

Rosy probeerde de deur achter zich te sluiten, maar ik stormde naar voor
en dook de bol binnen. Ook deze ruimte was bijna helemaal leeg, op een
paar veldbedden en een kastje na. Robin stond bij het raam en keek over
de stad uit. Toen hij zich omdraaide, zag ik de blik in zijn ogen. Helemaal

anders dan voorheen. Ik kwam te laat. Ze hadden hem alles verteld. Er kwam een geforceerde glimlach op zijn gezicht. 'Hoi pa... Paul!' Een steek door mijn hart. Rotzakken.

Rosy liep me voorbij en nam Robin beschermend in haar armen. 'Ik denk dat het beter is dat je verdwijnt, Paul. Er is niks meer over. Je bent hier te veel.'

'Je laat je in de luren leggen, Rosy. Kruger heeft je vast van alles beloofd, maar hij komt zijn beloftes niet na. Hij komt ze nooit na.'

'Ach Paul, je begrijpt er geen moer van. Zeg niet zulke domme dingen.'

Ik kreeg het behoorlijk op mijn heupen. 'Waarom laat jij je sowieso in met Kruger? Hij is een bedrieger, hij profiteert van je.'

Een bliksemschicht. Ze leek wel onder stroom te staan. 'Hou daar verdomme over op. Denk je dat ik dit allemaal uit vrije wil doe? Kruger heeft...'

Er viel een stilte. Ze snikte.

'Wat heeft Kruger?' Ik deed aarzelend een paar stappen en nam haar bij haar arm. 'Iets waarmee hij je chanteert?'

Ze weerde me deze keer niet af. 'Mijn zus.'

'Je zus? Houdt hij haar gevangen en dreigt hij ermee haar om te brengen als je dit niet allemaal doet?'

Ze knikte nogmaals.

Haar kattig gedrag, haar depressieve buien, haar afkeer van me. Het werd me allemaal duidelijk. Ze wilde niet meer bij me blijven en ze wilde niet meer bij Kruger blijven, maar ze kon niks anders. Ze moest onderhand wel alle mannen haten.

Er schoot nog een gedachte door mijn hoofd. De vrouw die me kleren en voedsel had gebracht toen ik in het hoofdkwartier van Kruger was terechtgekomen. Ik vond dat ze wel wat op Rosy geleek.

'Ik heb haar gezien toen ik bij Kruger in Keulen was.'

Rosy zuchtte opgelucht. 'Ze leeft dus nog!'

Ik deelde haar opluchting niet. 'Ga mee met mij, Rosy. Nu het nog kan.'

'Nee, Paul. Dat risico neem ik niet. Ik moet met Kruger mee.'

Het gehuil van de wind was wat afgenomen zodat het gegil van Horst tot hierboven doordrong.

'Hoor je wat voor fijne kerel hij is?'

'Ga weg, Paul! Je kunt niks voor me doen.'

'Kom met me mee, Robin. Wij gaan hier samen weg.'

'Laat Robin hier buiten.' Ze sloeg haar armen nog meer om hem heen. Het gejammer van Horst was opgehouden. Nu klonk een sardonische lach van Oswaldo Kruger. We hoorden een deur knallen. Rosy liep naar de overloop. Ik volgde haar.

Langs de leuning van de wenteltrap zagen we handen. De handen van iemand die haastig naar beneden liep. Rosy schreeuwde. Oswaldo's hoofd kwam te voorschijn.

Rosy leunde nog verder voorover. 'Ben je klaar, Oswaldo? Kunnen we mee?'

Kruger antwoordde niet. Hij schonk ons een verraderlijke grijns en liep verder de trap af, gevolgd door zijn trouwe lijfwacht.

'Rosy, begrijp het nu toch. Hij is helemaal niet van plan je mee te nemen. Hij heeft je niet meer nodig.'

Ze had er geen oren naar. Ze greep Robin vast en trok hem mee de wenteltrap af. Ik volgde hen. Af en toe staken we onze hoofden over de leuning. Oswaldo en zijn kompaan wachtten ons niet op. Ze stormden naar beneden zonder om te kijken.

Mijn zesde zintuig ging tekeer. Kneep mijn keel dicht. Dit liep helemaal fout. Als Kruger alles perfect had gepland, wat blijkbaar het geval was, dan wachtte ons nog een verrassing. Een kind wist dat het geen aangename zou zijn.

'Rosy, blijf hier. Er moet iets...'

Er klonk een doffe knal. De wenteltrap trilde, de buis waarin we ons bevonden kraakte, een enorme stofwolk welde op. We beschermden onze ogen en voelden hoe de lucht langs ons lichaam gierde.

Rosy schreeuwde het uit. 'De trap! De trap is verdwenen.'

De lichte ontploffing had het onderste gedeelte van de wenteltrap weggeblazen, helemaal tot bij het platform van de middelste bol. Ik greep de leuning stevig vast. De restanten van de trap plooiden langzaam onder ons gewicht.

'We moeten terug naar boven. De rest van de trap zal instorten!' Ik reikte mijn hand naar Robin, die het dichtst bij mij stond. Er ging een rilling door me heen toen ik zijn kleine handje voelde. 'Kom mee. We moeten naar boven!'

Maar Robin stribbelde tegen. 'Mama, mama, waar ben je?'

Rosy stond drie meter lager, bij de voorlaatste trede van wat er van de trap overbleef, en staarde in de leegte onder haar.

'Rosy,' schreeuwde ik. 'De trap zal het begeven. Je moet naar boven!' Toen ze niet reageerde, duwde ik Robin voor me uit. 'Ga naar boven, Robin. Ga de bol binnen, blijf niet op de overloop.' Hij riep nog iets, maar begon toch aan de klim. Ik daalde de laatste meters en greep Rosy bij haar hand. De treden wiebelden onder onze voeten, de leuning trilde. Rosy bewoog niet.

'Rosy, verdomme! Ga mee naar boven. Dat is onze enige redding.' Hoe die redding er precies moest uitzien, wist ik ook niet. Maar alles was beter dan op deze wankele trap te blijven.

Ze keerde zich eindelijk om en het lukte me haar mee naar boven te trekken. De treden kraakten. Boven ons zag ik het lampje in het midden van de overloop. Nog zo'n vier omwentelingen te gaan.

'Blijf zo dicht mogelijk bij de muur. Daar is de constructie nog het stevigst.' Ik liet haar voorgaan en zorgde ervoor dat ik meer dan twee meter achter haar bleef, om het gewicht wat te verdelen.

Mijn voorzorgsmaatregelen mochten niet baten. De trap begaf het onder ons gewicht. De leuning brak middendoor, de treden plooiden. Ik kwakte tegen de muur aan en kon nog net een haak grijpen die als aanhechtingspunt voor de trap had gediend. Een gedeelte stortte naar beneden. Mijn benen bungelden in het ijle.

Ik keek naar boven. Rosy stond op de laatste omwenteling van de trap, een gedeelte dat het nog niet had begeven. Ze keek me aan. Er was iets veranderd in haar blik. De stuursheid en de vastberadenheid waren verdwenen. Diepe droefenis was in de plaats gekomen. Verraad weegt zwaar door. Gedumpt worden nog meer. Haar ogen kleurden rood.

Ik had met de tip van mijn schoen een tweede aanhechtingspunt gevonden en probeerde mijn gewicht wat te verdelen. De haak sneed door mijn hand. Bloed sijpelde in mijn mouw.

Ik voelde iets in mijn kraag. Rosy was naar me toe gekomen. Ze lag plat op haar buik op de laatste trede en had een hand uitgestoken. Met haar andere hield ze de leuning stevig vast. Ze schreeuwde iets. Ik begreep het niet. Ik hield de adem in en waagde de sprong. Mijn ene hand greep de trede, mijn andere had Rosy's arm stevig vast.

Secondenlang bengelde ik boven de afgrond. Toen kon ik mijn voet plaatsen op een deel van de leuning dat nog was blijven hangen. Rosy trok nu met beide armen. Ze stond op, klauterde een trede verder naar boven en ik voelde hoe mijn bovenlichaam op de laatste trede terechtkwam. Ze sleurde me verder recht. We haastten ons naar boven, snelden de overloop over en doken de bol binnen. Een nieuwe knal deed de hele constructie trillen.

'Hemel,' stamelde Rosy. 'Dat was net op tijd.'

'Die knal komt niet door een instortende trap. Dat is een nieuwe ontploffing. Hij laat de hele constructie in elkaar storten.'

'Hoe moeten we hier...?' Ze maakte haar zin niet af. 'Waar is Robin?'

De bol was leeg. Ik snelde naar het raam, maar dat kon niet opengemaakt worden. Aan de voet van het Atomium knetterden vlammen. Er waren een tiental auto's gearriveerd. Politieauto's. Ik kon niet zien of ze een H op het dak hadden. Problemen voor later. Ik draaide me om. Nu was ook Rosy verdwenen!

Toen zag ik de deur in het zijpaneel. Net op dezelfde plaats als waar er in de bol onder ons ook een had gezeten. Ik liep er naartoe. De deur gaf toegang tot de verbindingsbuis naar de zijbol. De enige resterende zijbol die helemaal in de steigers stond. Het was geen wenteltrap deze keer. Een klassieke, rechte trap, steil naar beneden. De buis was schaars verlicht. Ik zag Rosy ongeveer halfweg. Ergens beneden klonk het enthousiaste geschreeuw van Robin. Hij had de zijbol al bereikt.

'Rosy, voorzichtig!' schreeuwde ik. 'Dit deel van het Atomium staat op instorten.'

Ze keek niet om. Ik begon aan de afdaling. Eerst voorzichtig, maar toen ging er een enorme siddering door de hele constructie en hoorde ik de bovenste bol kraken in al zijn voegen. De trilling hield niet op, het leek wel een aardbeving. De treden begonnen te hellen. Ik kwakte tegen de zijwand van de buis.

'Rosy, snel! Het stort in. Robin, rennen! Naar beneden!'

Toen vielen alle lichten uit en helde de buis nog verder door. Ik verloor het evenwicht. In een laatste lichtflits zag ik de treden boven me uitsteken. Een donderend geraas galmde door de hele constructie. We waren in vrije val nu. Ik leek te zweven. Ik vloog door de buis en kwakte tegen de andere kant. Nog meer gekraak. Licht stroomde naar binnen. De buis was in tweeën gebroken. Ik zag Rosy door een scheur verdwijnen. Plots was de trap opnieuw onder me. Ik plofte onzacht tegen de treden aan. Ik krabbelde overeind en zag dat de trap nu in de andere richting helde. Wat daarnet nog boven was, lag nu onder me. Door een opening zag ik de lucht en de centrale zuil van de constructie. Het hele gevaarte stortte in. De bovenste bol wankelde en kwakte toen met een oorverdovend kabaal tegen de grond. Een wolk stof walmde door de buis en benam me alle lucht. Ik werd meegesleurd. Ik sloeg met een klap tegen een zoveelste obstakel. Toen draaide iemand het licht in mijn bovenkamer uit.

52

Ik constateerde dat ik in een ambulance lag. De achterdeuren stonden open en dat bood een mooi uitzicht op de ravage. Het vuur aan de voet van het Atomium was geblust. De restanten van de eens zo machtige bollen lagen over het terrein verspreid. Nog één gedeelte stond overeind, dat met de wankele zijbol die in de steigers stond. Ik probeerde rechtop te zitten, maar een ongenadige hoofdpijn sloeg toe. Een verpleger duwde me zachtjes terug op de brits.

'Liggen blijven. Je mag van geluk spreken dat je dit hebt overleefd.'

'Wat is er...'

'Geen inspanningen. Rustig aan. Door de flexibiliteit van de buis waarin je zat, is het grootste gedeelte van je val gebroken. Je houdt er wel een zware hersenschudding aan over en nog wat kneuzingen. Maar je hebt enorme mazzel gehad. Eén kans op honderd was het.'

'Waar is... Waar is Robin?'

'Bedoel je het kereltje? Die was veilig op de begane grond toen de boel instortte.'

'En Rosy?'

'Dat weet ik niet. Hou je nu maar rustig. We brengen je naar een ziekenhuis.'

Een man stapte de cabine binnen. Hij had een armband met een zwarte H om de mouw. Hij ging naast me op een klapstoeltje zitten. Ik herkende hem. Hij was een van mijn ontvoerders die bewuste namiddag aan de Schelde, toen ik naar de ondergrondse garage werd gebracht. De man met de bierpul.

Hij leek uiterst tevreden met de gang van zaken. 'Mooi, mooi. Ik zie dat je het overleefd hebt. Dat is goed. Want we hebben nog een heleboel zaken uit te klaren. De firma Hudson staat voor drukke tijden.'

'Waar is Rosy?'

Zijn gezicht betrok. 'Het spijt me. Ze heeft de klap niet overleefd.'

Ik kreeg een krop in de keel. Onze relatie berustte weliswaar op wankele peilers, maar door de jaren was ik van haar gaan houden. Echt van haar gaan houden. Ik wilde haar absoluut uit Krugers handen halen. Haar een eerlijke kans geven. Onze relatie een eerlijke kans geven. Ik had er alles aan gedaan en het was me bijna gelukt. We hadden Kruger bijna verslagen. Dit had ze niet verdiend. Mijn hoofd tolde. 'Waar is Robin?'

'Hij maakt het goed. We hebben hem opgevangen.'

'Ik wil hem zien.'

'Dat zal nog even moeten wachten.'

'Ik wil...'

'Niks te willen.' Zijn toon werd bars. 'Wat was jij eigenlijk van plan? Mee heulen met Kruger? Hem laten ontsnappen?'

'Is hij geklist?'

'Nee. Maar dat is een kwestie van uren. We hebben de situatie weer helemaal in handen. Dat doet goed, na al die jaren.'

'Hoe kun je zo spreken als er duizenden mensen zijn gestorven door die dekselse teken?'

Hij glimlachte spaarzaam. 'Dat valt nogal mee. Hun beestjes deden het niet.'

'Deden wat niet?'

'Wat ze moesten doen. Dat krijg je met die genetisch gemanipuleerde spullen. Ze vertonen een constructiefout. Ze verdragen de koude temperaturen in Zone B niet. De ventilators hebben duizenden dode teken de zaal ingeblazen. Er zijn alleen wat gewonden. Mensen die vertrappeld werden door de ontstane paniek.'

Dit nieuws kon me niet echt opbeuren. Mijn arme hoofd liet het afweten. 'Hoe hebben jullie ons hier gevonden?'

'Ben je vergeten dat elke politiewagen een ingebouwde zender heeft? We konden jullie zo volgen. De loketbediende bij het metrostation had je herkend. Hij is jullie gevolgd en zag jullie in de tunnelkoker verdwijnen. Toen wij aankwamen, kon hij ons de precieze plek aanwijzen. We gingen jullie achterna. Hier duurde het alleen een tijdje voor de nodige versterking kwam opdagen. Het was een nogal hectische dag, zie je?'

'Wat is er van Horst Kruger geworden?'

'We hebben zijn lichaam tussen de overblijfselen gevonden. Oswaldo heeft hem iets te gretig onder handen genomen. Hij is dood.'

'Maar waarom toch? Wat kan er zo belangrijk zijn?'

'De verborgen kunstschatten.'

Ik ademde langzaam uit. Dat was niet waar. Kruger was naar iets anders op zoek. 'Ik denk dat er meer is.' Ik liet mijn hoofd in het kussen zakken en sloot de ogen. Het licht ging opnieuw uit.

Toen ik weer wakker werd, lag ik in een ziekenhuisbed. Mijn trouwe medewerker van de firma Hudson stond aan mijn zij. Zijn gezicht zag er zo mogelijk nog bedrukter uit dan een tijdje geleden in de ambulance. Mijn hoofd deed het beduidend beter. Ik slaagde er al prima in de gebeurtenissen op een rijtje te zetten. 'Ik kan al vermoeden wat er verkeerd loopt. Er kan maar één reden zijn waarom jij hier naast mij de wacht optrekt.'

'Oh?'

'Er is wat mis met Kruger. Jullie hebben hem nog niet te pakken.'

Hij knikte sip. 'Heel Zone B is uitgekamd. Alle riolen, alle steegjes, alle wijken. Niks. Hij is verdwenen.'

'Lijkt mij het meest logische. Zou ik ook doen.'

'Tetraville is hermetisch afgesloten. Dus hij moet nog binnen zijn.'

'Natuurlijk, na alle moeite die hij zich getrooste om binnen te raken. Horst zal zijn geheim prijsgegeven hebben. Oswaldo is onderweg om de buit op te halen. Of iets dergelijks.'

'Als dat zo is, dan moeten we hem vinden. Maar hij lijkt van de aardbol verdwenen.'

'Eventjes geen bollen meer, ja? Daar heb ik voorlopig genoeg van.'

De man haalde de schouders op. 'Zone P wordt volledig door ons gecontroleerd. Als Horst de buit ergens verstopt heeft, dan moet dat daar zijn. Het was zijn hoofdverblijfplaats tijdens zijn ambtsperiode.'

'Klinkt logisch.' Iets in mijn bonkende hoofd bleef maar herhalen dat we een denkfout maakten. Maar denken was wel het laatste waar ik op dit ogenblik zin in had. Ze konden allemaal de pot op. Zij waren aan zet.

53

Zes jaar gevangenis gaan niet in je koude kleren zitten. De beperking van je bewegingsvrijheid maakt je hoorndol. Elke gebeurtenis, elk feitje, hoe klein ook, dat je sleur doorbreekt, is een hemelse verademing. Daarom was wat me nu te wachten stond in al die tijd uitgegroeid tot een hoogmis. Ik schuifelde als een nerveuze tiener mijn cel uit en volgde de bewaker.

Robin was een flinke knaap geworden. Hij stond fier rechtop, naast de tafel in de bezoekersruimte van de gevangenis en schudde me krachtig de hand, als een volwassene. We gingen zitten.

'Hallo Paul.'

'Hallo Robin.' We hadden bij onze vorige gesprekken – Robin was me gedurende deze zes jaar om de twee weken trouw komen opzoeken – enkele zaken uitgeklaard. Onze aanspreking was er daar eentje van. Hij noemde me voortaan liever Paul. Een wereld van verschil, maar ik had ermee leren leven.

Een andere zaak betrof Rosy. We spraken tijdens zijn bezoeken steeds uitgebreid over haar. Over hoe we vroeger zo goed mogelijk probeerden samen te leven. Het onderwerp Kruger bleef daarbij onaangeroerd. Meestal. Al bij al had Robin de hele geschiedenis goed verwerkt. Het leek wel alsof hij de waarheid naar een donker achterkamertje in zijn geheugen had verbannen. Negatie noemden de psychologen dat. Het was zeker niet de meest gezonde oplossing, maar voor Robin scheen het te werken. Hij was in staat om het verleden los te laten en vooruit te kijken.

'Alles kits?'

Hij knikte.

'Hoe gaat het met Solange? Krijgt ze het niet te hard te verduren met jou?'

Hij schudde het hoofd. 'Valt wel mee. Al zeg ik het zelf.' Hij grijnsde. Even zag ik het grijnzende gelaat van Oswaldo Kruger voor me. Ik sloot de ogen. Het beeld dreef weg.

'Weet je dat we nu effectief verhuisd zijn? Nu Vorst Nationaal opnieuw open is, hadden we meer dan eens geluidsoverlast. We wonen nu in het oude Laken, in de buurt van de ruïnes van het Koninklijk Paleis. We hebben uitzicht op de werf van het Atomium.'

'Oh.'

'Weet je niet dat het Atomium opnieuw wordt opgebouwd?'

Dat wist ik wel, maar ik wilde liever niet aan dat wangedrocht herinnerd worden.

'Ze willen het toerisme aanzwengelen. Nu het weer beter gaat met Tetraville, beginnen meer en meer mensen te reizen.'

Ik probeerde niet al te cynisch te klinken. 'Oh, leuk is dat. Ik kan al niet wachten tot ik vrij kom om te gaan reizen.'

Robin veerde enthousiast op. 'Ja, nu duurt het echt niet lang meer tot je vrijkomt, niet? Wat een mazzel dat je een lichte straf hebt gekregen.'

Ik kon mijn geluk niet op. 'Tja...'

'Weet je dat er verleden week nog een documentaire op tv was over die hectische dagen in september 2052? Ze toonden ook de onderaardse loods waar ze destijds, na een koortsachtige zoektocht, Oswaldo Kruger hebben geklist.'

Ik reageerde niet.

'Toe nou. Dat weet je toch nog? Jij bracht hen op het spoor. Midden in de nacht, toen je in het ziekenhuis lag en de reguliere Politieraad nog wanhopig jacht maakte op Oswaldo Kruger, had je een nachtmerrie. En opeens wist je waar Kruger was. Hij was naar Zone A.

Je droomde over die bizarre ceremonie in Zone A, maanden eerder, waarbij je om een onverklaarbare reden een onderscheiding te beurt viel. Achteraf begreep je dat het de bedoeling was geweest je aan de valse president voor te stellen. Hij gaf toen zijn fiat voor die hele onderneming.

Maar na de plechtigheid had jij Horst Kruger zien wegrijden. Je had de kans om hen te volgen en je zag dat ze niet naar het treinstation reden, maar naar een ondergronds tunnelcomplex daar in de buurt. Daar hebben ze Oswaldo Kruger geklist. Ze vonden er ook een groot deel van de geroofde kunstschatten terug. Maar dat was niet de hoofdreden waarom Oswaldo daar was. Is het niet?'

Ik zei niks.

'Nee. Want Oswaldo Kruger liet zich vrij makkelijk inrekenen, nadat hij een oude man uit een cel in datzelfde complex had bevrijd. Dat bleek zijn vader te zijn. Hun vader. Die was helemaal niet overleden zoals Oswaldo Kruger jou had verteld. Hij werd jaren voordien door Horst ontvoerd en gevangen gehouden. Daarom ging Oswaldo zo voorzichtig te werk om Tetraville binnen te dringen. Daarom ook zorgde hij ervoor dat niemand te weten kwam dat hij ook over het Baccoline-B beschikte. Dat zou de dood van zijn vader hebben betekend. Dat weet je toch nog allemaal, Paul?'

'Ja, dat weet ik nog, Robin.'

Hij was niet meer te stoppen in zijn jeugdig enthousiasme. 'Het was allemaal begonnen met een oude familievete. Horst was steeds de minkukel van de familie geweest. Toen hij Oswaldo in het bedrog rond Tetraville betrok, hield hij dat angstvallig voor hun vader verborgen. Maar die kwam er achter en wilde een stokje voor de hele onderneming steken. Oswaldo was het daar volmondig mee eens. Horst niet. Hij ontvoerde hun vader en verplichtte Oswaldo hem tot president om te bouwen. Daarna verjoeg Horst Oswaldo uit Tetraville.'

Ik tuitte spaarzaam de lippen. 'Je hoeft me de hele documentaire niet na te vertellen, Robin. Ik ken de feiten.'

Plots trok hij een pruillip. 'Jammer dat er over jou met geen woord werd gerept in die documentaire. Terwijl jij toch de oplossing hebt aangebracht?'

Ik leunde achterover. Het was allemaal deel van de afspraak. Ik had hen inderdaad door mijn inval op het spoor van Oswaldo Kruger gebracht. Als beloning voor mijn hulp werd mijn dossier aangepast. De aanklacht werd geminimaliseerd. Ik kreeg een lichte gevangenisstraf voor het verraad dat ik gepleegd had, of wilde plegen door met Oswaldo Kruger samen te werken.

Mijn straf zat ik uit onder een andere naam. Paul Notteboom bestond niet meer. Die was omgekomen in die turbulente tijden. Daardoor was meteen ook de gevaarlijke terrorist verdwenen. Opgeruimd staat netjes. Leugens waren met nieuwe leugens toegedekt.

We keuvelden nog wat tot de toegestane tijd om was. Robin verdween, zoals gewoonlijk belovend dat hij over twee weken terugkwam. Ik keerde naar mijn cel terug. Ik staarde naar de kalender aan de muur. Inderdaad. Binnen afzienbare tijd kwam ik vrij.

Wat was dat ook weer? Vrij zijn?

Van dezelfde auteur

De Emerson-locomotief

Andy Rotsaert is een 42-jarige privé-detective die in het zonnige Torremolinos kleine klusjes opknapt. Tot hij wordt ingehuurd door Miguel Platero, een rechercheur van de plaatselijke politie, en diens vreemde opdrachtgever Sengies Emerson. Andy moet de gek geworden vader van Sengies opsporen. Zijn onderzoek leidt tot zeer vreemde conclusies, waarbij schijn en werkelijkheid onontwarbaar met elkaar verstrengeld raken. Rotsaert is immers helemaal niet de kluns die hij voorgeeft te zijn en Sengies Emerson is een gevaarlijke psychopaat die lid is van de Illuminati, een sekte die de wereld wil vernietigen en een nieuw ras wil stichten. En Sengies heeft uitgerekend Andy's vriendin tot oermoeder uitverkozen.

ISBN 90 443 0280 9

Van dezelfde auteur

Het Zwartbergplan

De jonge Oostendse politie-inspecteur Filip Hero wordt willens nillens betrokken bij een omvangrijk en zorgvuldig voorbereid complot binnen de rijkswacht om de Belgische staat te ontwrichten en de macht te grijpen. Hero ontrafelt het kluwen, draadje bij draadje, op gevaar van eigen leven, opgejaagd door de complotteurs. Hero ontdekt dat de waanzin een aanvang neemt tijdens de mijnwerkersrellen in het Limburgse Zwartberg, in januari 1966. De intrige wordt hem, dankzij de hulp van Simone die hij tijdens de twee helse weken leerde kennen, gaandeweg duidelijk.

ISBN 90 443 0109 8